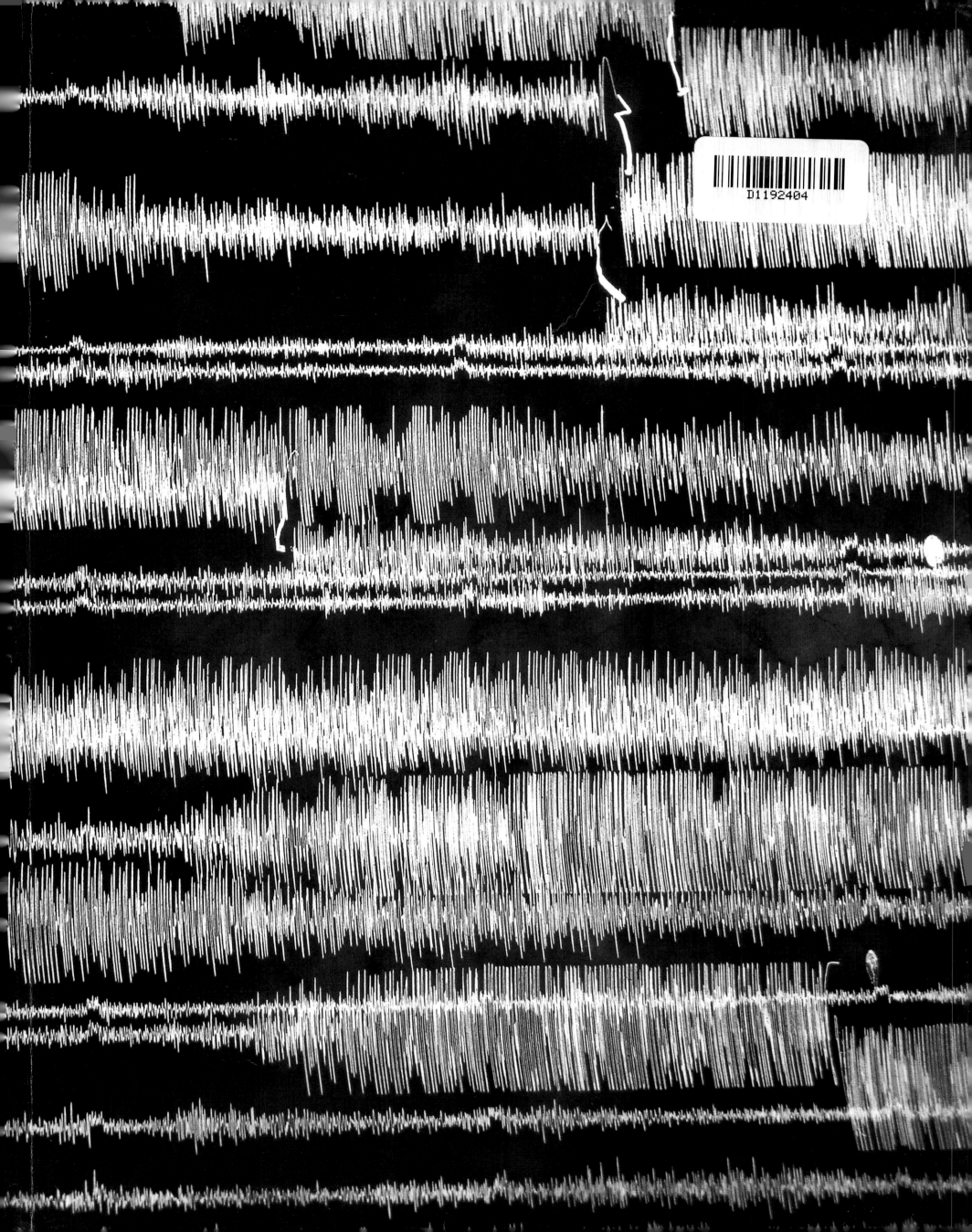

D1192404

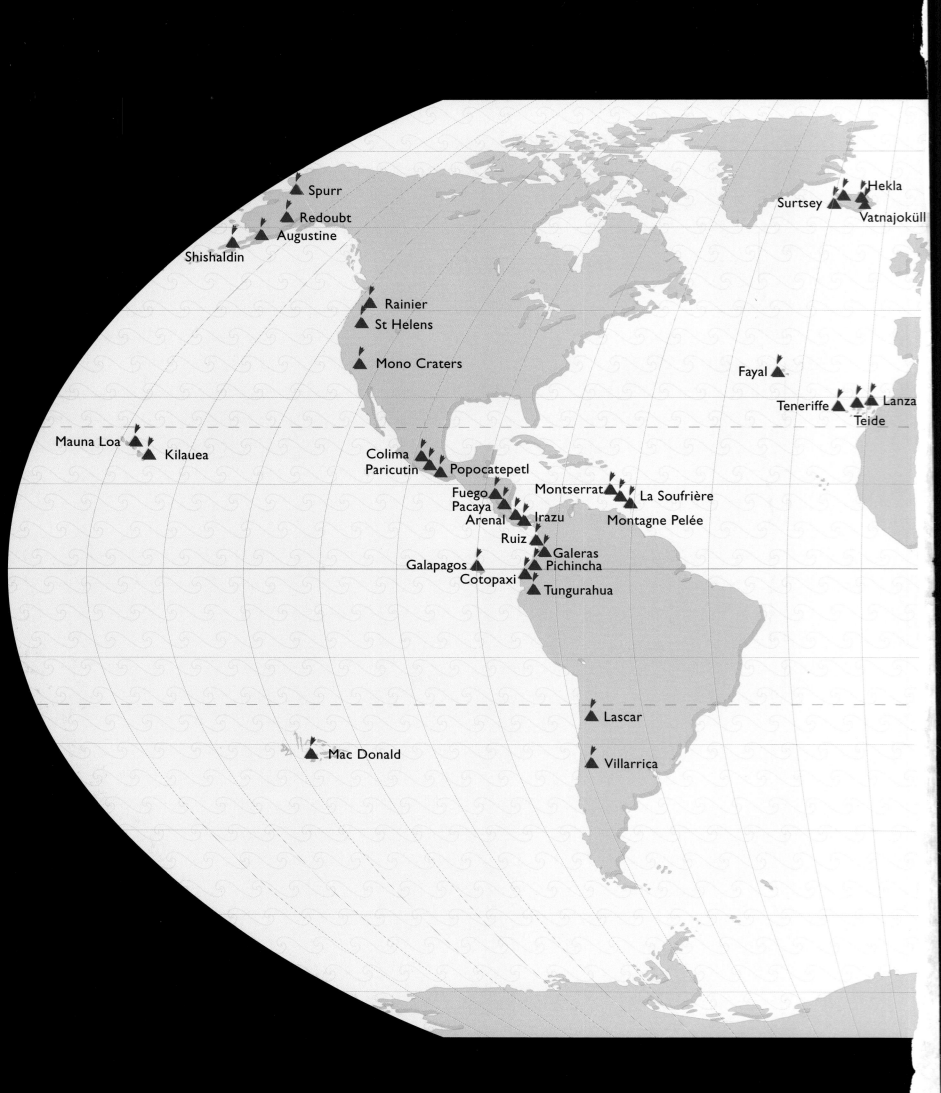

Spurr

Redoubt

Augustine

Shishaldin

Rainier

St Helens

Mono Craters

Mauna Loa

Kilauea

Colima
Paricutin

Popocatepetl

Fuego
Pacaya

Arenal

Irazu

Ruiz

Galapagos

Cotopaxi

Galeras
Pichincha

Tungurahua

Montserrat

La Soufrière

Montagne Pelée

Fayal

Teneriffe

Teide

Lanza

Hekla

Surtsey

Vatnajoküll

Lascar

Mac Donald

Villarrica

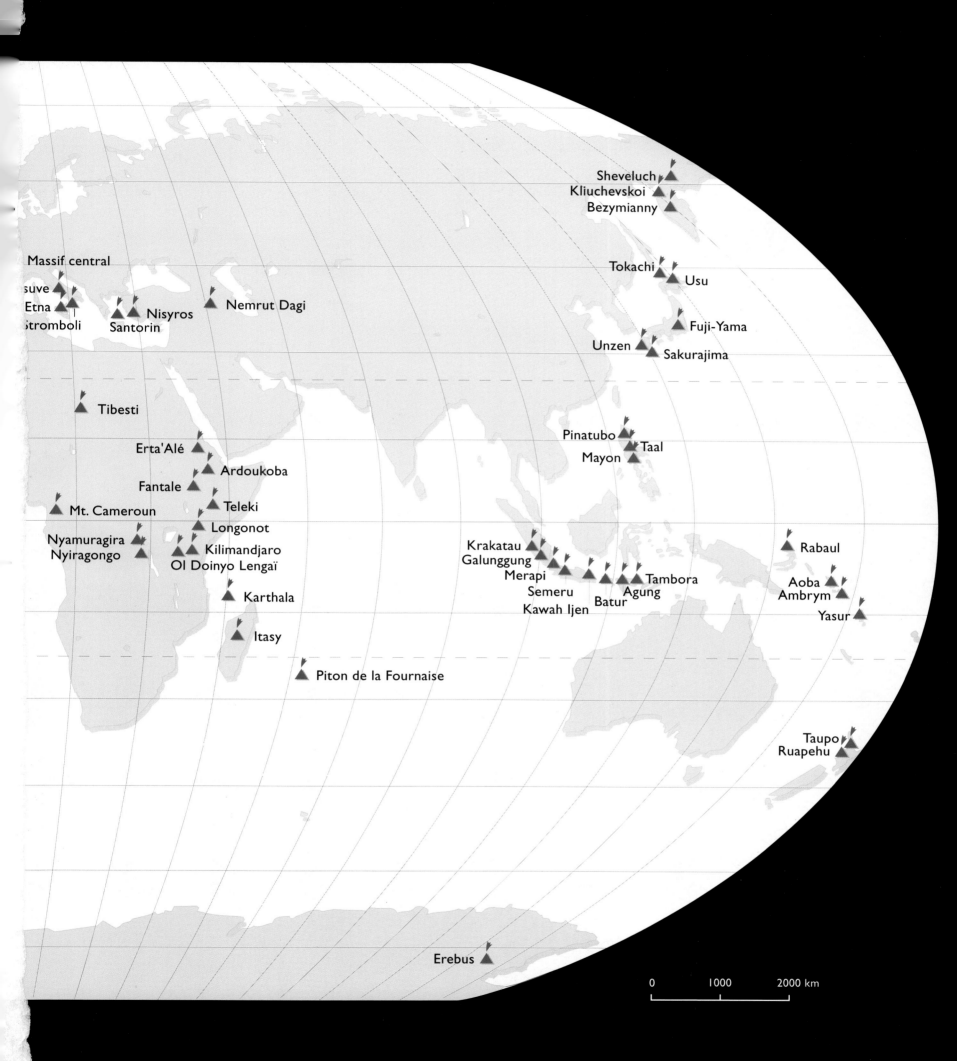

Sheveluch
Kliuchevskoi
Bezymianny

Massif central
suve
Etna
Stromboli
Nisyros
Santorin
Nemrut Dagi

Tokachi
Usu

Fuji-Yama
Unzen
Sakurajima

Tibesti

Erta'Alé
Ardoukoba
Fantale
Mt. Cameroun
Teleki
Longonot
Nyamuragira
Nyiragongo
Kilimandjaro
Ol Doinyo Lengaï
Karthala

Pinatubo
Taal
Mayon

Krakatau
Galunggung
Merapi
Semeru
Kawah Ijen
Batur
Agung
Tambora

Rabaul

Aoba
Ambrym
Yasur

Itasy

Piton de la Fournaise

Taupo
Ruapehu

Erebus

0   1000   2000 km

Pour Frédéric et Nicolas, tendresse.
Ph. B.

Pour Agnès, Héloïse, Arthur et Léonard.
J. D.

DES VOLCANS ET DES HOMMES

Philippe Bourseiller
Jacques Durieux

Éditions
de La Martinière

Pour réaliser un ouvrage comme *Des volcans et des hommes*, il faut des auteurs et un éditeur compétents certes, mais aussi enthousiastes.

Les auteurs : Philippe Bourseiller et Jacques Durieux. Depuis longtemps, ils forment une équipe et ont réalisé et produit en commun de nombreux reportages, notamment sur les volcans. Tous deux montagnards et baroudeurs, si l'un est photographe, l'autre est volcanologue et, comme tout volcanologue, photographe et cinéaste à ses heures.

De leur savoir et savoir-faire est né ce remarquable ouvrage, doté d'une iconographie somptueuse, qui traite des mythes et croyances associées aux volcans, des éruptions volcaniques, des connaissances scientifiques et des risques volcaniques donc « des volcans et des hommes », tout leur parcours commun. Pour faire un beau livre, il faut un éditeur : Hervé de la Martinière. On ne présente plus sa maison d'édition. Sa renommée a fait le tour du monde : qui ne connaît pas *La Terre vue du ciel* de Yann Arthus-Bertrand ! Le dernier livre sur les volcans publié en 1992 par sa maison était l'ouvrage posthume *Le Feu de la Terre* de Maurice et Katia Krafft, tragiquement disparus en 1991 au cours de l'éruption du volcan Unzen au Japon.

Philippe Bourseiller et Jacques Durieux ont monté de nombreuses expéditions sur les volcans. L'une, dans le cadre des émissions « Dans la nature avec Stéphane Peyron », sur le volcan Erta'Alé en Afar, dans la dépression Danakil située entre les hauts plateaux éthiopiens et la mer Rouge, m'a plus particulièrement marqué pour deux raisons. D'une part, c'était la première fois que j'y retournais après vingt ans. En effet, de 1967 à 1974 j'ai participé avec une équipe franco-italienne à l'exploration géologique et volcanologique de cette région sous la direction de Haroun Tazieff et Giorgio Marinelli. C'est au cours de ces expéditions que nous avons découvert les deux lacs de lave de l'Erta'Alé : phénomène volcanique rarissime dans le monde. Faire découvrir un tel pays et de tels phénomènes à ses amis était très émouvant. D'autre part, cette mission fut fertile en émotions. Alors que nous allions quitter un village en hélicoptère près de la plaine de sel où mes amis venaient de passer une semaine en toute convivialité avec le front de libération local, le commandant de celui-ci se précipita dans l'appareil, revolver au poing et, à coups de crosse, fit descendre tout le monde. Les palabres s'engagèrent difficilement. Au fur et à mesure, nous apprîmes qu'il y avait eu un malentendu entre le commandant de bord et le chef du front sur le nombre de guérilleros devant embarquer et que celui-ci avait quelque peu abusé du vin de palme... Après des heures d'âpres discussions, il nous fut octroyé quatre jours dans la caldeira de l'Erta'Alé, après quoi nous serions délogés à coups de roquettes. Heureusement pour nous, le commandant du MI8 fut au rendez-vous.

Dynamisme éruptif rarissime à l'Erta'Alé, disais-je. Rapporter des images du comportement du lac de lave permanent – l'autre ayant disparu –, des échantillons de la lave et des gaz exhalés était un de nos objectifs.

J'ai admiré l'aisance de mes deux amis descendant en rappel la paroi de 100 mètres du puits ou « pit-crater », au fond duquel bouillonnait la lave. Quant à moi, descendu et remonté à l'aide d'un treuil à main au bout d'un câble comme un vulgaire sac, je n'en menais pas large. Que ne faut-il pas faire quand on est entraîné par de vrais « pros » ! Dommage, l'Erta'Alé n'a qu'une petite place dans le livre, sans doute celle qui lui revient... il y a tant d'autres volcans autour du monde, volcans qui sont ici superbement montrés.

En 1650, le géologue Varenius ne comptait que 27 volcans récents ou actifs ; en 1862, le volcanologue George Poulett Scrope en était à 217 ; et en 1869, le célèbre explorateur Alexander von Humboldt à 407. Aujourd'hui, Tom Simkin et Lee Siebert, dans *Volcanoes of the World* de la Smithsonian Institution, en répertorient plus de 1 500 ! Dans cet inventaire, on ne tient compte que des volcans visibles à la surface de la Terre, aucun des volcans sous-marins n'est cité, à l'exception de quelques-uns dont les manifestations sont visibles à la surface des mers et océans. Or il faut savoir que l'axe des rides océaniques, à 2000-2500 mètres de profondeur sur une longueur de 65 000 kilomètres, là où les plaques tectoniques divergent, n'est qu'un immense volcan continu en activité statistiquement permanente ! tout juste connu des scientifiques grâce aux plongées en submersibles, inconnu du public. Seules deux zones de ces rides sont exondées : l'Islande et l'Afar, là justement où est l'Erta'Alé. Et que dire des dixaines de milliers de volcans sous-marins tapissant le fond des océans détectés par des méthodes satellitaires et dont on ne connaît pas les mécanismes de formation à part ceux liés aux « points chauds » ?

La vulgarisation est un art difficile. Expliquer et montrer ce que sont les volcans, les rendre accessibles à tous ceux qui sont fascinés par ce phénomène naturel qu'est le volcanisme, étaient les objectifs des auteurs. C'est chose faite et remarquablement faite.

Mais cela n'est pas tout. Aujourd'hui cinq cents millions de personnes de par le monde sont soumises aux risques volcaniques. Au moment où on va commémorer le centième anniversaire de l'éruption de la Montagne Pelée, qui fit 29 000 victimes en 1902, il est important de rappeler tous les efforts faits pour la mitigation de ces risques. Les connaissances en volcanologie ont fait beaucoup de progrès et, grâce aux réseaux de surveillance installés sur les volcans, je ne pense pas qu'on puisse assister à une pareille catastrophe aujourd'hui auprès des volcans instrumentés. La plupart des volcans dangereux sont sous surveillance. Mais il en existe encore sans aucune surveillance dominant des villes très peuplées. Inconscience des pouvoirs ?

La mitigation des risques volcaniques ne peut se réaliser que s'il y a une prise de conscience publique. Que les autorités civiles et les scientifiques fassent leur travail, c'est la moindre des choses, encore faut-il que le public soit informé correctement du danger qu'il court.

Sans connaissance du phénomène, pas de prévention possible. En ce sens, ce livre apporte un concours précieux.

JEAN-LOUIS CHEMINÉE
Directeur de recherches au CNRS
Directeur des observatoires volcanologiques
de l'Institut de Physique du Globe de Paris

Pages de garde avant et arrière :
Des séismes de fracturation se
transforment en trémor continu lorsque
débute l'éruption. C'est le véritable
« bulletin de naissance » du volcan.
Volcan du Piton de la Fournaise.
Île de la Réunion.

Page de titre : Le Stromboli est actif
depuis qu'on le connaît, c'est-à-dire
depuis environ 3 000 ans : cette
activité a souvent été décrite dans
l'histoire et consiste en une alternance
d'explosions projetant des lambeaux
de lave en fusion, des blocs
ou des cendres, et des émissions
sporadiques de coulées de lave
dévalant jusqu'à la mer. Volcan
Stromboli. Îles Éoliennes. Italie.

Page de sommaire : Vue aérienne
du Pu'u O'o. Un effondrement
latéral a ouvert une nouvelle
bouche sur le flanc du cône.
Volcan Kilauea. Hawaii.

Page de préface : Les plantes
participent activement à la survie
des grands paysages volcaniques :
leurs racines fixent les sols
de cendres très mobiles,
limitant ainsi les effets destructeurs
de l'érosion. Islande.

SOMMAIRE

Page 9. L'Ol Doinyo Lengaï est le seul volcan de la planète à émettre des carbonatites, laves noires et très fluides lorsqu'elles sont en fusion, devenant blanches comme neige en refroidissant. Un décor surnaturel tapisse ainsi le fond du cratère qui, en plus d'être blanc, est également hérissé de multiples cheminées éruptives édifiées au-dessus des fissures émissives. Tanzanie.

Pages 10-11. Mineur récoltant du soufre sur les berges du lac acide du volcan Kawah Ijen. Indonésie.

Pages 12-13. Cône volcanique de Lakagigar recouvert de mousses et de lichens, mis en place lors de l'éruption du volcan Laki en 1783. Islande.

Pages 14-15. Vue nocturne du cratère et du lac de lave du cratère Benbow sur l'île d'Ambrym. Vanuatu.

Pages 16-17. Sur l'île de Panarea à Capo Milazezze se trouve un site néolithique qui exploitait l'obsidienne. Îles Éoliennes. Italie.

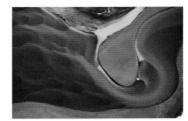

Pages 18-19. Vue aérienne d'une rivière dont les eaux doivent leurs couleurs aux sels minéraux provenant d'édifices volcaniques. Islande.

Pages 20-21. Le volcan Sakurajima est à l'origine de sources chaudes très populaires dans lesquelles les Japonais aiment venir se détendre. Japon.

Pages 22-23. Un volcanologue entame la descente en rappel du cratère Benbow du volcan d'Ambrym, afin de s'approcher du lac de lave. Vanuatu.

Pages 24-25. Des volcanologues prélèvent des échantillons sur le dôme actif du volcan Merapi. Régulièrement, il bascule et s'écroule en provoquant parfois des nuées ardentes qui détruisent les champs et les habitations situés sur les flancs du volcan. Indonésie.

Pages 26-27. Panache de vapeur sur les flancs du volcan Etna, en hiver. Sicile.

Pages 28-29. Dès le début de l'éruption, le magma arrive en surface. Il construit un ou plusieurs nouveaux cônes et s'épanche en coulées de lave. Volcan du Piton de la Fournaise. Île de la Réunion.

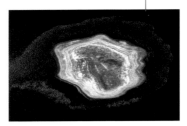

Pages 30-31. De très nombreuses colonies de flamants roses se sont installées sur les rives du lac Bogoria qui se trouve dans un ancien cratère de volcan. Kenya.

Pages 32-33. Vue aérienne d'une rivière dont les eaux sont colorées par les sels minéraux provenant des édifices volcaniques où elle prend sa source. Islande.

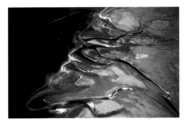

Pages 34-35. Source de soude caustique sur les rives du lac Natron. Tanzanie.

Pages 36-37. Canyon de Waimea. L'érosion intense a fait apparaître des falaises rouges dans les anciennes coulées de lave décomposées. Hawaii.

Pages 38-39. Svartsengi est un exemple du pragmatisme islandais. Tandis que la centrale puise l'eau souterraine destinée à chauffer la ville voisine, des baigneurs goûtent toute l'année à la délicieuse chaleur du bassin alimenté par le surplus des eaux de captage. Islande.

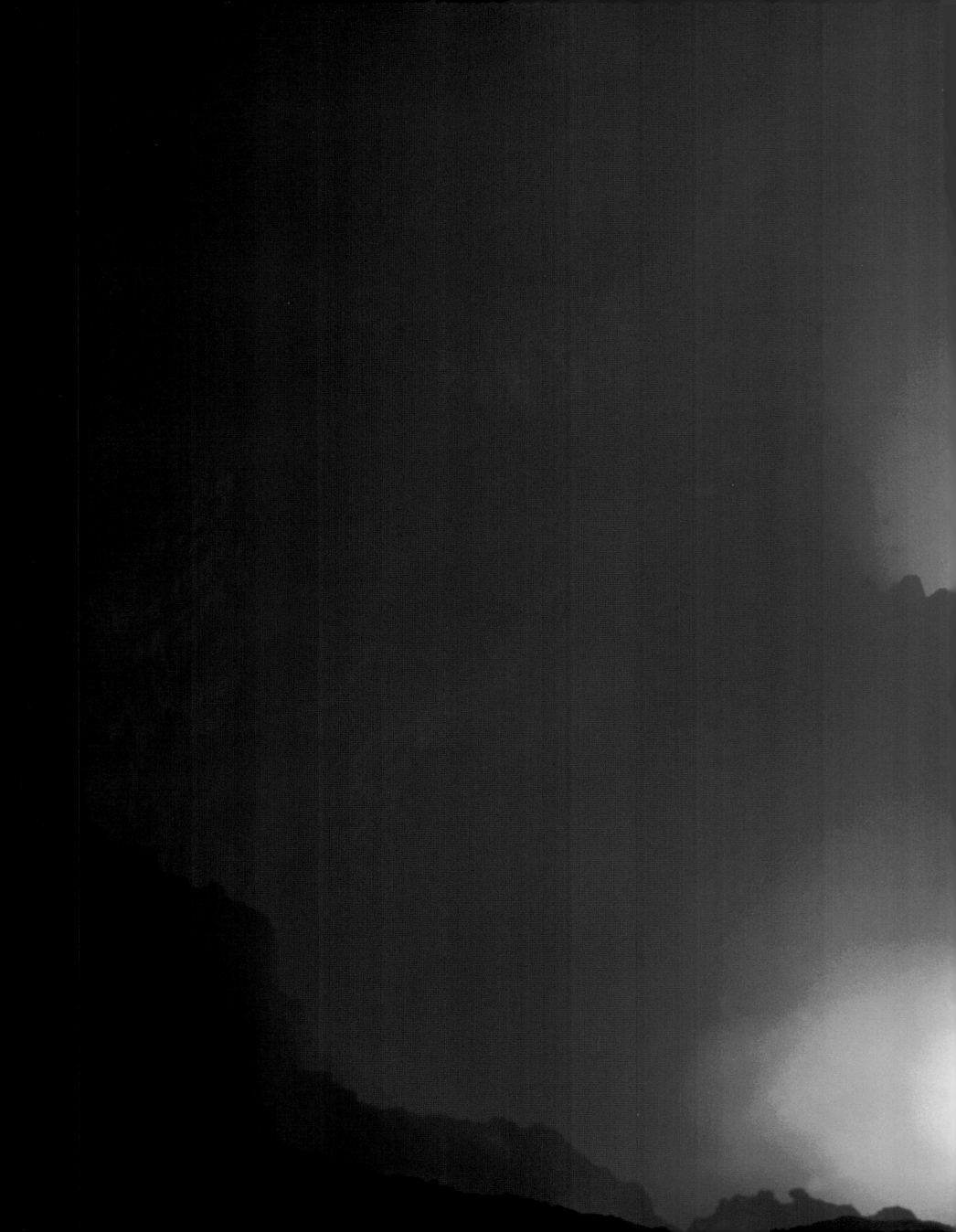

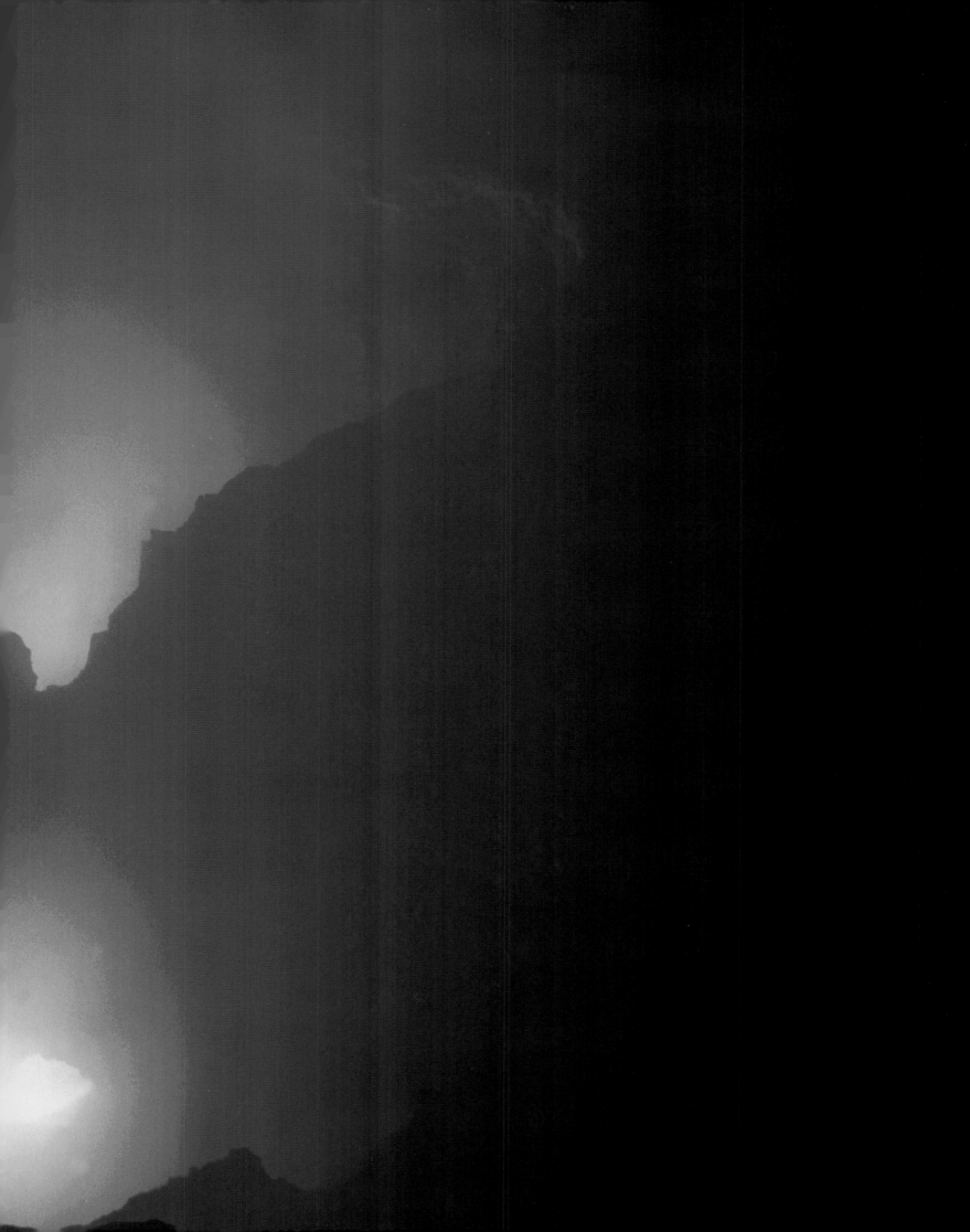

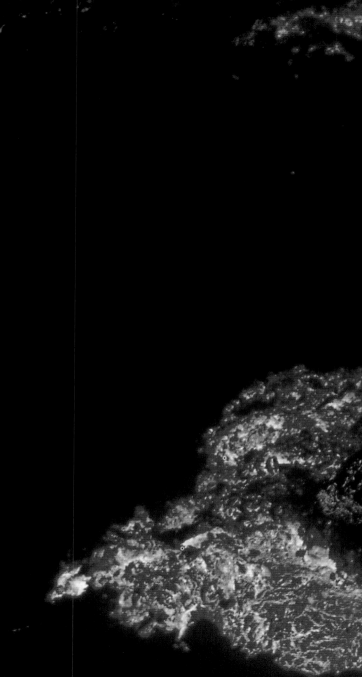

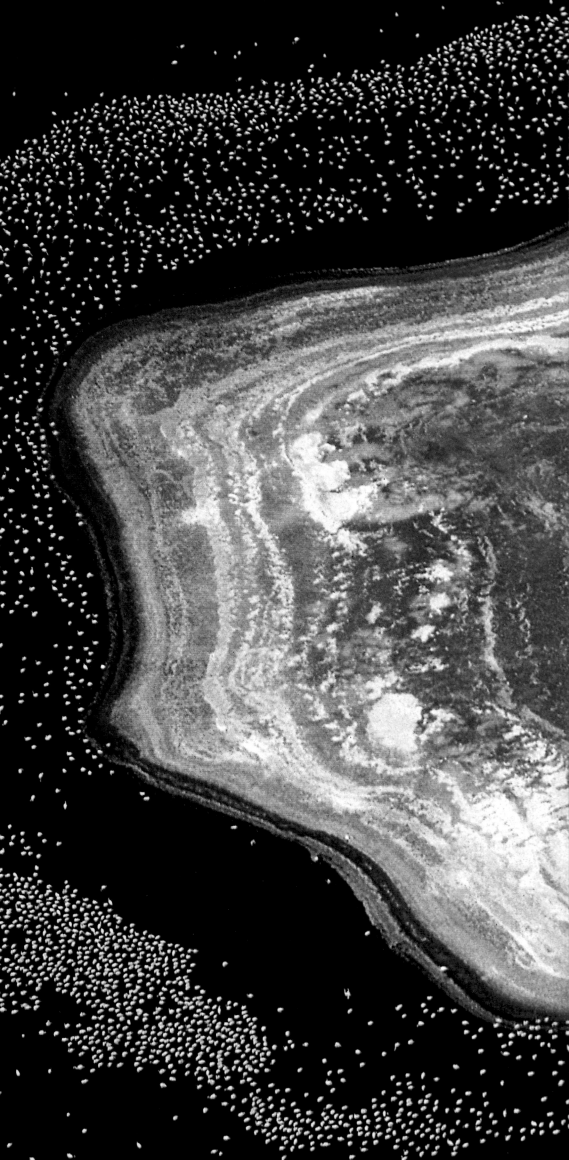

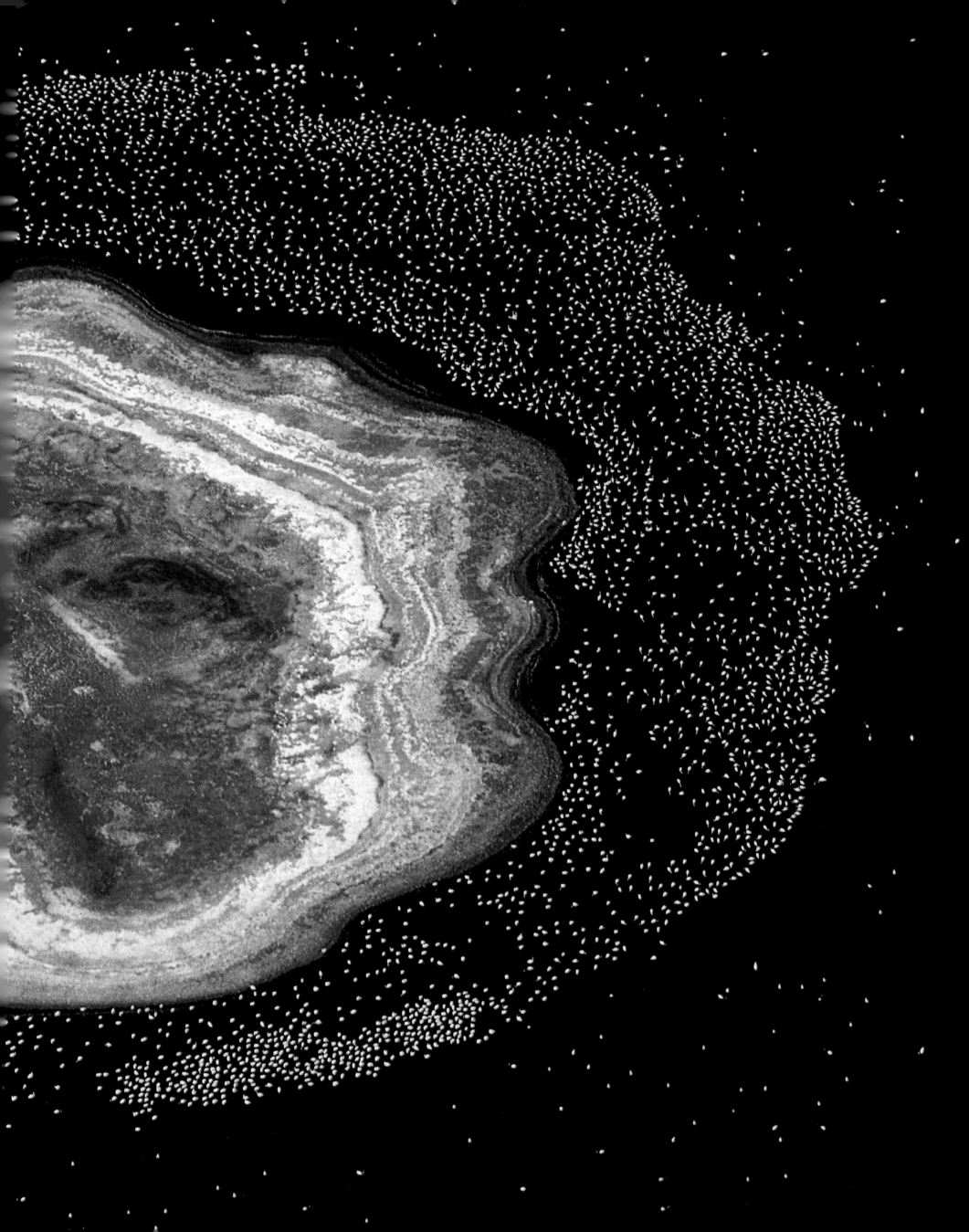

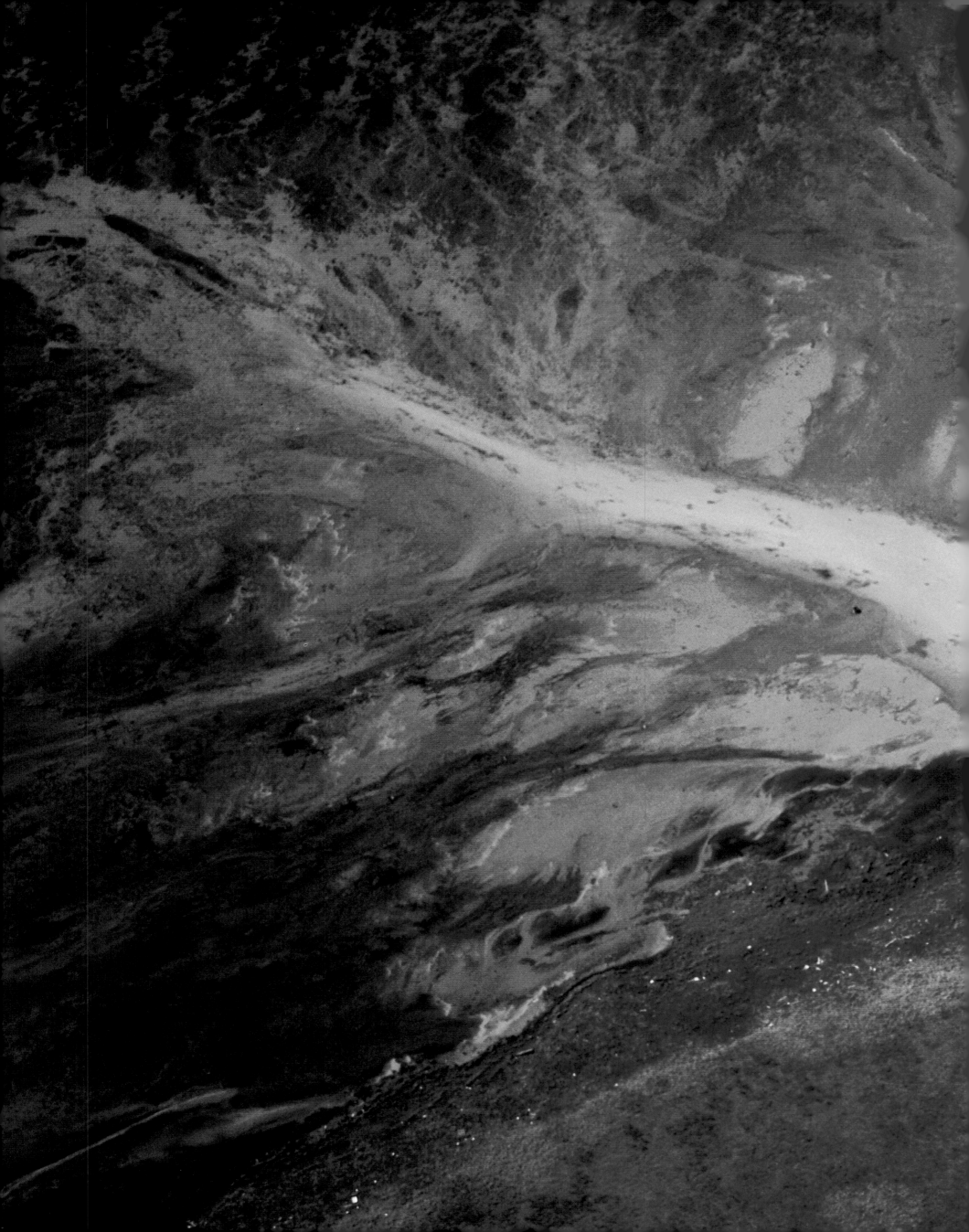

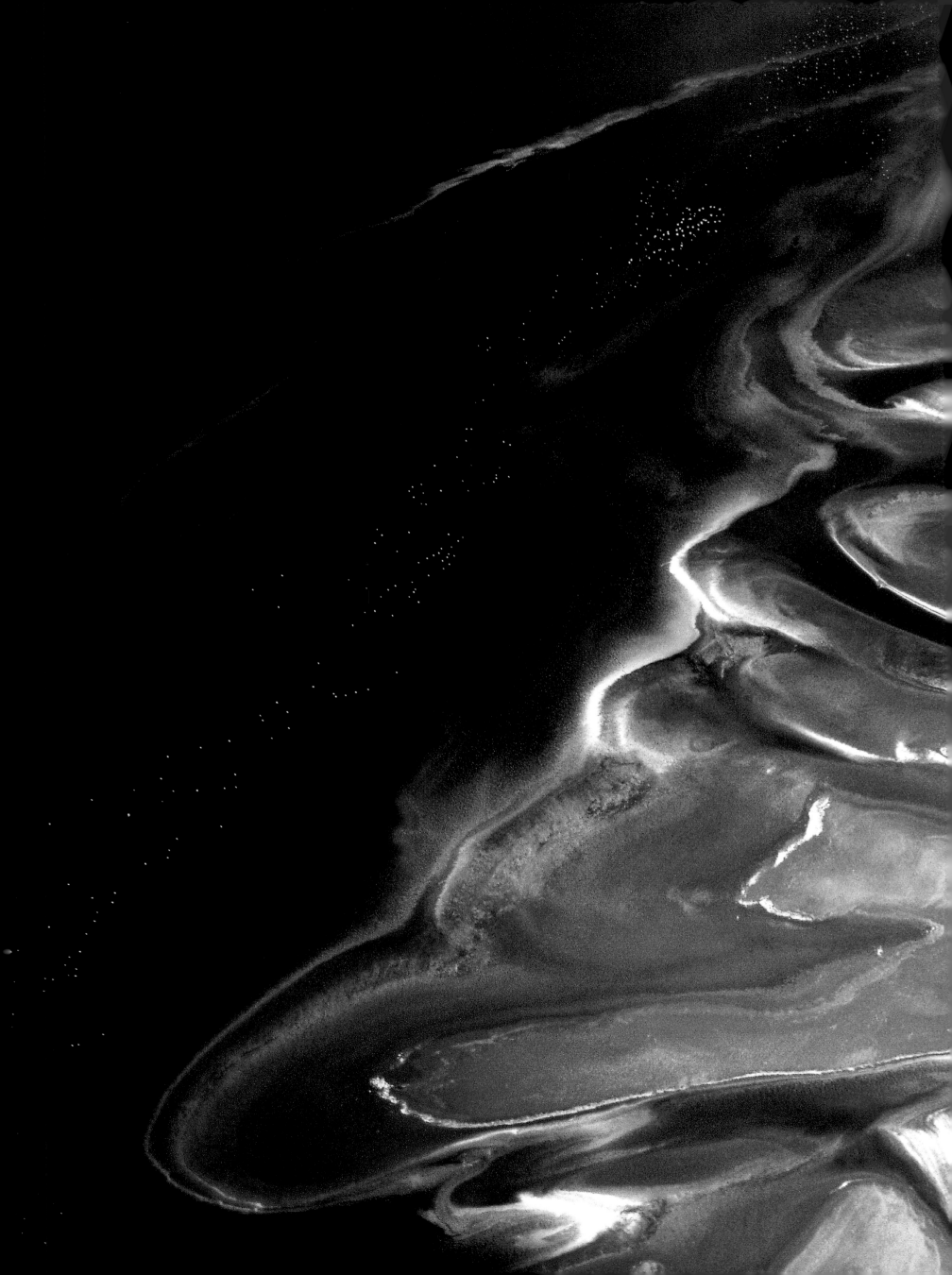

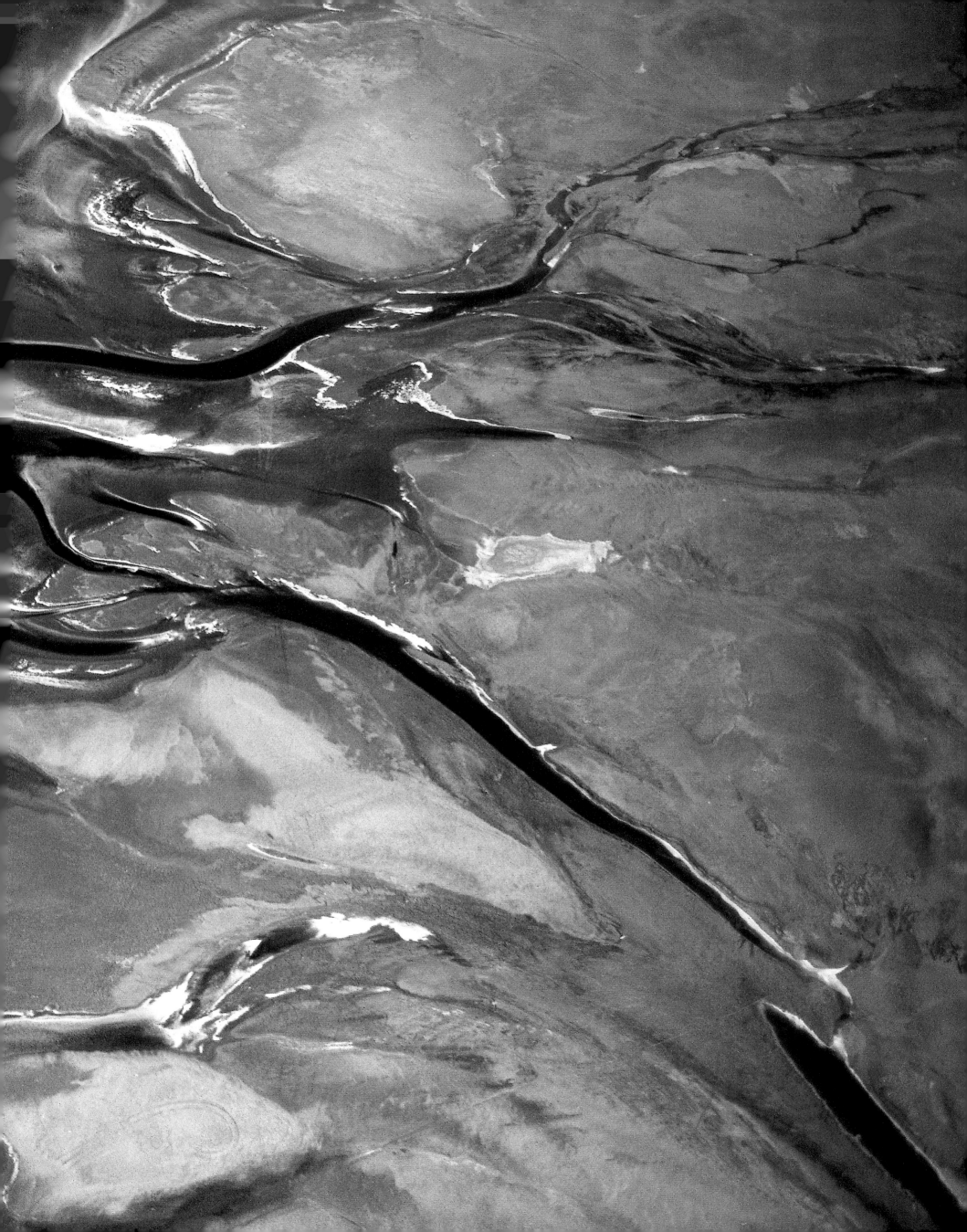

CROYANCES

DES DIEUX ET DES VOLCANS

Il est intéressant de se demander quelle est la part de réalité à l'origine des grands mythes et légendes. En effet, il a bien fallu un élément fort et fédérateur pour qu'un groupe d'hommes croient tous, au même moment, à la même « histoire » sans contester systématiquement ceux qui la colportent, indispensable pour que la croyance puisse perdurer pendant des siècles. Les éruptions volcaniques, surtout lorsqu'elles sont d'ampleur, frappent profondément les imaginations. La terre qui tremble et s'ouvre, les roches en fusion qui en sortent, les explosions et les projections de bombes, les panaches de cendres, les grondements, tout est fait pour impressionner. Que de tels phénomènes naturels participent de plusieurs grands mythes n'est pas surprenant. Par la force évocatrice que les éruptions dégagent, par leur pouvoir de destruction, elles concernent et affectent une large population en un instant.

L'existence de ces légendes est pour l'homme un moyen de se rassurer, un moyen d'expliquer le monde qui l'entoure. Car la peur vient toujours de l'inconnu. L'homme s'est donc toujours efforcé de trouver une explication aux événements éruptifs. Dans un premier temps, ce furent donc des dieux ou des démons qui secouaient les volcans. Plus tard, bien plus tard, on se conforta avec des explications d'une rationalité croissante…

Le bassin méditerranéen a été le berceau de nombreuses éruptions volcaniques, depuis des périodes reculées dans le Caucase, en Arménie, en Syrie, ou encore en Iran et en Afghanistan, jusqu'à très récemment en Grèce et en Italie. Les hommes témoins de ces éruptions ont été frappés par le spectacle de ces « montagnes de feu ». La terreur et les questions que ces explosions leur inspiraient se retrouvent dans leur panthéon et dans leurs mythes.

Les volcans actifs de la Méditerranée ont marqué le monde antique. Quelles explications les Grecs donnent-ils alors à ces fureurs de la terre ? Selon eux, les responsables des éruptions volcaniques sont les Titans. Dans les batailles qui les opposent aux dieux de l'Olympe, ils secouent la terre et font jaillir le feu. Le plus grand de ces Titans, Typhon, fils de Tartare et de Gaïa, la Terre, a été puni de sa révolte contre les dieux. Il fut donc emprisonné sous l'Etna. C'est en cherchant à se débattre qu'il fait trembler la montagne. Son haleine enflammée sort du cratère et crache des roches en fusion, ses cris violents assourdissant les alentours.

Les Titans prisonniers de la terre ont un gardien, Héphaïstos, qui est devenu le dieu du feu et des volcans. Dans ses forges, situées sous les principaux volcans méditerranéens, il travaille les métaux en artiste accompli et fabrique les armes des dieux et des héros : éclairs de Zeus, armes et bouclier d'Achille, etc. Il est aidé dans son œuvre par les Cyclopes, dont l'œil unique n'est pas sans rappeler le cratère d'un volcan. Tandis que leurs coups de marteau retentissent au cœur de la montagne, le feu de leurs forges jaillit des cratères.

Remarquons ici que les philosophes grecs ont, eux aussi, proposé diverses explications au volcanisme. Fondées sur des observations et des déductions, elles sont beaucoup plus rationnelles et à ce titre très visionnaires. Il ne manquait aux Grecs que les moyens de vérifier leurs hypothèses pour ériger leurs conclusions au rang de science. Malgré cette avancée « scientifique », nombre de légendes survivent.

Au XVIIᵉ siècle avant notre ère, la puissance de la Crète est à son apogée. Depuis plus de 500 ans, les Minoens règnent sur toute la Méditerranée. Peuple de marins, ils contrôlent la navigation, s'installent dans des ports florissants et établissent des comptoirs prospères sur toutes les côtes. Leur capitale, Cnossos, est une cité très développée, riche de palais raffinés.

Mais, vers 1650 av. J.-C., une éruption majeure frappe l'île de Santorin. Elle commence par une série d'explosions phréatiques qui déposent 4 mètres de ponces. Le volcan finit par se calmer avant que les explosions ne reprennent et ne déposent un mètre de cendres. Le pire est encore à venir. Une explosion paroxysmale détruit tout le volcan, le panache monte à plus de 30 kilomètres d'altitude et l'île de Santorin se recouvre d'une couche de ponces de près de 60 mètres d'épaisseur.

Ce qui reste du volcan s'effondre en mer pour former une caldeira de plusieurs kilomètres de diamètre. Les vagues du raz-de-marée qui s'ensuit atteignent 200 mètres de hauteur et balayent tous les établissements maritimes crétois. C'en est terminé de la civilisation minoenne… Cette brusque disparition, décrite par Platon dans son récit *Critias*, est à l'origine du mythe de l'Atlantide. Après Platon, des centaines d'autres auteurs présentèrent de multiples hypothèses, parfois très fantaisistes, dont certaines sont encore vivaces…

Toutes les légendes grecques sont vite adoptées par les Romains qui vivent dans le même environnement et voient les mêmes volcans. Dans un premier temps, ils ne vont changer que les noms de protagonistes : Typhon devient Encelade et Héphaïstos devient Vulcain. Ce dernier, dieu romain du feu, donnera son nom aux volcans.

Un peu plus tard apparaît un autre très grand récit mythique, dont les racines plongent dans l'Est méditerranéen : l'Ancien Testament. Une lecture attentive nous montre qu'entre les lignes se cachent plusieurs allusions au volcanisme. D'aucuns avancent que les plaies d'Égypte seraient un témoignage des chutes des cendres venant de Santorin, tandis que la traversée miraculeuse de la mer Rouge serait inspirée du retrait de l'eau, conséquence du raz-de-

Ci-dessus : Vue aérienne des cratères sommitaux de l'Etna noyés dans la brume et les panaches de vapeur.

À gauche : Gravure anonyme du XVIIᵉ siècle illustrant la légende de la révolte du Titan Typhon contre les dieux. Vaincu, il fut enfoui sous l'Etna où il continue de se débattre, faisant trembler la Terre et rejetant son souffle enflammé.

marée de la même éruption. Mais, surtout, de nombreuses apparitions de Dieu lui-même ressemblent fort au spectacle d'une éruption volcanique. La plupart de ces textes se rapportent à l'Exode et à la sortie d'Égypte.

« La Majesté divine se fixa sur le Mont Sinaï, que le nuage enveloppa six jours ; le septième, Dieu appela Moïse au milieu du nuage. Or la Majesté divine apparaissait comme un feu dévorant au sommet de la montagne, à la vue des enfants d'Israël. » (Exode XXIV, 16-17)

« Or le troisième jour, le matin venu, il y eut des tonnerres et des éclairs, et une nuée épaisse sur la montagne, et un son de cor très intense. Tout le peuple dans le camp frissonna. Moïse fit sortir le peuple du camp au-devant de la Divinité, et ils s'arrêtèrent au pied de la montagne. Or la montagne du Sinaï était toute fumante parce que le Seigneur y était descendu au sein de sa flamme ; sa fumée montait comme la fumée d'une fournaise et la montagne entière tremblait violemment. Le son du cor allait redoublant d'intensité ; Moïse parlait et la voix divine lui répondait. » (Exode XIX, 10-21)

À ces quelques épisodes s'ajoutent de très nombreuses descriptions de ce Dieu souvent menaçant qui, pour ceux qui connaissent les volcans, est assez facilement identifiable. Il est colérique, sonore, tonnant, faisant gronder sa voix. Il est perpétuellement annoncé par une nuée, quand il n'est pas lui-même une nuée. Il ne tient pas en place et ne réside pas à demeure sur le Mont Sinaï, il va de montagne en montagne. Son pas ébranle le sol et chacune de ses apparitions se fait dans les flammes et les éclairs, dans des grondements et des tremblements impressionnants. Il est dit encore que de la fumée monte de ses narines et que du feu jaillit de sa bouche. Il peut également punir les infidèles en faisant pleuvoir sur eux du soufre et du feu ! Quoi de plus semblable au cratère d'un volcan en éruption ?

L'enfer, quant à lui, est arrivé plus tardivement. Vers le IVe siècle, on le dit être une fosse pleine de feu. Ensuite, on l'associe aux volcans et l'on colporte la légende de San Calogero, ermite vivant à Lipari de 542 à 562 apr. J.-C., qui chasse le diable de l'île en éteignant les volcans. Effectivement, la dernière éruption eut lieu au VIe siècle…

Les volcans sont par la suite instrumentalisés et utilisés très habilement. Au XIIe siècle, pour faire face à diverses dérives religieuses, l'Église cherche à impressionner les hérétiques. Quoi de plus fort que la menace d'une vie future dans les tourments d'un enfer de feu ? Encore faut-il pouvoir prouver la réalité de celui-ci… Alors le clergé se tourne vers les volcans. En 1104, une formidable éruption secoue le volcan Hekla en Islande. Les nouvelles parviennent jusqu'au vieux continent, relayées par des moines irlandais puis par des cisterciens. Herbert, l'abbé de Clairvaux, utilise ces informations et identifie deux entrées à l'enfer : l'une sur le volcan Hekla, qui est la prison éternelle de Judas, l'autre au sommet de l'Etna… Là, l'enfer est visible et de nombreux témoins peuvent attester ce qu'il advient des âmes des damnés !

Bien d'autres civilisations, aux quatre coins de la terre volcanique, ont trouvé les mêmes réponses et ont déifié les volcans. En Indonésie, les volcans sont les demeures des dieux. Dans la province du Kivu, les âmes des ancêtres vivent – et se manifestent parfois violemment – par l'intermédiaire des volcans actifs. En Amérique centrale et en Amérique du Sud, les Mayas, les Aztèques et les Incas se devaient d'apaiser leurs volcans parfois bien turbulents par des offrandes, voire des sacrifices humains. La conquête espagnole, avec sa volonté de convertir au catholicisme les peuples soumis, a gommé ces croyances, les remplaçant par d'autres. Aujourd'hui encore, une messe annuelle est dite au sommet du volcan Misti, au Pérou.

Quant aux Vikings norvégiens, l'enfer était pour eux un désert obscur et glacé. Il comportait cependant une région brûlante dominée par le géant Surtur, le dieu du feu. En 1963, lorsqu'une nouvelle île apparaît au sud de l'Islande, elle est nommée Surtsey.

Peinture représentant, lors de l'une des grandes éruptions du Vésuve, les coulées de lave qui détruisirent le village de Torre del Greco, dans la baie de Naples.

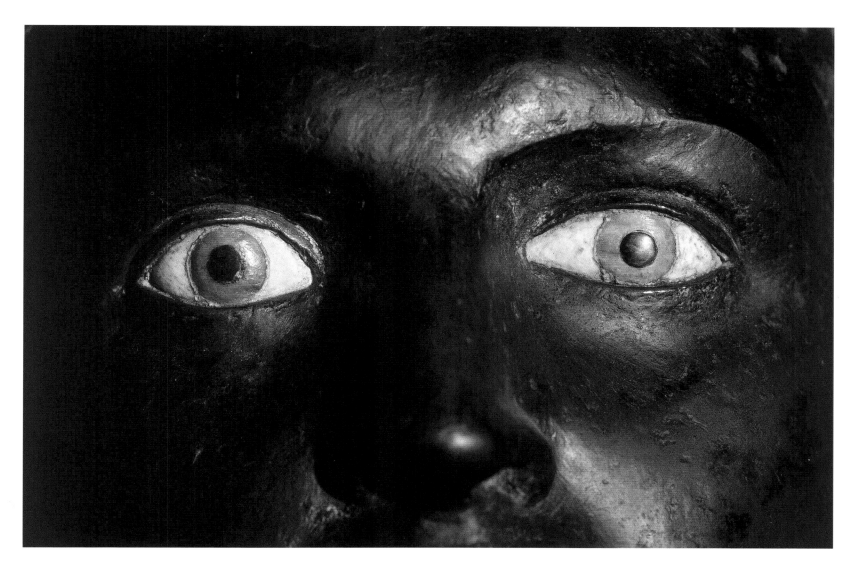

l'île de Surtur… Au Japon, pays de volcans s'il en est, les cratères sont habités par Oni, monstre rouge et grimaçant qui s'agite durant les éruptions et qui jette des pierres. Sa représentation existe au pied de tous les volcans japonais, jusque dans les boutiques qui vendent des souvenirs du plus mauvais goût ! À Hawaii règne encore aujourd'hui le culte de Pelé, la déesse polynésienne du feu. La légende raconte que suite à une violente dispute avec sa sœur, Pelé a dû nager vers le sud-est. À chacune de ses sorties de l'eau une île naissait. Ces îles sont les îles Hawaii. La demeure actuelle de Pelé est le cratère Halemaumau du volcan Kilauea. Lorsque Pelé se fâche, elle frappe le sol du talon. Alors la terre se fracture et la lave jaillit. Ces croyances sont toujours vivaces puisque, lorsque commence une éruption, on dit que Pelé se réveille et nombre de témoins assurent l'avoir vue danser dans les fontaines de lave. Des offrandes à Pelé sont encore faites aujourd'hui sur le bord du cratère et plusieurs cérémonies publiques ponctuent son culte.

Il peut sembler étrange qu'un volcanologue, plutôt familier des cratères en pleine éruption, s'intéresse autant aux croyances qui existent autour des volcans. Peut-être parce que la volcanologie a beaucoup changé ces dernières années. Une véritable prise de conscience s'est opérée. L'attention portée aux populations victimes de ces catastrophes revêt presque autant d'importance que ce qui se passe dans les cratères. Impossible de rester sourd à ces idées. Cette nouvelle approche fait partie intégrante du travail de volcanologue ou, au moins, de sa culture de base. Souvent, les légendes véhiculent des témoignages, parfois très transformés et lointains, de phénomènes passés. Ce qui est frappant ici, c'est de voir comment un phénomène géologique a marqué l'imaginaire d'une population, comment il s'est transmis au sein d'une civilisation. Il s'avère aussi important de connaître ces traditions et ces rites lorsque l'on veut établir des programmes de réduction des risques. En effet, pour s'adresser utilement à une population exposée au danger, pour se faire comprendre et convaincre, il faut avant tout savoir ce que ces gens pensent de leurs volcans et comment ils les considèrent. Les acteurs principaux de ces croyances, dieux vivants, prêtres ou communautés religieuses, pourraient aussi servir de vecteurs aux messages à faire passer.

Les problèmes les plus aigus de réduction des risques se présentent dans les pays en développement. C'est souvent là d'ailleurs que l'on trouve les volcans les plus actifs ou les plus dangereux, c'est également là que les croyances sont les plus ancrées. Dans ces pays, la volcanologie de demain consistera certainement en une alliance intelligente entre science de haut niveau et respect des traditions.

ITALIE : AU PIED DU VÉSUVE

Contrairement aux autres volcans actifs du monde méditerranéen, il semble que le Vésuve ne soit pas à l'origine d'anciens mythes et légendes. Il faut dire qu'il n'y a eu d'éruptions qu'en 800 puis en 600 av. J.-C. Ce n'est que bien plus tard que les naturalistes grecs et romains l'identifient cependant à un volcan. Au 1er siècle av. J.-C., l'historien grec Diodore en fait l'ascension. Né au pied de

l'Etna, il connaît les volcans et les roches volcaniques. « La montagne la plus haute, que l'on appelle le Vésuve, porte tous les signes d'avoir émis du feu dans des temps anciens », écrit-il. Peu après, le géographe Strabon fait la même ascension et, tout en soulignant la grande fertilité des flancs du Vésuve, il ajoute : « Une grande partie du sommet est plate et stérile, comme couverte de cendres... Les roches sont comme de la suie, avec des pores et des trous, et elles semblent avoir été mangées par le feu. On peut donc croire que cet endroit était autrefois en feu et qu'il y avait ici des cratères ignés, lesquels se sont éteints seulement par manque de combustible. »

À cette époque, le Vésuve était couvert de végétation et l'on y cultivait la vigne jusqu'à son sommet, sommet qui avait servi de refuge à Spartacus et à ses esclaves révoltés au Ier siècle av. J.-C. Pour les Romains du Ier siècle apr. J.-C., pour ceux qui en habitent les alentours, le Vésuve a complètement perdu son identité de volcan, il devient le *monte Somma*. Son seul intérêt est le vin qu'il produit. L'unique représentation picturale que nous en ayons le montre à l'époque en arrière-plan, derrière Bacchus couvert de grappes de raisin. Pline l'Ancien, auteur d'une gigantesque *Histoire naturelle*, dans sa tentative de répertorier tous les volcans du monde, ou plutôt du monde connu à ce moment-là, ne mentionne d'ailleurs jamais le Vésuve. Pourtant, il réside à proximité, à Misène... C'est là qu'il fut surpris, comme tant d'autres, par l'éruption qui eut lieu en 79 apr. J.-C., éruption qui détruisit Pompéi et Herculanum, et qui marqua les esprits pour longtemps. Cette éruption a été décrite en détail par Pline le Jeune qui, dans ses deux lettres à Tacite, raconte les expériences et la mort de son oncle Pline l'Ancien au pied du volcan. Quelques-unes de ses phrases sont d'une rare puissance : « Déjà sur ses vaisseaux volait la cendre plus épaisse et plus chaude à mesure qu'ils approchaient : déjà tombaient autour d'eux des pierres calcinées, et des cailloux tout noirs, tout brûlés, tout pulvérisés par la violence du feu : déjà la mer semblait refluer, et le rivage devenir inaccessible par des morceaux entiers de montagnes dont il était couvert... Cependant on voyait luire, en plusieurs endroits du Mont Vésuve, de grandes flammes et des embrasements dont les ténèbres augmentaient l'éclat. Les maisons étaient tellement ébranlées par les fréquents tremblements de terre, que l'on aurait dit qu'elles étaient arrachées de leurs fondements et remises à leur place. Hors de la ville, la chute des pierres, quoique légères et desséchées par le feu, était à craindre. Entre ces périls, on choisit la rase campagne. Ils sortent donc, et se couvrent la tête d'oreillers attachés avec des mouchoirs : ce fut toute la précaution qu'ils prirent contre ce qui tombait d'en haut. À l'opposé, une nuée noire et horrible, crevée par des feux qui s'élançaient en serpentant, s'ouvrait et laissait échapper de longues fusées semblables à des éclairs, mais qui étaient beaucoup plus grandes... La cendre commençait à tomber sur nous quoiqu'en petite quantité. Je tourne la tête, et j'aperçois derrière nous une épaisse fumée qui nous suivait, en se répandant sur la terre comme un torrent. Les femmes gémissaient, les bébés vagissaient, les hommes criaient, les uns appelant un père, une mère, les autres, leurs enfants, d'autres leur épouse, chacun s'efforçant de se reconnaître par la voix. Certains pleuraient sur leurs propres malheurs, d'autres sur celui d'autrui, et d'autres encore, dans l'angoisse de la mort, appelaient la mort. Beaucoup levaient les mains au ciel, mais plus nombreux étaient ceux qui affirmaient que les dieux n'étaient plus, et que c'était la dernière,

l'éternelle nuit. Il s'en trouva aussi pour ajouter encore aux dangers réels des terreurs imaginaires et chimériques. »

Quelques années plus tard, d'autres auteurs classiques évoquent cette même éruption. Stace cite « le jour où Jupiter souleva jusqu'aux cieux la montagne qu'il avait lui-même arrachée de terre avant de la laisser choir sur les hommes et les cités ». L'historien Dion Cassius évoque même des conséquences lointaines : « Les nuages de cendres descendirent dans des pays très lointains : même les Africains noirs en furent frappés. Ces cendres roulèrent en tourbillons sur les sols anciens de la Syrie et de l'Égypte. »

Cette violence exceptionnelle d'un volcan jaillissant dans le monde des hommes, la brutale et entière destruction de leurs cités frappent tous les esprits de l'époque. Cet événement est aussi certainement à l'origine de tout l'imaginaire occidental relatif au volcanisme. En Europe où, somme toute, on n'a pas trop eu à souffrir de catastrophes éruptives, les volcans ont toujours été associés, et le sont aujourd'hui encore, à l'idée de des-

truction et de mort. À l'opposé d'autres civilisations où, si les éruptions meurtrières sont très fréquentes, les volcans, grâce aux richesses qu'ils apportent, bénéficient d'un bilan positif et sont associés aux forces créatrices et à la vie.

Il est très probable que nous vivions toujours en Europe avec le souvenir lointain de la destruction de Pompéi. Notre inconscient est-il impressionné par la menace permanente d'un châtiment divin ? Car l'éruption du Vésuve a été, dès l'époque, utilisée par la religion. Les premiers écrits chrétiens, d'inspiration judaïque, parlent de cette catastrophe comme d'une punition d'origine divine qui s'abat sur l'empereur Titus qui vient alors de prendre le pouvoir. Un an auparavant, il avait mis à sac le Temple de Jérusalem. Pour la première fois un volcan vient au secours de la religion catholique. On verra que cela se reproduira plus tard...

Le lien entre la religion catholique, dont l'emprise est très forte en Italie centrale, et le Vésuve est toujours resté très fort. Aujourd'hui encore, on célèbre San Gennaro, un saint supposé protéger Naples des dangers du volcan. Cet évêque de Naples fut poursuivi par la « Grande Persécution » de l'an 302 prononcée par l'empereur Dioclétien. Premier miracle, il survit d'abord à un bûcher dressé pour lui à Nola. Sa réputation est en partie née de ce refus du feu de le toucher. Il est ensuite transféré à Pozzuoli où les fauves du cirque refusent de le dévorer. Finalement, on réussit à le décapiter dans le cratère de la Solfatara, un autre volcan... Sa tête et son corps ont été recueillis par ses fidèles tandis que son sang fut récupéré par un aveugle et conservé dans deux ampoules de cristal. Ses reliques sont gardées depuis le XVe siècle dans la chapelle San Gennaro du Duomo de Naples, dont il devient le saint protecteur. Deux fois par an est tenue une cérémonie où les saintes reliques sont portées en procession dans toute la ville. Les fidèles prient ensuite devant les ampoules présentées près du buste du saint. Si les prières sont de qualité, le sang se liquéfie. Ce miracle promet la protection de San Gennaro sur la ville et ses habitants. À chaque éruption du Vésuve, on sort également les reliques et on les présente au volcan. Lord Hamilton, dans son magnifique ouvrage sur le Vésuve et les champs Phlégréens, utilise le registre de sortie des processions pour dater les éruptions passées du volcan. Il nous raconte aussi que lors de la première phase de la grande éruption du Vésuve d'octobre 1767, les cendres tombent sur la ville de Naples durant deux jours. Les maisons, et même les bateaux en mer sont recouverts de scories. On ne peut quasiment plus marcher dans les rues. Toute la population des environs manifeste devant l'évêché pour que l'on sorte les reliques du saint. Dès qu'elles sont présentées à la montagne, la fontaine de lave issue du cratère s'arrête de jaillir... Alexandre Dumas, qui a longtemps vécu à Naples et qui s'est passionné tant pour l'histoire que pour les traditions locales, écrit, dans *Le Corricolo* : « Tout à coup, la statue de marbre de saint Janvier, qui se tenait à la tête du pont les mains jointes, détacha sa main droite de sa main gauche, et, d'un geste suprême et impératif, étendit son bras de marbre vers la rivière de flammes. Aussitôt le volcan se referma ; aussitôt la terre cessa de frémir ; aussitôt la mer se calma. Puis la lave, après avoir fait encore quelques pas, sentant la source qui l'alimentait se tarir, s'arrêta tout à coup à son tour. Naples était sauvée ! »

Aujourd'hui encore, la statue de San Gennaro veille à l'extrémité du pont de la Maddalena. Son bras est toujours levé face au volcan. Soyons sûrs que San Gennaro ressortira encore aux premiers signes de la prochaine éruption. Cette croyance aveugle au miracle permet d'ailleurs aux Napolitains de ne pas prendre trop au sérieux les avertissements des scientifiques quant à un futur réveil du volcan.

San Gennaro, le patron de Naples, porté par les anges, survole le Vésuve et le bénit afin d'en calmer la colère. Anonyme, huile sur toile, XVIIe siècle.

À droite : **Villa romaine à Pompéi.**

Page 49. Situé au bord de la mer Rouge, l'Afar est le siège d'une activité sismique très intense. C'est le seul endroit au monde où l'on peut assister à un phénomène qui se produit habituellement au fond de la mer : la séparation de 2 continents. Dans quelques millions d'années, la Terre aura en effet réussi à transformer ce désert en un nouvel océan. Djibouti.

Pages 50-51. Le cratère nord du volcan contient un lac de lave en fusion permanente. L'Erta'Alé est l'un des trois seuls volcans au monde à posséder un tel lac de lave. Ce lac est situé à près de 100 mètres de profondeur sous la lèvre du cratère. Deux volcanologues examinent le cratère avant d'en tenter la descente. Afar. Éthiopie.

Pages 52-53. En sécurité sur une margelle, deux volcanologues observent les mouvements de convection du lac de lave du volcan Erta'Alé. Afar. Éthiopie.

Pages 54-55. Vue du lac de lave du volcan Erta'Alé au crépuscule. Afar. Éthiopie.

Pages 56-57. Dans les montagnes de Landmannalaugar, les fumerolles volcaniques ont corrodé les roches jusqu'à les faire presque complètement disparaître, mettant ainsi en valeur de façon inhabituelle les différents minéraux qui les composent. Islande.

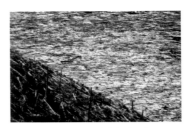

Pages 58-59. Le lac Spirit a été balayé par une vague de 300 mètres de haut, provoquée par le souffle du blast de l'éruption du Mont Saint Helens. Tous les arbres qui se trouvaient sur les berges ont été aspirés au centre du lac. États-Unis.

Pages 60-61. Reflet du coucher de soleil dans le panache de gaz du volcan Kilauea. Hawaii.

Pages 62-63. Plusieurs rivières importantes se rejoignent pour creuser cet énorme puits au travers de très importantes coulées de lave basaltique. On y trouve les plus importantes chutes d'eau de la Réunion. Cascade du Trou de Fer. Île de La Réunion.

Pages 64-65. L'île d'Ambrym est un grand cône volcanique culminant à plus de 1 800 mètres au-dessus du plancher océanique. La partie supérieure de ce cône s'est effondrée, formant une vaste caldeira de 12 kilomètres de diamètre. Dans cette caldeira, deux cônes volcaniques sont aujourd'hui actifs : le Marum et le Benbow. Depuis 1774, on a enregistré de très nombreuses éruptions trouvant leur origine dans l'un ou l'autre de ces cônes. Ces éruptions projettent des bombes, des lapilli et des cendres, qui retombent dans la caldeira mais aussi sur le flanc nord-ouest de l'île sous l'action des vents dominants. Cratère du Benbow. Vanuatu.

Pages 66-67. Les dépôts de geyserite ont formé un dôme autour d'une bouche rejetant eau et vapeur. La geyserite est une accumulation de silice amorphe transportée par l'eau chaude et précipitée à l'évaporation. Cette silice se cristallisera ensuite en opale, puis, lentement, formera de la cristobalite et du quartz. Hveravellir. Islande.

Pages 68-69. L'île Daphné Mayor est un véritable sanctuaire pour les oiseaux de mer. Galapagos.

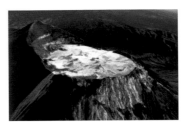

Pages 70-71. Cône du volcan Ol Doinyo Lengaï (altitude : 2 878 mètres) situé dans le rift africain. Les laves du Lengaï sont très fluides, c'est le seul volcan actif du monde à mettre en place des laves appelées carbonatites qui blanchissent en refroidissant. Tanzanie.

Pages 72-73. Volcanologue approchant le panache explosif du volcan Krakatau. Les risques sont très importants, car de nombreuses explosions projettent dans le ciel des bombes dont le poids peut atteindre plusieurs tonnes. Indonésie.

Pages 74-75. À proximité de la coulée principale, le port du scaphandre est impératif devant la lave dont la température dépasse les 1 100 °C. Volcan du piton de la Fournaise. Île de la Réunion.

Pages 76-77. Il y a 30 ans, naissait l'île de Surtsey, en Islande. Immédiatement après la fin de l'éruption, l'accès de l'île fut réservé uniquement à quelques scientifiques qui allaient étudier l'apparition de la vie. Ici, à partir des plages, les plantes côtières partent à l'assaut des pentes de l'île. Islande.

Pages 78-79. Des caravanes de dromadaires descendent dans la dépression depuis les hauts plateaux (altitude moyenne : 2 000 mètres). Située au nord-est de l'Éthiopie, la dépression Danakil (également appelée « Triangle de l'Afar ») est une énorme cassure de l'écorce terrestre se prolongeant vers le nord, qui s'avère être le résultat d'un phénomène tectonique du rift africain. Il s'agit d'une large vallée d'effondrement qui, aujourd'hui encore, s'élargit continuellement d'est en ouest. Parsemée de fractures, cette zone est le siège d'activités volcaniques diverses : volcans actifs, zones thermales, etc. C'est en fait un futur océan qui est en train de naître en plein centre du continent africain. Éthiopie.

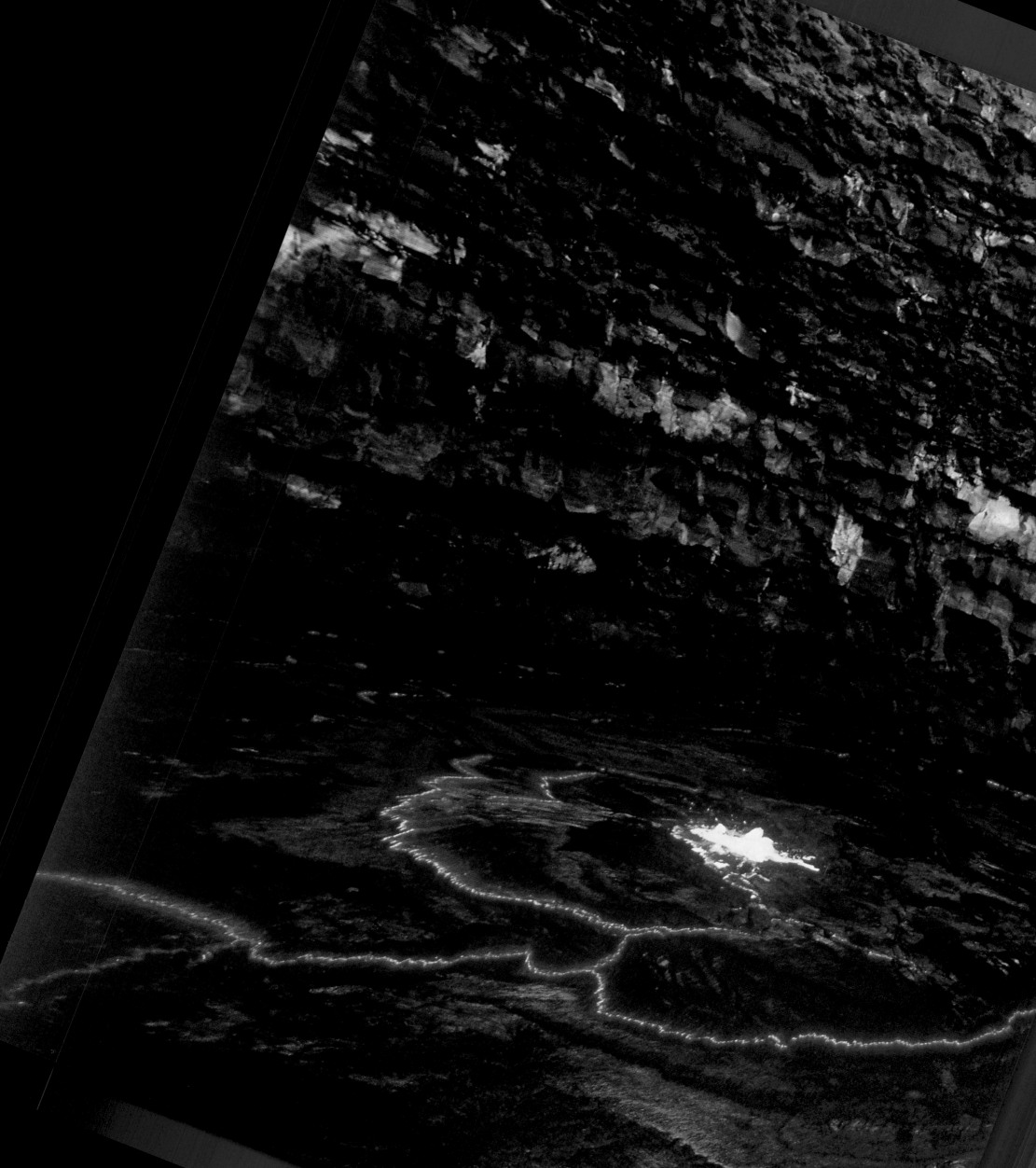

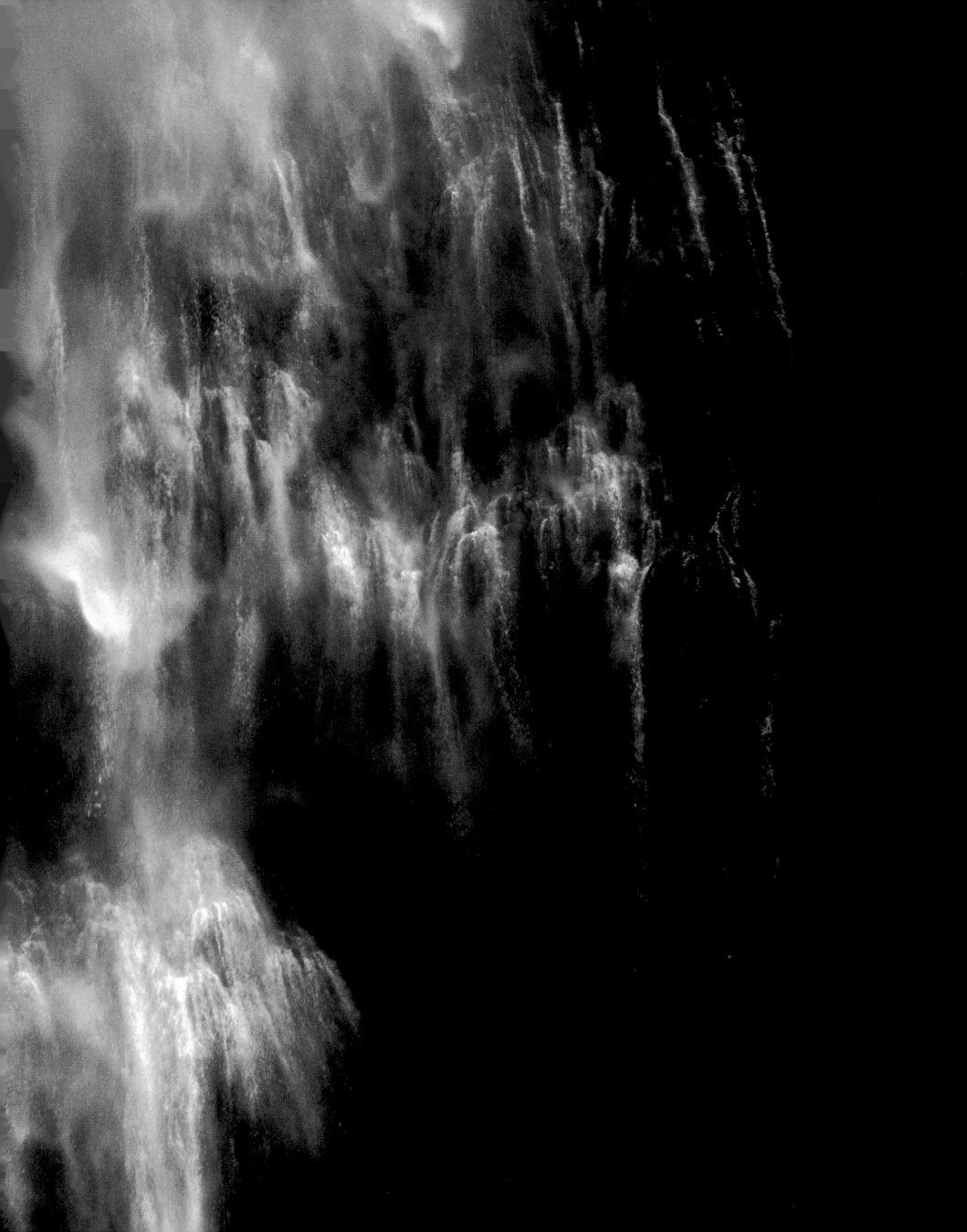

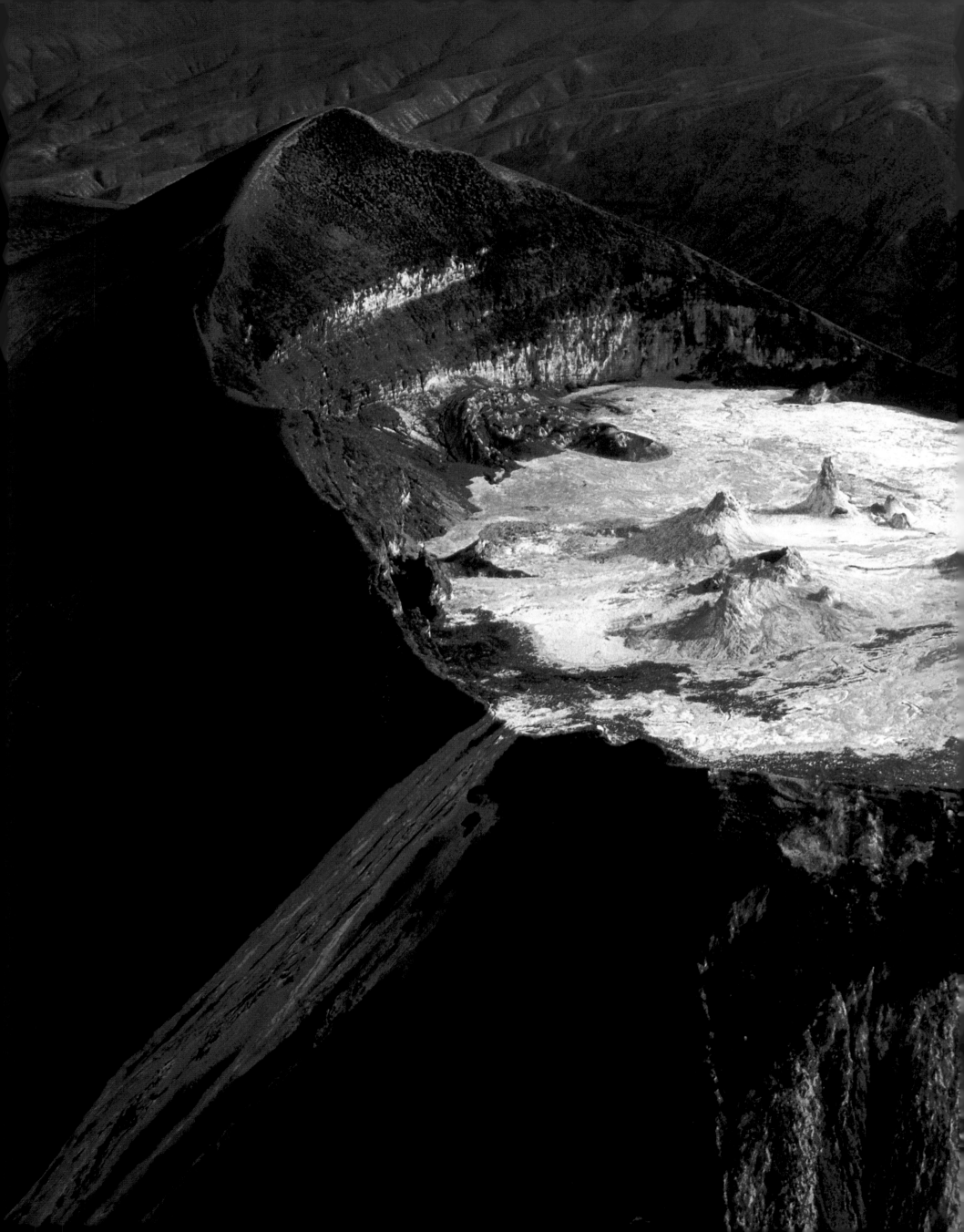

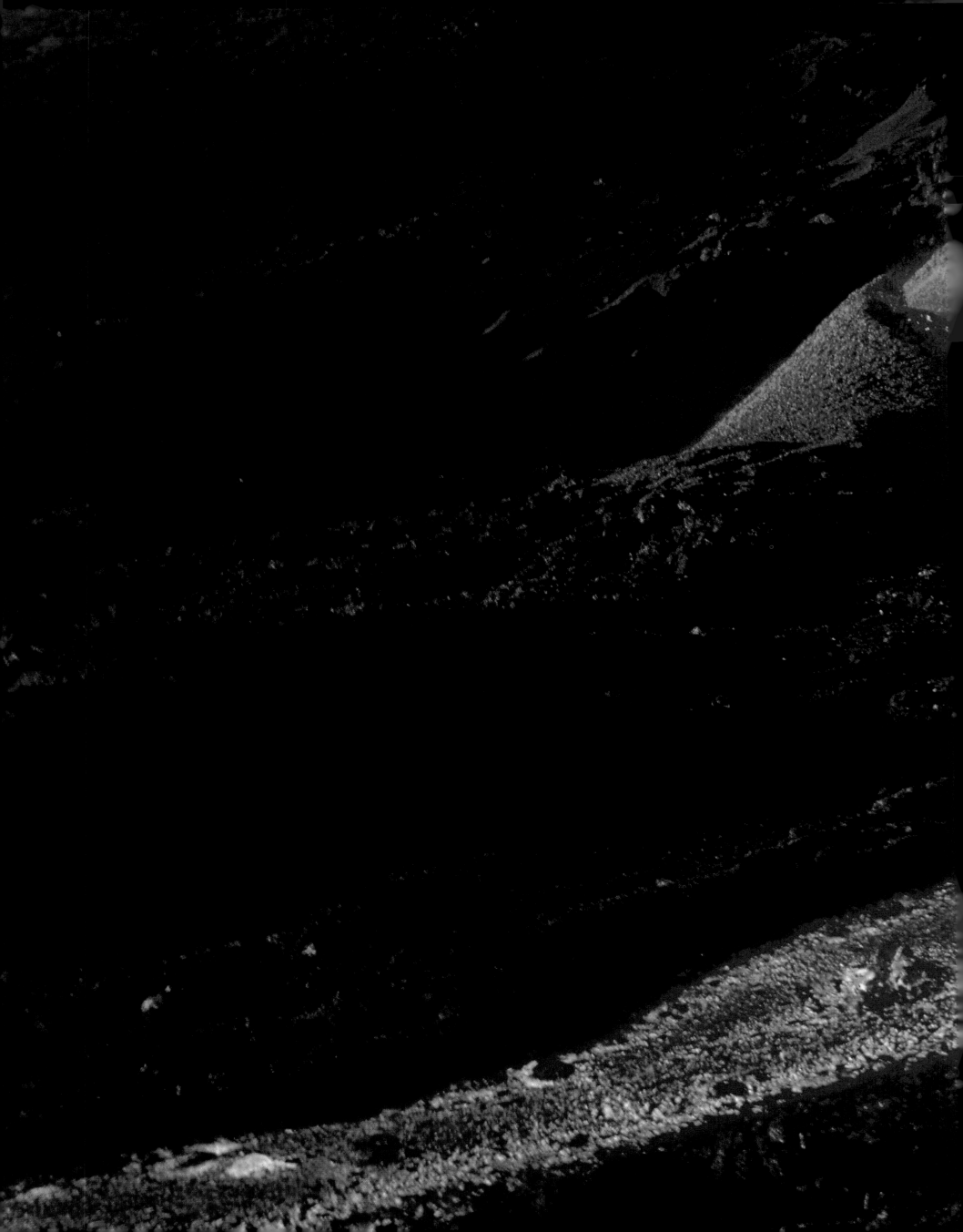

CROYANCES

L'INDONÉSIE ET SES VOLCANS

Appartenant à la ceinture de feu du Pacifique, l'Indonésie présente la plus grande concentration au monde de volcans actifs. L'archipel en compte 76 potentiellement éruptifs. Les statistiques sur les éruptions volcaniques n'existent que depuis l'an 1600, mais l'on s'aperçoit rapidement que l'Indonésie est le pays où les éruptions sont les plus fréquentes et où il y a eu le plus de victimes durant ces 400 dernières années. Rappelons simplement l'éruption de Krakatau en 1883 qui fit près de 36 000 morts ou celle du Tambora en 1815 qui tua 92 000 personnes.

Les éruptions sont souvent violentes, toujours explosives, forcément meurtrières. Malgré ce risque omniprésent, qui a souvent frappé dans le passé, qui frappera encore dans le futur, pourquoi les gens restent-ils là, si près des volcans actifs ?

Les raisons sont multiples et diverses. La surpopulation et le manque d'espace poussent à toujours plus occuper les zones dangereuses autrefois désertées. Mais avant tout, c'est ici que l'on trouve les terres les plus fertiles. Les cendres volcaniques sont riches en sels minéraux très facilement assimilables par la végétation. Chaque éruption en rejette des millions de mètres cubes. Pour les paysans indonésiens, ces cendres sont un véritable engrais gratuit tombé du ciel. Engrais qui, par exemple, entre aisément en solution dans l'eau lorsque celle-ci ruisselle sur les flancs des volcans. Cette eau va ensuite inonder les rizières et y dépose les éléments nutritifs qu'elle transporte. Voilà qui permet aux paysans indonésiens d'obtenir deux ou trois récoltes de riz annuelles, et donc de nourrir une population toujours plus nombreuse.

Ces paysans, qui vivent au pied des volcans depuis plusieurs générations, ont bien compris le danger qui les menace, mais ils l'ont complètement intégré dans leur culture. Ce risque fait partie de la vie. Ils disent eux-mêmes que les sols fertiles sont un don du volcan, mais qu'il y a un prix à payer pour toute cette richesse, même si ce prix représente quelques vies humaines. Finalement, pour eux, les volcans donnent toujours plus qu'ils ne prennent au bout du compte...

Ce pacte, cet arrangement que les populations ont passé avec les volcans se retrouvent dans leurs croyances religieuses. Si le rituel varie, dans un monde spirituel extrêmement riche, peuplé de dieux, de démons et de mauvais esprits, l'idée de base est toujours la même. Les volcans incarnent les forces du bien, les forces de la vie, ils sont aussi à l'origine du monde. À l'opposé, la mer est le domaine des forces du mal, des ancêtres et de la mort. Toute la vie de l'homme se doit d'être un effort pour exister harmonieusement entre ces deux mondes. Plusieurs cérémonies très diverses, mais toujours liées aux volcans, permettent de maintenir ou de rétablir l'équilibre entre les forces du bien et celles du mal. En un mot, de conserver l'harmonie du monde.

FÊTE DU KESODO, TENGGER, JAVA

Mercredi, 8 h

Une mer de sable plate et vide, comme un désert qui se perd dans l'horizon. La seule différence notable, c'est qu'ici le sable est noir et qu'il occupe le fond d'une vaste dépression fermée de toutes parts par une haute paroi. Au sommet de celle-ci, à 200 mètres au-dessus du fond, on contemple la lumière du soleil qui danse sur le sable noir. Ici aussi on a des mirages...

Deux petits points noirs apparaissent au cœur de ce mirage, deux silhouettes humaines qui avancent lentement. Subahir m'interpelle : « Tu vois, ils viennent de loin. Ils vont arriver des villages du Tengger et demain soir nous serons plus de 100 000 pour la fête. Nous aussi nous devons y aller, mais avant tout il faut préparer nos offrandes... »

Ses champs sont perchés au bord de l'énorme dépression. Une terre sombre, riche et grasse, est travaillée en terrasses qui suivent les courbes des versants montagneux. Oignons, choux et pommes de terre sont soigneusement alignés ; pas un brin de mauvaise herbe ne dépare ce véritable jardin. Subahir remplit rapidement un panier de légumes. Dans le champ adjacent, il choisit quelques épis de maïs puis, prenant le chemin du village, il m'assure trouver chez lui riz, bananes et poulet.

Le village de Ngadisari est construit sur une large arête séparant deux profondes vallées. Toutes les maisons sont alignées sur une pente raide. Soubassements nets, peinture fraîche, quelques fleurs... le décor est typique d'un pays de montagne. Il est vrai qu'ici, à près de 2 000 mètres d'altitude, on est loin de l'habitat indonésien traditionnel construit au bord des rizières.

Toutes les maisons sont bâties selon le même schéma. Une entrée est largement ouverte vers l'extérieur par de vastes fenêtres, on y trouve tables et fauteuils. Ceci est vraiment représentatif de l'hospitalité du Tengger : la maison accueille ceux qui désirent y entrer et la plus belle des pièces est destinée à recevoir les visiteurs.

La cuisine est située à l'arrière de la maison, c'est ici que vit la famille, autour du foyer central où crépite en permanence un feu de bois. La femme de Subahir s'affaire à cuire une grande casserole de riz. Celui-ci sera finalement mis dans un moule et pressé fortement. En sortira le « tumpang », une montagne conique de riz déposée sur une feuille de bananier au milieu

Ci-dessus : Chaque année, lors de la fête du Kesodo, les assistants des prêtres (les « dukuns ») du village de Ngadisari préparent des offrandes collectives, constituées des produits de l'agriculture locale.

À gauche : Le village de Ngadisari est situé en haut de la falaise qui domine la caldeira du Tengger, sur l'île de Java. À l'arrière-plan se profile le Batok, un volcan éteint.

Dans le massif du Tengger, une communauté d'environ 300 000 personnes vit aujourd'hui de l'agriculture. Elle reste très attachée aux anciennes traditions hindouistes.

d'un vaste plateau. Subahir explique que ce tumpang sera la pièce centrale des offrandes. La forme conique rappelle celle de la montagne vers laquelle les offrandes sont portées, elle est aussi un symbole du principe de verticalité, de montée vers les dieux. Tout autour du tumpang sont disposés maïs, bananes, légumes cuisinés selon des recettes traditionnelles, poulet, etc. Sont donnés en offrande tous les produits des cultures ou des élevages de la maison. Sur d'autres plateaux, l'on prépare des petits tas de pétales de fleurs, du charbon de bois et une résine qui rappelle fortement l'encens. Les plateaux d'offrandes sont placés au milieu de la cuisine. Ils y resteront jusqu'au lendemain, jour de la fête.

Mercredi, 15 h

Fond de la caldeira. Le sol uniformément noir moutonne légèrement et alternativement cache et découvre les marcheurs qui convergent vers la piste centrale. Devant nous, un large volcan surbaissé laisse monter une vaste colonne de fumées blanches. C'est lui, le Bromo, qui recevra les offrandes des pèlerins.

Pak Sujahi est le prêtre principal du Tengger, sorte de pape local. Il nous a permis de suivre l'ensemble des cérémonies du Kesodo à ses côtés et aux côtés de ses prêtres et de ses fidèles. Au pied de l'escarpement du cône du Bromo, un groupe de musiciens attend, entouré de ses instruments : en Indonésie, rien ne se fait sans musique... Ces musiciens viennent de Bali. Là-bas aussi on est hindouiste et souvent les Balinais viennent se joindre aux cérémonies religieuses du Tengger.

Le gamelan, orchestre de gongs, cymbales et tambours, attend la procession qui doit descendre de l'escarpement. Là-haut se trouve une grotte où dégouline un filet d'eau. Celle-ci est considérée comme sacrée et les prêtres vont recueillir cette eau qui sert à bénir les offrandes. Bientôt, une file d'hommes et de femmes apparaît. Tous ont revêtu leur tenue de cérémonie : sarong brun foncé ou noir, chemise noire ou veste blanche pour certains, turban noir ou jaune, ceinture sacrée jaune. La cérémonie à laquelle nous participons n'est pas publique. Normalement ne sont là que les prêtres et leurs assistants, aussi bien hommes que femmes.

Dès que la file des porteurs d'eau est en vue, les musiciens commencent à jouer et c'est en musique que la procession s'organise sur le fond de la caldeira. Il reste encore 3 kilomètres à parcourir sur la mer de sable. L'eau recueillie est transportée de gros bambous décorés de rubans. Dans le cortège, l'ambiance est à la fois concentrée et bon enfant. On participe bien sûr à une cérémonie religieuse, mais l'on devise aussi. Certains viennent de villages lointains et l'après-midi est une parfaite occasion pour échanger des nouvelles.

Le temple, de construction récente, se dresse au pied du cône du volcan Bromo, en plein milieu de la mer de sable. Protégé par de hauts remparts, il contient les terrasses de prières habituelles et les plates-formes, sorte de fauteuils vides, destinées à recevoir les offrandes. C'est ici que les dieux vont descendre pour prendre ce qu'on leur offre. Tandis que le gamelan s'installe sur une terrasse latérale, les prêtres se placent sur la terrasse principale, face au volcan et aux plates-formes d'offrandes. Seules face au volcan qui fume, une centaine de personnes maintenant extraordinairement recueillies et concentrées. Dans le silence du désert monte une prière psalmodiée qui se transforme en un chant doucement soutenu par le gamelan. L'office est dirigé par un prêtre principal, invité par Sujahi. Il est accompagné par un petit garçon de 6 ou 7 ans. Habillé comme les dignitaires, il participe pleinement à la cérémonie. En fait, il apprend son métier, car il a été désigné comme futur prêtre tenggeri. Mais la cérémonie est longue pour un petit enfant, même si l'on est destiné à la diriger dans l'avenir.

Les prières et les bénédictions se succèdent, les voix montent vers le volcan et vers le ciel tandis que la pénombre du soir envahit lentement toute la caldeira.

Jeudi, 6 h

Subahir attendait devant sa maison avec toute sa famille. Aujourd'hui, ils vont faire les offrandes au volcan. Comme Subahir craint la foule, il préfère partir tôt. À ses côtés, son vieux père, Tenggeri de pure souche, sa mère, sa tante, sa femme et leurs deux enfants. Une fois encore, nous remontons la piste qui traverse tout le village en direction de la caldeira. Subahir explique qu'il ne faut pas monter directement au cratère du volcan, mais qu'il convient de s'arrêter avant celui-ci devant « Watu Dukun », la « pierre du prêtre », grosse bombe volcanique autrefois rejetée par une explosion du Bromo. La légende dit que c'est là que le dieu s'est emparé du prince Raden Kusuma (voir encadré ci-contre).

Toute la famille s'arrête face au rocher. Les femmes déroulent des nattes sur le sol tandis que Subahir, près du rocher, allume quelques morceaux de charbon de bois. Tout le monde s'assied en lotus autour du vieux père, qui va prier devant Watu Dukun. En

LE VOLCAN BROMO

Le massif du Tengger est un grand ensemble volcanique, couronné par une caldeira, une dépression de 14 kilomètres de diamètre formée par effondrement. Au centre de la caldeira se dressent cinq volcans. Un seul est encore actif, le Bromo.

Le Bromo connaît des éruptions relativement fréquentes, la dernière remonte à 1979, une autre est actuellement en cours. Toutes ont la caractéristique de n'émettre que des bombes ou des cendres, mais jamais de coulées de lave. Ce sont ces cendres qui ont « ennoyé » le fond de la caldeira. Sur plus de 200 mètres d'épaisseur, le dépôt laissé forme une mer de sable, appelée « Laut Pasir ».

Au-delà de la caldeira, dominant tout le Tengger, se dresse le Semeru (3 676 mètres), plus haut sommet de Java. À intervalles réguliers, toutes les dix minutes, son cratère est le siège d'explosions violentes qui émettent de larges panaches de cendres. Parfois, des éruptions plus violentes à coulées pyroclastiques mettent en péril les villages situés au pied du cône. Tout le massif volcanique du Tengger est caractérisé par des pentes très raides qui en rendent l'accès difficile. Une seule véritable route y pénètre, menant au village de Ngadisari et au bord de la caldeira.

Caldeira du Tengger. Le volcan Bromo avec, en arrière-plan, le volcan Semeru.

Une longue histoire

Autrefois, tout Java était hindouiste et cette religion était pratiquée par les cours royales qui régnaient. Lors de l'apparition de l'islam, quoique la conversion du pays fût pacifique, certains ont fui devant la nouvelle religion. Parmi eux, les membres du royaume de Mojopahit. L'islam arrivant par l'ouest, ils sont partis vers l'est.

Dans leur exode, ils ont rencontré un énorme massif de montagnes défendues par l'âpreté de leurs pentes, ils y ont trouvé une terre riche se prêtant bien à la culture. Ici s'est arrêté le peuple de paysans, tandis que les nobles et les artistes allaient jusqu'à Bali. Dans le Tengger, les agriculteurs ont construit leurs villages et tracé leurs champs. Ils y ont aussi apporté leurs traditions et leur religion. Protégés du monde extérieur, ils ont conservé leur mode de vie jusqu'à l'époque actuelle. Aujourd'hui, le massif du Tengger est comme une île qui émerge de Java. Au-dessus des basses plaines où l'on cultive le riz et où l'on est musulman, se dresse un bloc compact de montagnes où vivent des gens « différents ». Ici on ne parle pas la même langue, mais seulement le vieux javanais, ici on prie les anciens dieux hindouistes. En bas on mange du riz, ici on cultive des légumes verts et on mange du porc. Et partout, il y a des chiens...

À son arrivée dans les montagnes, ce petit peuple des Mojopahit était dirigé par le prince Joko Senger et la princesse Roro Anteng. Le nom même du pays vient de la contraction de leurs deux noms, Teng et Ger. Ils s'aimaient, mais se désolaient de ne pas avoir d'enfant. Un jour qu'ils s'étaient retirés dans une grotte du mont Panenjakan, le dieu fondateur Hyang Widi (Brahma pour l'hindouisme classique) leur apparut. Il leur promit vingt-cinq enfants à la condition qu'ils lui offrent l'aîné, destiné à son service. Bien sûr, ils firent la promesse et commencèrent à avoir des enfants. La félicité régnait sur leur famille et sur toute la région, les enfants grandissaient et le premier d'entre eux, Raden Kusuma, était certainement leur préféré. Plus le temps passait, plus ils oubliaient leur promesse et ne pouvaient se résoudre à sacrifier leur fils aîné.

Le dieu s'impatientait... Bientôt une série de calamités s'abattit sur la région. Les récoltes commencèrent par sécher sur pied, puis le volcan Bromo fit pleuvoir des cendres. Partout où ils allaient, le prince, la princesse et leurs enfants étaient poursuivis par la colère des dieux. La famille princière courait de cachette en cachette et un jour, alors qu'ils passaient tous au pied du volcan Bromo, le feu sortit du cratère et s'empara de Raden Kusuma.

Avant d'être entraîné au fond du cratère, le jeune prince demanda au peuple de faire des offrandes annuelles au dieu qui vivait dans le volcan. Ces offrandes devaient être faites en souvenir de lui, qui s'était offert au dieu pour que toutes les calamités déjà connues ne se reproduisent pas. Cela s'était passé le jour de la pleine lune du quatorzième mois du calendrier traditionnel javanais, le mois de Kesodo.

premier lieu, il pose sur le petit feu quelques morceaux de résine. Une fumée s'élève. Il s'agit d'un rite purificateur : l'officiant fait mine de se laver les mains dans la fumée puis semble la prendre afin de s'en enduire le visage. Ainsi purifié, il va pouvoir parler aux dieux. Une longue prière est récitée face au rocher sacré, reprise de temps à autre par tous les membres de la famille. Puis le plateau d'offrandes est passé dans la fumée de la résine et posé au pied du rocher. Quelques pétales de fleur, un peu de riz, une cigarette et de l'argent sont placés dans une anfractuosité de la lave. L'office prend fin de manière aussi abrupte qu'il a débuté. Puis on s'assied autour du grand plat d'offrandes… pour les manger ! Les dieux sont venus durant la prière et ils ont pris dans les offrandes ce qu'ils voulaient. Par leur passage, la nourriture restante est maintenant sanctifiée et, en la consommant, on appelle sur soi la bénédiction. Étrange et chaleureux repas sous un volcan qui fume.

Jeudi, 15 h

Le chemin qui mène vers le sommet est raide. Maintenant qu'il rejoint le cône principal du volcan, il monte droit dans la pente. Celle-ci est tellement abrupte qu'il a fallu construire un véritable escalier pour gravir les 200 derniers mètres. Escalier bien encombré puisque deux volées de marches dirigent un flux continu de gens qui montent d'un côté et descendent de l'autre.

Au sommet, on débouche très rapidement sur une arête étroite, large de 3 ou 4 mètres. D'un côté, la pente du cône du volcan ; de l'autre, la paroi du cratère, 300 mètres quasiment à la verticale qui mènent jusqu'aux bouches actives. Celles-ci sont entourées de soufre et émettent un très important panache de gaz et de vapeur d'eau. Lorsque le chemin se rabat sur l'arête bondée, on n'entend plus qu'une cacophonie de toux diverses et d'éternuements. Les gaz sulfureux sont spécialement agressifs.

Plusieurs centaines de personnes se bousculent sur cette arête, des gens circulent dans tous les sens, mais tous sont également fascinés par le spectacle du cratère. Il suffit de voir ceux qui arrivent au sommet de l'escalier. Ils viennent pour prier, mais le premier réflexe est de regarder ce qui se passe au fond du volcan. Puis on fait des commentaires sur la vue, sur les gaz, sur la fraîcheur qui règne ici. Et pour se remettre des fatigues de la montée, on allume une cigarette, éternel remède indonésien de la *kretek* au clou de girofle.

Ce n'est qu'après que l'on songe au but véritable de l'excursion. Alors, chacun déambule le long de l'arête en essayant de s'y trouver un petit endroit plat pas trop encombré. Il faut y dérouler une natte, y disposer les offrandes, allumer le feu de charbon de bois et faire brûler l'encens. Plus de tourisme maintenant, plus de curiosité. Tout n'est que prières et offrandes. Chaque geste est empreint de grâce et d'élégance. Lorsque l'on prie, les deux mains jointes à hauteur du front tiennent entre les index quelques pétales de fleurs. À la fin de la prière, les pétales sont jetés dans le cratère, comme un message lancé vers les dieux. Cela se répète de nombreuses fois, dans une intense réflexion et parfois d'âpres discussions précédant le choix minutieux des offrandes qui servent de fondement à la prière. Celle-ci finie, on se détend et c'est en riant que l'on projette à pleines mains les offrandes principales dans le cratère. Subahir dresse devant lui une poule vivante qu'il

Lors de la fête du Kesodo, de longues colonnes de pèlerins défilent pendant plusieurs jours sur les bordures sommitales du volcan Bromo, pour lui apporter leurs dons.

a apportée de sa ferme : c'est la pièce maîtresse de son cortège d'offrandes. Lorsque ses bras se détendent, la poule part en volant maladroitement vers le vide. Mais deux bras surgissent soudain du cratère et la saisissent au vol !

Serait-ce Raden Kusuma qui vient en personne chercher son dû ?

En se penchant au bord du cratère, on peut découvrir non sans surprise plusieurs dizaines de personnes accrochées aux parois verticales. Hommes, femmes et enfants se sont creusés de minuscules plates-formes dans la cendre compacte qui forme les parois du cratère. Ils se déplacent avec une habileté déconcertante qui nie le vide et le danger. Tous sautent, courent, montent et descendent dès qu'une offrande d'importance est lancée depuis l'arête. Eux ne sont pas là pour prier, ils sont là pour récupérer ! Ils sont ainsi près d'une centaine. Le contraste entre cette foule piaillant et les pèlerins calmes et recueillis est quelque peu surprenant.

Les pèlerins, quant à eux, n'ont pas l'air troublés que leurs offrandes arrivent ainsi dans des mains impies. En souriant, ils expliquent que les « récupérateurs » viennent des basses plaines de Java. C'est-à-dire qu'ils sont musulmans, ils ne croient pas aux anciens dieux et ne voient dans les offrandes que des biens de consommation sans aucune valeur religieuse. Qu'importe ! Comme le répète Subahir, la seule chose qui compte est le geste de l'offrande. Les dieux prendront bien au passage ce qui leur revient. Et c'est avec stupéfaction que l'on peut voir à divers endroits de l'arête des pèlerins passer des offrandes de valeur – poulets, cigarettes, argent – de la main à la main aux musulmans. Autant ne pas gaspiller.

Jeudi, 21 h

Durant toute la journée, la foule occupant le fond de la caldeira a grossi. La plupart des pèlerins sont maintenant là et divers petits métiers naissent spontanément. Les vendeurs de boissons sont nombreux, comme les jeunes qui essayent de placer leurs talents de photographes dans la prise de clichés Polaroid. Tous les 100 mètres, des femmes installent deux nattes autour d'un réchaud à pétrole. Ici on fait du thé en permanence, là on frit des beignets de banane. À proximité du village, une véritable foire s'est montée. Un tel rassemblement de personnes est aussi une extraordinaire occasion d'échanges et de commerce. Aujourd'hui, on trouve de tout à Ngadisari : vêtements, quincaillerie, bijoux, chaussures, bonnets et gants de laine, vivres frais, grains, etc.

Toute cette activité se calme à la tombée de la nuit. La grande migration commence alors. En effet, tout le monde doit se retrouver dans la caldeira, entre le temple et le cratère, au milieu de la nuit. Les pistes praticables en véhicules tout-terrain sont surveillées et balisées par la police indonésienne, c'est-à-dire qu'à partir de 23 h un gigantesque embouteillage y prend place. Il ne se résoudra que 12 heures plus tard ! En attendant, de très nombreux pèlerins sont bloqués sur toutes les routes de la région et ne parviennent pas à rejoindre le village de Ngadisari, porte d'entrée de la caldeira.

Autour du temple, la foule se masse. Chaque village, ou chaque quartier pour les plus gros villages, a rassemblé des offrandes collectives, sur un genre d'échafaudage en bambou où sont accrochés épis de maïs, pommes de terre, cannes à sucre,

Cérémonie religieuse et prières dans le Poten. Le petit garçon a été élu pour être le futur Grand Prêtre.

bottes de légumes. La base est parfois constituée d'un grand coffre en bois dans lequel sont rangés des plats cuisinés et des pièces de tissus. Chaque délégation de village, accompagnée de ses prêtres, a posé les grandes offrandes devant les plates-formes de prière du temple. Quelques rares lampes éclairent la scène, une dense fumée d'encens monte de la cour du temple et rivalise avec le panache qui s'élève du cratère du volcan. Ce dernier est omniprésent, formant un décor saisissant. Il est couvert par des milliers de personnes que l'on ne devine que grâce aux lampes qu'elles portent. Cela fait un peu comme une montagne d'étoiles dans le ciel...

Pendant plusieurs heures, les prêtres et leurs assistants prient devant les offrandes, face au volcan. En même temps, une foule de plus en plus compacte embouteille l'escalier qui gravit le cône. Cependant, pas à pas, la file dense qui bloque l'escalier avance et se tasse sur le bord du cratère. Tout le monde veut être là pour le moment crucial.

Vendredi, 5 h

Les grandes offrandes, bénies depuis plusieurs heures par les prêtres, doivent maintenant monter vers le cratère. Dès la sortie du temple, elles se retrouvent immobilisées par la foule. Commence alors une véritable bataille pour les faire avancer. Les prêtres les poussent, les tirent, les bousculent et même parfois écartent sans ménagement ceux qui obstruent leur passage. En effet, il convient d'être au sommet pour faire les offrandes avant le lever du soleil, et les deux kilomètres qui les séparent encore du volcan risquent d'être vraiment très longs... Dans le dernier escalier, la situation semble désespérée. Plus rien ne bouge. Les offrandes sont maintenant portées à bout de bras et, lâchées par leurs accompagnateurs, elles passent de main en main vers le sommet.

La préparation des offrandes aux dieux est réalisée par les femmes de la famille royale et par leurs servantes dans le « Kaputren », le quartier des femmes du Kraton.

L'horizon se teinte lentement et la lumière naît doucement. Il y a dans l'air comme une attente, on sent qu'un événement important va survenir... Dans un dernier tangage, les offrandes repassent aux mains des prêtres. Ceux-ci ne marquent aucune hésitation. Dès qu'ils se sont saisis des échafaudages en bambous, ils les précipitent dans le vide. Toute la foule crie quand les offrandes disparaissent dans l'ombre et les fumées du cratère. Leur répondent les hurlements des « récupérateurs » sur lesquels pleut cette manne céleste.

Les dieux aussi doivent être contents. Ils ont reçu leurs offrandes, gages de la fidélité des Tenggeri à la promesse faite par Raden Kusuma. Au loin, le soleil naît par-dessus l'horizon et ses premiers rayons viennent teinter de rose la crête et la foule massée au sommet du Bromo. Un autre jour naît dans le Tengger, promis à une autre année de bonheur et de prospérité, garantie par le respect de la tradition du Kesodo.

CÉRÉMONIE DU LABUHAN

La cérémonie de Labuhan est une cérémonie d'offrandes organisée par la famille du sultan de Yogjakarta. Ces offrandes sont faites aux divinités protectrices du royaume, notamment à la déesse Ratu Kidul des mers du Sud et aux esprits du volcan Merapi. Comme toujours, on retrouve la dualité chère aux croyances javanaises : la mer et la montagne, l'eau et le feu.

Les anciennes légendes disent qu'un ancêtre du sultan actuel, à la veille d'une bataille décisive, aurait été entraîné par Ratu Kidul dans son palais sous-marin. Là, la déesse l'aurait initié à l'art de la guerre mais aussi aux secrets de l'amour. C'est à partir de ce moment que Ratu Kidul apporta sa protection non seulement aux sultans successifs, mais aussi à tous leurs sujets. Cette croyance est toujours très vivace aujourd'hui. Durant la cérémonie de couronnement du sultan en mars 1989, un souffle de vent soudain bouscula l'assemblée et laissa derrière lui un effluve parfumé, preuve que la déesse serait passée par là et qu'elle serait toujours présente aux côtés du sultan.

Le volcan Merapi, quant à lui, représente une idée de « verticalité », d'élévation. Le volcan est le sultan et le sultan est le volcan. D'ailleurs, le mot « merapi », qui veut dire « montagne de feu », signifie également courage, force, puissance : le sultan porte « merapi » en son cœur. Le sultan représente aussi la verticalité dans le monde des hommes. Par son courage, sa conduite exemplaire, sa piété, il se doit d'être un exemple, un guide.

L'alliance du sultan avec les esprits du volcan Merapi est aussi un gage de protection pour les populations menacées d'éventuelles éruptions. Dans tous les villages on raconte l'histoire du sultan Hamengkubuwono IX qui, monté sur les flancs du volcan pour voir les dégâts de la dernière éruption, prit une pierre qui traînait par terre et, la lançant vers le cratère, ordonna au volcan de s'arrêter. L'éruption se calma aussitôt... Cette croyance en l'alliance entre les sultans et l'esprit du Merapi, extrêmement forte, est partagée par toute la population qui vit au pied de ce volcan dangereux et fréquemment meurtrier.

La population ne participe pas, ou très peu, à la cérémonie du Labuhan, qui est cependant organisée dans un souci d'harmonie du monde, et par conséquent de bien-être des autochtones. La famille royale intervient ici comme un intercesseur entre les hommes et les dieux.

La préparation des offrandes se fait entièrement dans le « Kaputren », le quartier des femmes du Kraton. C'est là que résident toutes les femmes de la famille royale, l'épouse, les sœurs, les tantes, les cousines, les belles-sœurs du sultan ainsi que toutes les servantes du palais. Les premières offrandes sont faites de fleurs et de fruits. Les servantes séparent d'abord les pétales de nombreuses fleurs pour décorer tous les plateaux d'offrandes mais aussi pour créer des fleurs « artificielles » ou des colliers. Les fruits sont décorés et assemblés en de grandes pièces montées. La reine, épouse du sultan, monte un oiseau taillé en écorces de pamplemousse et décoré de fleurs. Cet oiseau est le symbole de la monarchie de Yogjakarta.

La part la plus importante des offrandes consiste en des gâteaux préparés par les femmes de la famille royale. Au départ, on prend une masse de farine équivalent au poids réel du sultan. Cuits par la reine, ces gâteaux sont supposés devenir le corps même du sultan. Ils sont au centre de toutes les présentations d'offrandes puis sont partagés entre les serviteurs du palais, les « Abdidallem ». Ceux-ci redistribuent leurs parts de gâteaux dans leurs familles et parmi leurs proches. La consommation de ces gâteaux apporte la bénédiction et la protection du sultan. C'est un rituel qui rappelle étrangement la communion de la religion catholique.

Les offrandes les plus sacrées sont toutefois les vêtements que le sultan a portés durant l'année écoulée ainsi que les cheveux et les ongles qui lui ont été coupés. Les Abdidallem rangent très soigneusement ces offrandes et en font un inventaire précis selon une liste rituelle. Si cette liste venait à ne pas être remplie, la cérémonie d'offrandes perdrait tout son pouvoir. Les différents objets sont placés dans des coffres en bois, chacun marqué de son contenu et de sa destination.

Toujours organisée par les femmes, une première procession se tient à l'intérieur du palais. Cette procession va emporter toutes les offrandes vers un pavillon surélevé appelé « Bangsal Kencono ». Véritable salle du trône, c'est ici que les plus grandes ou les plus sacrées des cérémonies ont lieu. Au fond du pavillon, se trouve le « Bangsal Proboyekso », salle où sont conservés les trésors royaux, dont les keris ou poignards magiques du sultan. Ces deux salles sont les enceintes les plus sacrées du palais, toutes marquées de la présence divine du sultan, que celui-ci soit ou ne soit pas physiquement présent.

En fait, pour les Javanais, le sultan est toujours là où sont ses insignes, trésors ou armes magiques. Lors de la mise en place des offrandes, le sultan se manifeste d'abord sous la forme des gâteaux qui sont devenus son corps, mais son esprit et son pouvoir sont aussi là. La plus ancienne servante du palais précède la procession en portant un fourreau qui contient trois lames de métal représentant les trois vertus principales du sultan. Une lame de fer symbolise la force, une lame d'argent incarne la pureté et une lame d'or représente la divinité. Tous ceux qui participent à la cérémonie d'offrandes rendront hommage à ces symboles, véritable personnification du sultan et ce, malgré l'absence physique de ce dernier.

Les offrandes ayant été présentées dans le Bangsal Kencono, elles passent des mains des femmes de la famille royale et des servantes aux mains des Abdidallem. Ceux-ci organisent une autre procession à l'intérieur du palais pour apporter les offrandes dans une salle où elles seront séparées en deux lots qui iront vers des destinations différentes.

Toujours portées par les Abdidallem, les offrandes sortent pour la première fois de l'enceinte du Kraton. De privée qu'elle était jusqu'à présent, la cérémonie de Labuhan devient maintenant publique. Les offrandes, emmenées par deux cortèges différents, partent vers leur destination finale. Un cortège se dirige vers la côte, au sud de Yogjakarta, vers la plage de Parangkusumo ; un autre va vers le nord, vers les pentes du volcan Merapi.

Avant la cérémonie du bord de la mer, toutes les offrandes sont déballées dans la halle d'honneur du village. Leur inventaire fait en public est la garantie pour tous que le rituel traditionnel est bien respecté. Les offrandes sont ensuite emballées dans de larges paniers en bambou lestés de grosses pierres. Accompagnées par la foule, elles sont portées en procession en direction de la plage afin d'être données à la déesse Ratu Kidul.

Pour tous les habitants de Java, tout ce qui sort du Kraton est sacré et tout objet touché ou *a fortiori* porté par le sultan est chargé d'un grand pouvoir magique. Les offrandes faites à la déesse des mers du Sud, composées des vêtements, des cheveux ou des ongles du sultan, sont donc extrêmement recherchées pour en faire des amulettes. Souvent, une véritable bataille est livrée entre les serviteurs du palais qui veulent donner les offrandes à Ratu Kidul en les abandonnant aux flots, et la population qui veut s'approprier quelque objet magique. Les offrandes finissent toutes dans les mains de la population… Auparavant cependant, elles auront été plongées dans l'eau et chacun pense que la déesse aura pris au passage ce qu'elle désirait.

La seconde partie des offrandes part vers le volcan Merapi. Portées par un cortège solennel, elles sont montées jusqu'à la limite de la végétation, sous la pente même du cratère actif. Au cours d'un bref office religieux, fait de prières et de la consommation d'un repas préparé au Kraton, les offrandes sont données aux esprits du volcan et abandonnées sur la pente. Point de fidèles ici : l'endroit est trop sacré et nul ne songerait à le troubler. Les offrandes ne sont pas dérobées et les dieux ont tout loisir de les apprécier.

Les offrandes les plus sacrées – les vêtements portés par le sultan au cours de l'année – sont placées dans des coffres en bois portés par les gardes du palais, les Abdidallem.

Page 89. De très nombreux volcans actifs s'égrènent tout au long de l'arc des Aléoutiennes qui résulte de la convergence entre les plaques pacifique et Amérique du Nord. Ils font l'objet d'une surveillance particulière car un important couloir aérien surplombe cette région. Alaska.

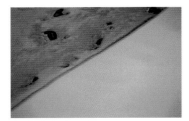

Pages 90-91. Rivière colorée par les sels minéraux issus des volcans. Islande.

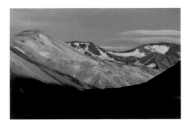

Pages 92-93. Montagnes rhyolitiques de la région de Landmannalaugar. Islande.

Pages 94-95. Les sources chaudes de Beppu sont toutes d'origine volcanique. Les couleurs des différents bassins sont dues aux sels dissous dans l'eau. Japon.

Pages 96-97. Glace déposée sur une plage de cendres lors de l'éruption sous-glaciaire du Vatnajökull. Islande.

Pages 98-99. Volcanologue observant la formation d'un cône lors d'une éruption du Piton de la Fournaise. Les cônes sont des édifices volcaniques mesurant de quelques mètres à plusieurs centaines de mètres de hauteur, et résultant de l'accumulation, autour d'une bouche éruptive, des matériaux expulsés par les explosions. Île de la Réunion.

Pages 100-101. Cratère du volcan, parsemé de cheminées éruptives et de coulées anciennes de carbonatite. Volcan Ol Doinyo Lengaï. Tanzanie.

Pages 102-103. Une fois purifié dans une usine de traitement, le soufre est étalé sous forme liquide sur un sol froid et humide. Très vite, il se cristallise en fines plaques solides. Volcan Kawah Ijen. Indonésie.

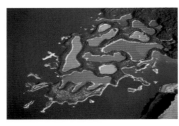

Pages 104-105. Sources salines dans des coulées de lave récentes sur le bord du lac Turkana. Vallée du rift. Kenya.

Pages 106-107. Les coulées de lave lisses progressent en formant des lobes qui se superposent les uns sur les autres. Une mince peau se forme à leur surface dès que la lave entre en contact avec l'air. Ici, une bulle de lave fraîche qui vient de se solidifier. Volcan Kilauea. Hawaii.

Pages 108-109. Pendant et après l'éruption, les volcans rejettent des quantités énormes de vapeur d'eau. Cette eau provient directement du magma terrestre. C'est ainsi que le cycle de l'eau débute. La vapeur d'eau se condense et bientôt retombe sur la surface de la terre. De ruissellement en ruissellement, les eaux se rassemblent en torrents puis en fleuves. Leurs cours érodent les paysages originaux et modèlent un nouveau visage de la terre. Islande.

Pages 110-111. Vue aérienne du lac Natron où la saumure a été colonisée par des algues rouges. Tanzanie.

Pages 112-113. Surgissant du fond du rift parmi les terres de pâture, le Lengaï est la montagne sacrée des Massaï. Ces derniers croient que leur dieu réside en son cratère. Volcan Ol Doinyo Lengaï. Tanzanie.

Pages 114-115. Les fumerolles volcaniques ont corrodé les roches jusqu'à les faire presque complètement disparaître. La rhyolite de Landmannalaugar se présente ainsi sous un aspect bien inhabituel. Islande.

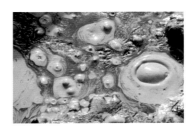

Pages 116-117. Flancs du volcan Krafla. Les fractures importantes nées des éruptions de 1975 et 1984 en font des sites préférentiels de remontée de vapeur et d'eau chaude. Les roches volcaniques sont décomposées par les émanations acides, puis attaquées par des remontées d'eau chaude, formant ainsi une boue soulevée par les gaz en grosses bulles pâteuses. Islande.

Pages 118-119. Des abris ont été construits le long des routes pour protéger les automobilistes en cas d'explosion soudaine du volcan Sakurajima. Japon.

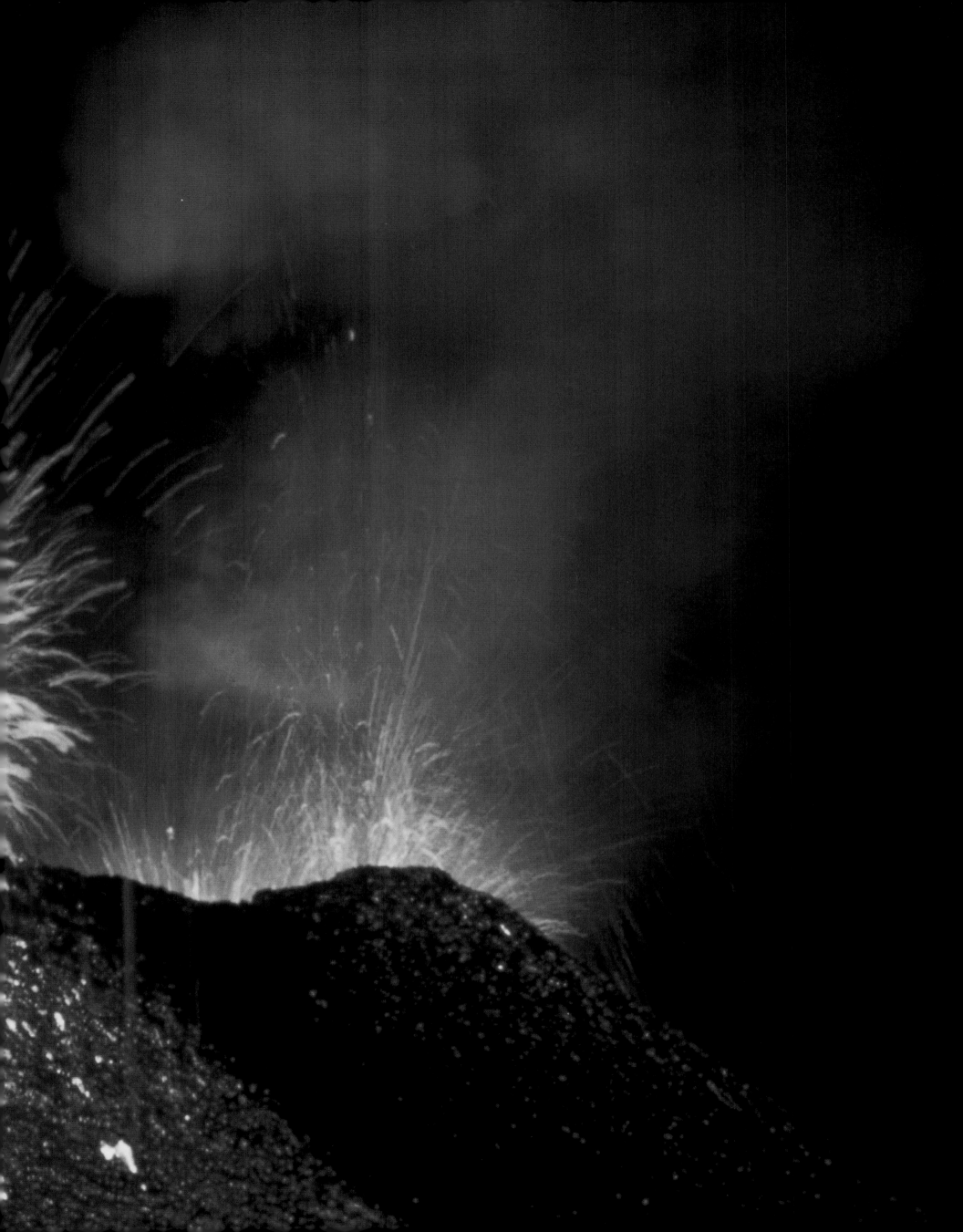

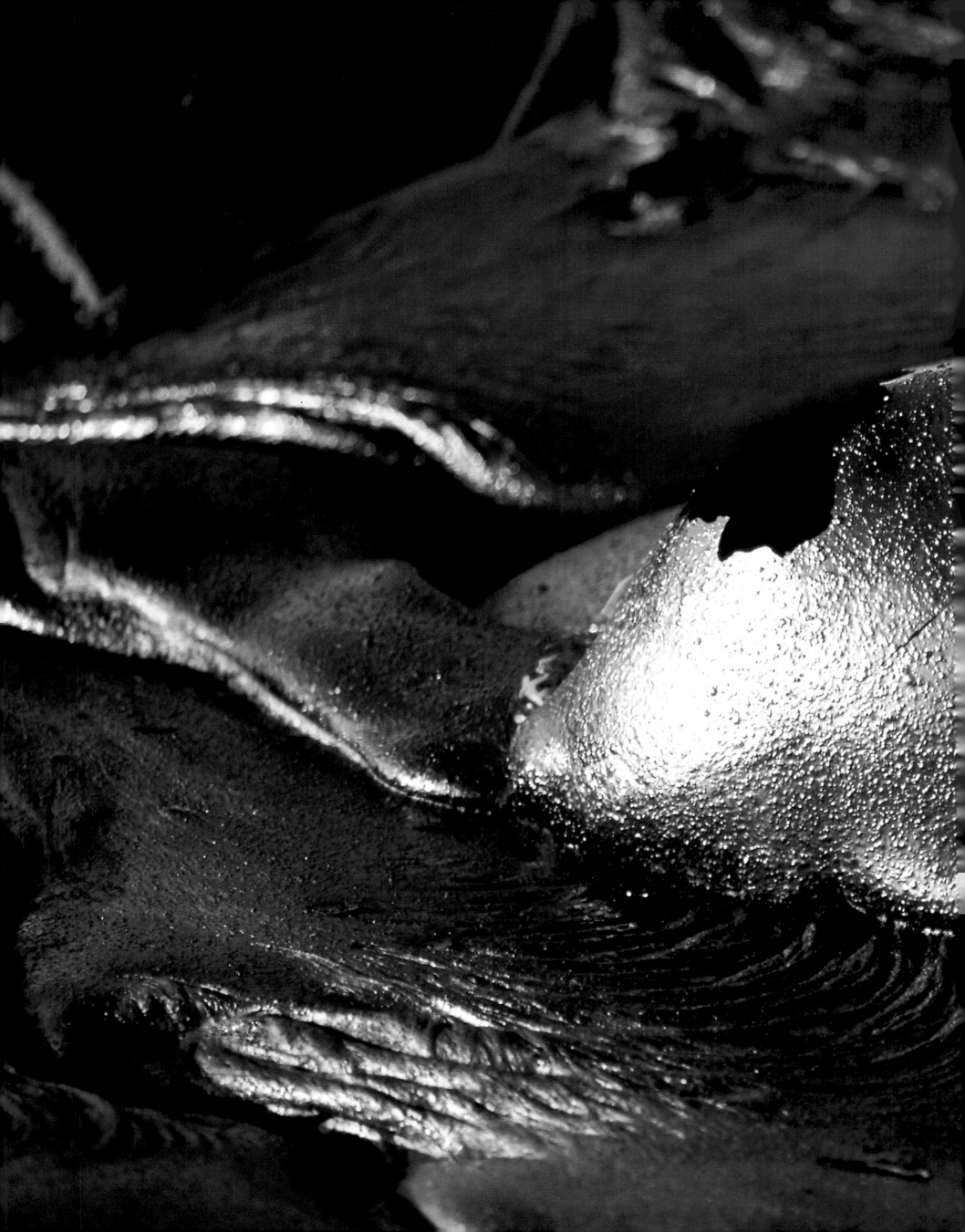

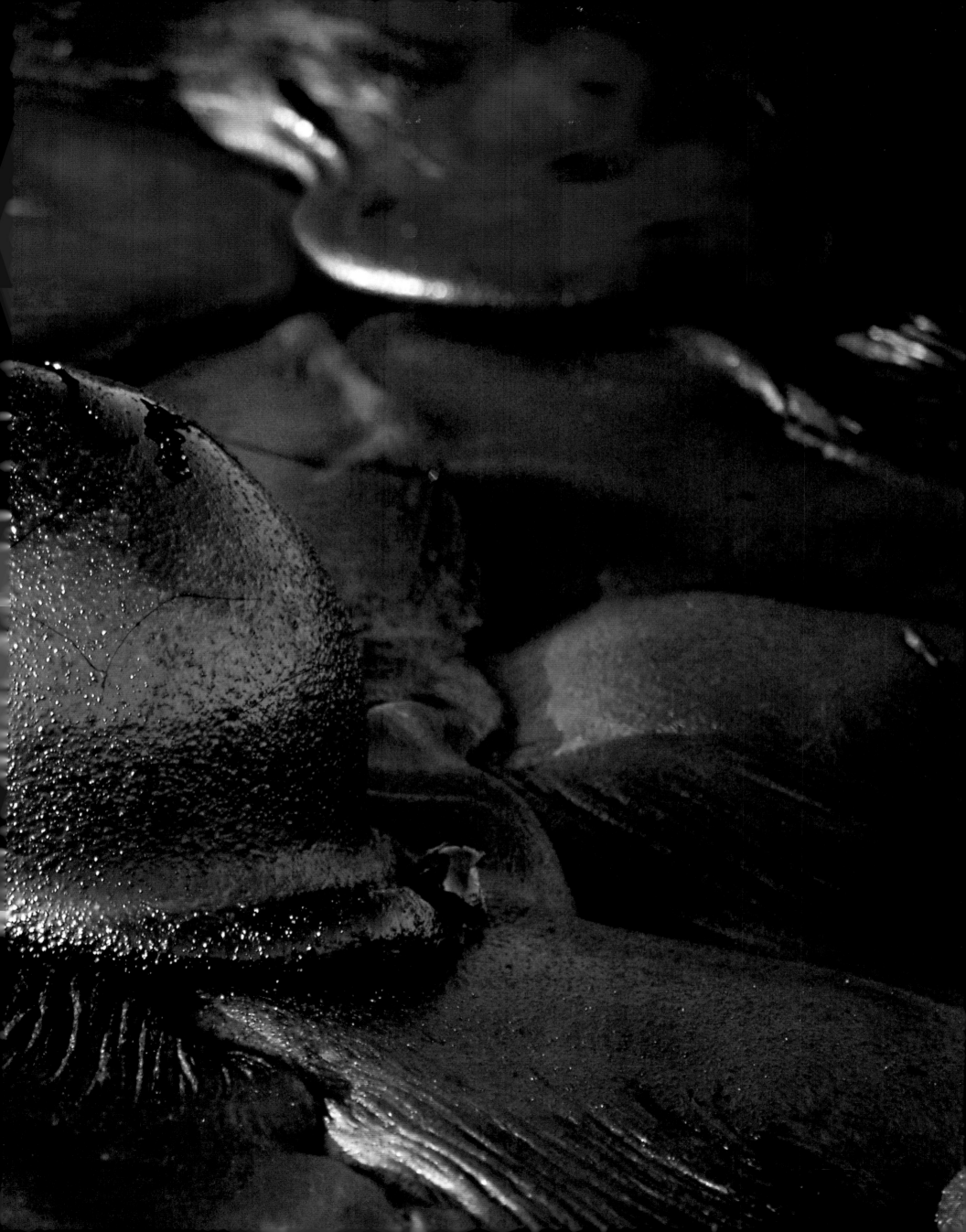

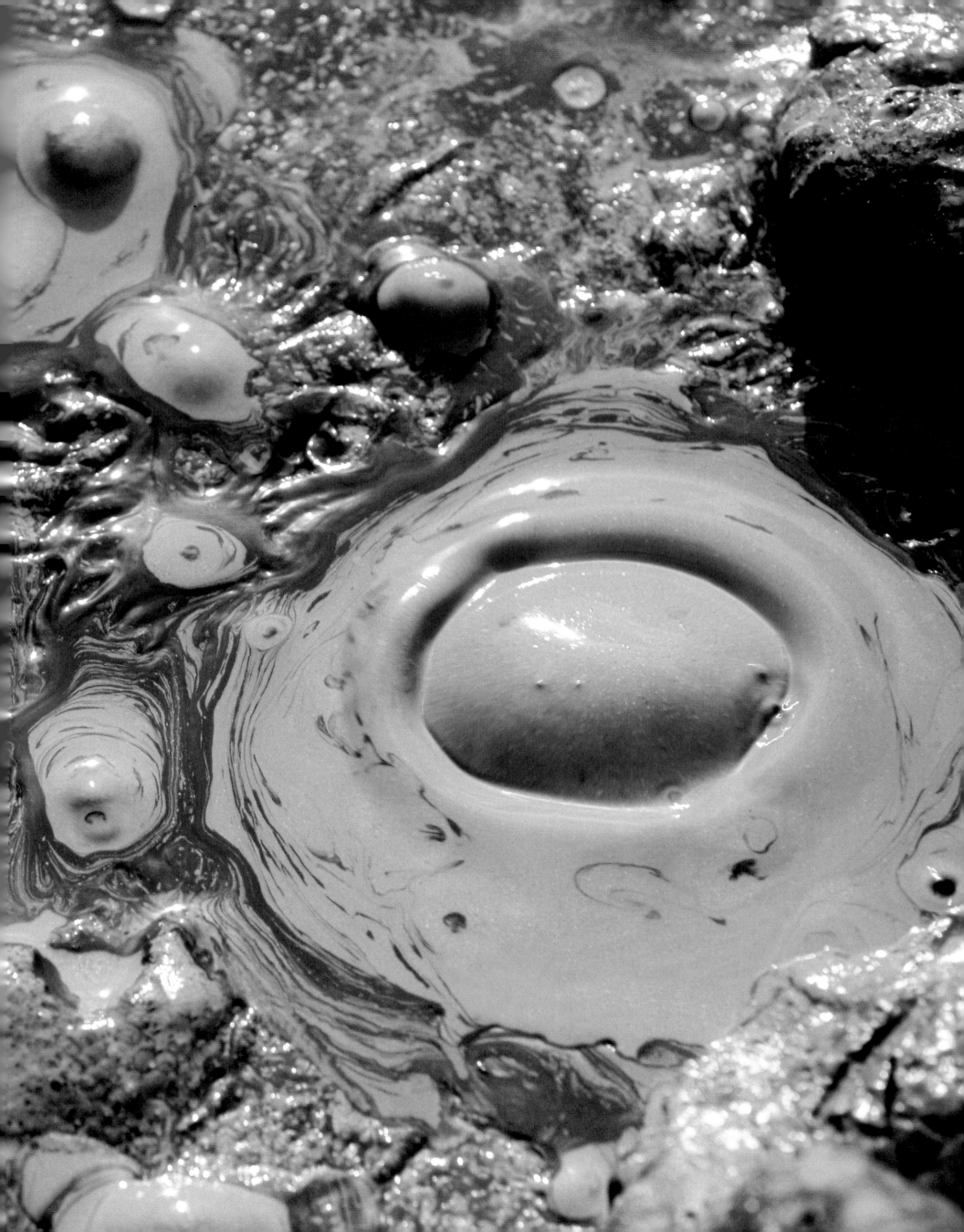

CONNAISSANCES

Connaissance… Les chemins de la connaissance ont été longs, sinueux, nécessitant de franchir bien des étapes pour évoluer de la représentation mythologique des volcans aux modèles théoriques aujourd'hui construits par des ordinateurs.

La connaissance s'est affinée, d'une part parce qu'on a cherché à répondre à des questions plus complexes, d'autre part parce que les moyens d'investigation mis en œuvre sont toujours plus sophistiqués. Mais la connaissance s'est aussi élargie : autrefois d'aucuns étudiaient un type de roche, un volcan ou une région volcanique, un dynamisme particulier ou une éruption unique. Si cette remarque revêt encore aujourd'hui sa part de vérité, on évolue toutefois de plus en plus vers une approche globale et interdisciplinaire du volcanisme. Des biologistes, des archéologues ou des climatologues tiennent avec les volcanologues des dialogues féconds. La connaissance se fait plus riche et permet de voir que les éruptions volcaniques, cataclysmiques ou modestes, peuvent avoir des répercussions importantes, dans le temps et dans l'espace, sur la vie des hommes.

Car c'est bien là que réside l'acquis principal de l'évolution de la connaissance : la terre est une planète vivante, et de sa vie dépend étroitement la nôtre.

LE SUICIDE D'EMPÉDOCLE
OU L'ÉVOLUTION DES IDÉES
SUR LE VOLCANISME

L'homme a toujours essayé de se rassurer en cherchant des réponses aux questions que le volcanisme, manifestation naturelle terrifiante et incontrôlable, lui posait. Certains trouvaient ces réponses dans des manifestations divines ou démoniaques. D'autres, poussés par une constante volonté de savoir, sont montés vers les cratères pour tenter de comprendre le fonctionnement de la terre.

Empédocle, notamment, se passionna, à la fin de sa vie, pour l'observation et l'étude de l'Etna. Son intérêt était tel qu'il se fit bâtir une maison à proximité du volcan. Cependant, désespéré par l'absence d'explications à ces phénomènes éruptifs, Empédocle se suicida en se jetant dans le cratère.

Faisant suite aux approches maladroites des débuts, l'invention d'un métier, la mise au point du matériel de protection, l'innovation de techniques d'approche et d'étude ont permis à la science de progresser. L'homme a repoussé peu à peu les démons vers l'abîme pour mettre le monde en équations et en modèles.

Le monde méditerranéen, parce qu'il était un monde de volcans, a cherché à élucider les mystères que renfermait l'activité volcanique et à en comprendre les manifestations. Déjà, les philosophes grecs mettaient en place des acteurs qui allaient être longtemps tenus pour responsables de l'activité volcanique : l'eau, le feu et le vent. L'eau…Thalès de Milet, au VIᵉ siècle av. J.-C., croyait que le monde flottait sur l'eau et que les mouvements de ce radeau circulaire étaient à l'origine de tremblements de terre. Le feu… Chez Héraclite, qui décrit un monde rationnel bien loin des dieux qu'y voyaient ses contemporains, l'élément central était le feu, origine de toutes choses. Pythagore craignait l'extinction de ce feu, faute de combustibles, qui risquait de provoquer la disparition de toute vie

humaine. Le vent… Démocrite, quant à lui, était convaincu que l'agent principal des forces volcaniques était l'air. Forcé de se frayer un passage dans des boyaux étroits de la terre, il en ressortait sous pression et provoquait tremblements de terre et éruptions.

Ce n'est qu'au IVᵉ siècle av. J.-C. qu'apparaît Empédocle. Il était le premier à proposer une théorie complète, cohérente à ses dires, du volcanisme. Il pensait que le centre de la terre était en fusion et que les éruptions volcaniques provenaient de la remontée de ce matériel vers la surface. Il s'avère qu'il fallut attendre plusieurs siècles pour que l'on revienne à une vision aussi juste… Né au pied de l'Etna, il était fasciné par ce grand volcan qu'il observait à de nombreuses reprises et dont il décrivait les éruptions. Il décida de finir sa vie près du cratère du volcan en un lieu aujourd'hui connu sous le nom de Torre del Filosofo. Curieusement, des travaux de construction d'un refuge y ont mis au jour les fondations d'un bâtiment grec… Empédocle se suicida en se jetant dans le cratère, geste généralement compris comme celui d'un scientifique obsédé par sa quête de connaissance. Certains de ses contemporains prétendaient qu'au contraire Empédocle, aveuglé par une vanité extrême, voulut passer pour un dieu en disparaissant ainsi de la surface du monde…

À cette époque, l'Etna fascinait, il était aussi le seul volcan actif accessible ; le Vésuve était alors endormi et le Stromboli semblait bien lointain. Platon fit spécialement un voyage en Sicile afin d'affiner sa théorie sur la structure de la terre. Selon lui, à partir d'un noyau central en fusion ou en feu, rayonnaient des couloirs souterrains où coulait un fleuve igné, le Pyriphlégéthon. Les volcans correspondaient aux endroits où les matières de ce fleuve arriveraient en surface, endroits où elles feraient fondre la terre qui se refroidirait ensuite sous forme de roches noires. L'Etna inspira encore Pindare, Eschyle et Thucydide qui, tous, décrivirent ses éruptions, et plus spécialement les coulées de lave qui ravageaient les parties basses du volcan, détruisant parfois villes et villages.

Si Aristote fut un remarquable observateur de la nature, il en fut aussi le théoricien. Selon lui, toute matière est composée des quatre éléments énoncés plus haut : l'eau, la terre, le feu et l'air, qui s'organisent dans la nature en fonction de leur densité. Dans un monde parfait, en équilibre, la matière serait ainsi stratifiée sans que rien ne bouge. Mais dans ce monde où tout est mélangé,

À gauche : **Vue de l'intérieur du Vésuve (1805), réalisée par Odoardo Fiscetti pour le duc Della Torre.**

Ci-dessous : **Phases explosives sur le cratère sud-est de l'Etna.**

L'éruption du Vésuve de 1822, par Camille de Vito, peintre napolitain.

de grandes quantités d'air et d'eau sont emprisonnées sous la terre. De leurs réactions parfois violentes naissent les tremblements de terre et les éruptions volcaniques. Aristote, comme beaucoup de ses prédécesseurs et de ses contemporains, confond d'ailleurs souvent les deux phénomènes. On doit notamment à Aristote le mot « cratère » dans son acception commune. Sa forme rappelle celle des coupes dans lesquelles les Grecs buvaient le vin.

Petit à petit, le monde grec est absorbé par l'Empire romain. Si les préoccupations militaires ont souvent pris le pas sur les considérations philosophiques ou scientifiques, quelques érudits cependant ont eu connaissance de la science des Anciens, prolongeant leur quête de savoir.

Ainsi Lucrèce, dans son grand œuvre *De Natura Rerum* (*De la nature*), cherchait à expliciter l'univers. C'étaient les débuts d'une science naturelle complète auxquelle les volcans n'échappaient pas. Il partageait l'idée que des vents violents étaient à l'origine de tous les soubresauts de la planète. Il l'imaginait creuse et soumise à une tempête interne presque constante. Ces vents violents chauffaient les roches puis les éjectaient des cratères. Mais il observait également que les volcans qu'il connaissait étaient proches de la mer et voyait dans les vagues et les marées des forces qui poussaient les éléments dans les cheminées volcaniques. Lucrèce se référait aussi souvent à l'Etna, dont il avait dû connaître certaines des éruptions. L'Etna était encore décrit dans un texte de plus de 600 vers, écrit par Virgile, ainsi que par Strabon, grand géographe s'il en fût, qui concevait les volcans comme des exutoires à la furie du feu central et aux vents sous haute pression nés de ce feu. En bon observateur, il dépeignait avec brio les différents produits volcaniques et les volcans du monde méditerranéen. Quoiqu'il ne fût pas actif à cette époque, il réussit, par l'étude des roches, à identifier le Vésuve comme étant un volcan.

Sénèque, grand lettré de son temps et précepteur de Néron, alla plus loin que ses contemporains dans sa réflexion. Il affirmait que la chaleur interne était due à la combustion du soufre. Cette combustion provenait du contact de ce métalloïde avec les vents sous haute pression. Ces vents servaient ensuite à transporter la chaleur dans l'écorce terrestre et provoquaient les éruptions. Bientôt les volcans allaient affecter directement les Romains lors de l'éruption du Vésuve qui détruisit Pompéi et Herculanum en l'an 79, éruption dont le récit nous est connu grâce à Pline le Jeune.

Cette science des Anciens est rapidement tombée dans l'oubli, avec la chute de l'Empire romain qui annonçait le retour de l'obscurantisme. D'autres explications furent alors proposées : la seule description du monde et de l'univers était celle donnée par l'Église et la vraie connaissance marquait un véritable recul. Les volcans devenaient, et pour longtemps, les bouches de l'enfer, et nul n'osait s'en approcher. On dit même à cette époque que la curiosité et la recherche de la connaissance n'étaient plus nécessaires car elles ne participaient en rien au but ultime que devait se fixer l'homme : assurer sa survie dans l'au-delà…

Deux événements très différents firent néanmoins revenir les volcans sur le devant de la scène scientifique. L'invention de l'imprimerie tout d'abord, puisque cette technique permettait de faire circuler largement le savoir et de confronter plus aisément diverses théories. Survient à la même époque une éruption qui fit apparaître, en 1538, un nouveau volcan dans la caldeira des Campi Phlegrei (champs Phlégréens), près de Naples. Pour un retour sur le devant de la scène, les volcans frappaient fort. Non seulement un nouveau volcan naissait dans le monde des hommes, en pays « civilisé » et devant témoins, mais la ville de Naples s'avérait à l'époque être une des capitales culturelles du monde. On y publiait d'ailleurs plus de livres qu'à Paris ! La nouvelle de l'éruption se propagea donc rapidement et intéressa les scientifiques, à présent tenus informés *via* un réseau récent d'universités. Quelques décennies plus tard, l'Europe partait à la découverte du monde, et l'on s'aperçut qu'en des contrées lointaines et exotiques, il existait d'autres volcans, parfois très différents par leur forme ou leur activité. Le volcanisme était-il donc un phénomène universel ? La science était prête à de nouvelles avancées.

En premier lieu, Agricola proposa une nouvelle théorie qui tranchait avec la science antique. S'il acceptait l'idée d'un feu souterrain, il cherchait cependant l'origine de celui-ci dans les rayons du soleil qui pénétraient le globe terrestre.

Puis vient Athanase Kircher, grand savant jésuite, qui reprit la théorie du feu central d'Aristote dans un ouvrage, *Mundus Subterraneaus*, entièrement consacré à la géologie. Ce « Monde souterrain » étudiait en détail quelques volcans actifs, le Vésuve, le Stromboli, le Vulcano, et l'Etna. Extrapolant ce qu'il avait vu en surface, notamment des hornitos et des tunnels sous-laviques, il proposa une nouvelle approche du volcanisme. Depuis le centre de la terre en fusion, des canaux transportaient des matières ignées dans des réservoirs plus petits situés à faible profondeur. Ces réservoirs superficiels alimentaient les cratères des volcans, ou réchauffaient l'eau de toutes les sources. Fort de cette théorie, il dessinait des planches magnifiques de coupe des volcans étudiés ainsi qu'une étonnante coupe du globe terrestre.

C'est aussi à cette époque que l'alchimie céda le pas devant la chimie. Cette nouvelle science venait aussi expliquer le fonctionnement des volcans. On cherchait alors l'origine du feu de la terre dans des phénomènes de combustion où entreraient en jeu le soufre, le fer, l'eau de mer, mais aussi le charbon, le bitume, etc. En 1669, une énorme éruption eut lieu sur les flancs de l'Etna. Des coulées de lave descendirent jusqu'à la mer, détruisant la ville de Catane au passage. L'érudit sicilien Francesco d'Arezzo fut chargé d'étudier le phénomène. À sa grande surprise, ce qu'il trouva sur le terrain était bien différent des fleuves de soufre

liquide ou de bitume enflammé promis par la littérature. Il s'approcha très près des coulées de lave, essayant d'en déterminer la viscosité en y enfonçant des tiges métalliques. Ses observations menèrent à une déduction extraordinaire pour l'époque : la lave s'avérait être de la roche en fusion qui se vitrifiait en refroidissant. Mais le vrai problème qui passionna ses contemporains était l'origine de la chaleur dégagée par les volcans. Selon Buffon, la terre était une étoile qui se refroidissait. Il en calcula d'ailleurs l'âge (environ 120 000 ans !) par comparaison avec les vitesses de refroidissement de sphères métalliques qu'il chauffait dans une forge. Il accepta l'idée d'un feu central, chaleur rémanente de l'étoile originelle. En revanche, l'origine de l'énergie des volcans résidait selon lui dans des phénomènes de combustion plus superficiels. Et, s'appuyant sur le fait que nombre de volcans connus à l'époque étaient soit proches d'un rivage, soit des îles, il estimait que l'eau de mer, réagissant avec ces feux souterrains, provoquait ces éruptions. C'était encore d'eau de mer dont il allait être question au milieu du XVIIIe siècle, puisqu'elle allait alimenter une intense polémique. Jean-Étienne Guettard, naturaliste, dressa la carte géologique de la France. À la surprise générale, il découvrit des roches volcaniques en Auvergne. Fort de sa description des volcans du Massif central, il s'attacha aussi à décrire le basalte, roche volcanique caractéristique, qui apparaissait parfois sous forme de grandes colonnes prismées. Pour Guettard, la chose semblait évidente. Le basalte provenait d'une gigantesque cristallisation ayant eu lieu en milieu aqueux. Ce à quoi Faujas de Saint-Fond, géologue, opposa une théorie totalement différente. Il avançait l'idée que les basaltes étaient un produit du volcanisme, né du refroidissement des laves. Une polémique s'ouvrait entre les neptunistes, tenants de l'eau, et les plutonistes, partisans du feu.

Pendant plusieurs décennies, la dispute fit rage. Encore une fois, ce fut le terrain qui apporta la réponse. Au milieu du XVIIIe siècle, l'honnête homme voyageait. La tradition du Grand Tour prit forme et l'on se devait de visiter l'Allemagne, la France et surtout l'Italie. Les volcans devenaient une attraction de choix. Attraction pittoresque qui attirait autant les peintres, les poètes et les contemplatifs que les passionnés d'histoire naturelle. Parmi ces volcans, le Vésuve occupait une place à part. Situé près de Naples, il jouxtait plusieurs monuments antiques et présentait des éruptions fréquentes. C'était un passage obligé pour la bonne société européenne. Une idée forte s'imposa. L'observation du réel, par reconstitution des phénomènes et déductions logiques, permit d'appréhender les causes et le mécanisme des éruptions, tant passées que présentes. Ces travaux se multiplièrent en bien des endroits avec l'essor des grandes découvertes.

L'étude du Vieux Continent se poursuivit, et nombre de savants français s'y illustrèrent. Desmaret, membre de l'Académie des Sciences, détailla l'histoire géologique des volcans du Massif central. Il mit en évidence de nombreux arguments qui renforçaient la thèse plutoniste. Sa renommée était telle qu'il fut responsable du chapitre sur les volcans de *L'Encyclopédie*.

Deux grandes figures, aux destins assez extraordinaires, apparurent sur le devant de la scène. Déodat de Gratet, chevalier de Dolomieu, né le 23 juin 1750, était à peine âgé de 2 ans lorsque son père l'introduisit dans l'ordre de Malte. Dès lors, il sembla destiné à une carrière militaire, mais, en 1768, un différend

Fuite de la population devant une éruption de l'Etna. Gravure populaire.

l'opposa à un de ses pairs, qu'il tua en duel. Condamné à la prison à vie par l'ordre de Malte, il fut libéré 9 mois plus tard grâce à l'intervention du roi de France. Depuis cette aventure, il se voua aux sciences naturelles et étudia la physique et la chimie tout en séduisant la fille de son professeur... Bientôt, il s'intéressa de plus près à la minéralogie et se lia avec de nombreux scientifiques de son temps. Il voyagea dans les Alpes puis au Portugal, où il repéra des roches volcaniques à proximité de Lisbonne. Il commença alors à se pencher sur le problème de l'origine volcanique du basalte. Le 19 août 1779, il fut nommé correspondant de l'Académie des sciences. Il consacra plusieurs années à des voyages scientifiques divers tant en France qu'en Italie ou en Corse. Passionné par cette étude, il publia de nombreux ouvrages, dont le très célèbre *Voyage aux îles Lipari* en 1783 et le *Catalogue raisonné des produits de l'Etna* en 1788.

Ci-dessus : **Mal préparés au terrain volcanique, les touristes rencontraient autrefois de nombreuses difficultés lors de l'ascension du Vésuve.**

À droite : **Vue intérieure du cratère du Vésuve (1804), par le peintre Pietro Fabris illustrant les observations de lord William Hamilton dans son ouvrage sur les champs Phlégréens.**

Dolomieu développa aussi des idées très libérales pour son temps et pour son rang : il s'enthousiasma pour la Révolution, ce qui l'obligea à la rupture définitive avec l'ordre de Malte en 1790. Pour illustrer ses idées sur la liberté et sur la science, il offrit toutes ses collections au tout nouveau Congrès des États-Unis d'Amérique. Puis il étudia les calcaires du Tyrol et du Trentin, en décrivit toutes les particularités. Cette roche fut appelée par la suite la dolomie et les montagnes dont elle provenait devinrent les Dolomites... Sa réputation de savant grandit toujours plus. Il devint enseignant à l'École des mines. Dès sa création en 1795, il fut fait membre de l'Institut.

Enrôlé dès 1798, avec de très nombreux autres savants, dans l'expédition d'Égypte, il lui apparut clairement, au début de 1799, que cette expédition n'était qu'une vulgaire conquête militaire. Tentant de rejoindre la France en compagnie du général Dumas, père d'Alexandre Dumas, il fut fait prisonnier à Messine. À la demande des chevaliers de l'ordre de Malte, il fut séparé de ses compagnons et mis au cachot dans le plus grand dénuement et l'isolement le plus complet pendant 21 mois. Avec le noir de fumée de sa chandelle, il a rédigé un ouvrage complet dans les marges du livre de Faujas de Saint-Fond, *Minéralogie des volcans*. Cependant, l'emprisonnement de Dolomieu ne laissa pas

le monde indifférent. La Royal Society de Londres s'en émut. Le gouvernement consulaire également essaya de faire libérer son illustre savant, plusieurs membres de l'Institut – notamment Jussieu, Camus, Laplace, Bougainville, Fleuriau, Lacépède – usant de leur entregent. Même le roi d'Espagne s'en mêla et Talleyrand se chargea d'une médiation. Finalement, après la victoire de Marengo en mars 1801, Dolomieu et Dumas furent tous deux libérés. Dolomieu reçut un accueil triomphal en France mais il était épuisé par les privations de sa captivité. Il mourut en novembre de la même année, à l'âge de 51 ans. Ses études sur l'origine et la nature des laves en firent un des premiers très grands volcanologues, et sa contribution à la connaissance de l'origine du basalte renforça singulièrement le camp du plutonisme.

Au pied du Vésuve, un autre homme remarquable s'illustra. Érudit aux passions diverses telles que la musique, les beaux-arts, l'archéologie et la minéralogie, collectionneur sans scrupule, lord William Hamilton était ambassadeur d'Angleterre auprès du roi de Naples. Sa femme, encore célèbre aujourd'hui, était la maîtresse de l'amiral Nelson, dont la flotte était alors en baie de Naples. Le spectacle des éruptions du Vésuve fit de lord Hamilton un volcanologue passionné. Il consigna ses observations précises et éclairées dans une série de lettres envoyées à la Royal Society de Londres. Il multipliait les ascensions du volcan, même lorsque celui-ci était en pleine éruption, et se faisait accompagner par le peintre Pietro Fabris, qui illustra remarquablement son ouvrage sur le Vésuve et les champs Phlégréens. Il étudia toutes les éruptions du Vésuve de 1766 à 1794, visita les autres volcans italiens et, surtout, tira d'intéressantes conclusions de ses analyses minutieuses. Entre autres, il défendit l'idée d'une origine profonde du volcanisme et, plus important, remit en cause la croyance commune à cette époque que les volcans « brûlaient ». Comme l'oxygène était absent en profondeur ou sous l'eau, il ne pouvait y avoir de combustion.

Sa connaissance du Vésuve et de ses éruptions était telle qu'il parvint à faire une prévision d'éruption et à décider d'une évacuation. Il étudia tout ce qui, à son époque et dans son environnement, représentait les risques volcaniques et proposa diverses contre-mesures. Comme Dolomieu, Hamilton a été un des premiers grands volcanologues de l'époque moderne. Ses observations minutieuses des dynamismes éruptifs prêchent aussi en faveur du plutonisme.

Les recherches en laboratoire, quant à elles, participaient à leur manière à l'avancée des connaissances scientifiques de l'époque. Le chimiste anglais James Hall fit de nombreuses expériences sur la fusion et la cristallisation dans une verrerie, puis confronta ses résultats à ses observations de terrain. Il prouva définitivement que la roche pouvait fondre, puis se vitrifier en refroidissant.

L'abandon définitif des thèses neptunistes se fit progressivement, notamment suite aux écrits du grand explorateur Alexander von Humboldt. Véritable puits de science, s'intéressant à toutes les disciplines, il fut favorable dans un premier temps à l'idée de l'origine aqueuse des basaltes. Pourtant, il allait se confronter à la réalité, d'abord sur divers massifs volcaniques européens, ensuite dans sa formidable exploration des Andes, où il passa de volcan en volcan, étudiant la

géologie, la botanique, en passant par la climatologie de la région. Pendant cinq ans, il accumula des observations qu'il allait traiter et analyser le restant de sa vie. Sa découverte de volcans différents lui permit d'élaborer une théorie complète du volcanisme. Revenant sur ses écrits de jeunesse, il défendit ardemment les thèses du plutonisme, les enrichissant encore de nouvelles précisions.

C'en fut fait de la querelle… Les adeptes du neptunisme se turent. Cette polémique pouvait sembler n'être qu'une étape normale de l'évolution de la pensée scientifique. Elle représentait en réalité bien plus. Par sa violence, par l'extrémisme des positions respectives, elle fut un formidable moteur. Tous les scientifiques de l'époque se devaient d'avoir leur avis sur la question, ils se sont donc penchés sur les volcans. Le retentissement de leurs affrontements a poussé bien des érudits à s'y intéresser et, à la fin de cette époque de bouillonnement intellectuel, on comptait de très nombreux scientifiques qui, tous ensemble, créèrent cette nouvelle science : la volcanologie. Ils avaient pour noms Von Buch, Scrope, Lyell, Élie de Beaumont, Recupero, Fouqué, Sainte-Claire Deville, Sartorius et bien d'autres…Tous ensemble, ils ont fait de la volcanologie une science moderne, en développant les approches théoriques, les investigations de terrain et les expérimentations en laboratoire. En 1841, le premier observatoire volcanologique du monde était construit sur les flancs du Vésuve. Parallèlement, on explorait les volcans du monde, même ceux des îles les plus lointaines. Les quelques grosses éruptions qui se produisirent profitèrent du développement des communications qui fit que l'ensemble de la communauté scientifique ainsi que l'opinion publique furent au courant et se mobilisèrent autour de l'événement. Tel fut le cas de l'éruption du Krakatau en 1883, mais surtout de la Montagne Pelée en Martinique en 1902. Cette éruption, qui détruisit une ville et fit 29 000 victimes, frappa

l'imagination de nombreux scientifiques : trois d'entre eux, aux caractères bien différents, en seront à jamais marqués.

Alfred Lacroix, géologue et minéralogiste français, avait déjà une grande carrière derrière lui lors de l'éruption. Il avait étudié le volcanisme, le métamorphisme et les météorites. Dès l'annonce de la catastrophe, il fut dépêché sur place par l'État français. Face aux ruines de Saint-Pierre, la première question qui se posait était de savoir comment s'était formé ce nuage de cendres destructeur, et surtout pourquoi il s'était déplacé latéralement au lieu de s'élever en panache vertical. Lacroix, après une année passée à analyser le terrain et à recueillir des témoignages, parvint à identifier le rôle du dôme de lave solidifiée qui obturait la cheminée du volcan dans la genèse du phénomène. Il publia en 1904 un ouvrage qui fit date dans l'histoire de la volcanologie, *La Montagne Pelée et ses éruptions*, dans lequel il reprit, pour décrire l'avalanche brûlante qui ravagea Saint-Pierre en 1902, le terme de « nuée ardente », appellation qui lui avait été proposée par un témoin. Après cette expérience, Lacroix fut un très actif promoteur des observatoires volcanologiques. Sa conviction reposait sur le besoin de mener de front une étude approfondie et une surveillance continue des volcans. Cela afin d'éviter des catastrophes comme celle de Saint-Pierre, en Martinique. Il a d'ailleurs lui-même construit le premier observatoire de la Montagne Pelée, en 1903.

Les Antilles étant proches des États-Unis, plusieurs observateurs et scientifiques américains se rendirent très rapidement sur les lieux. Thomas Jaggar, brillant géologue et pétrographe américain, faisait partie de ceux-ci. La rapidité avec laquelle il rejoignit la Martinique lui permit de suivre la catastrophe. Bouleversé par ce qu'il découvrit, il décida de se consacrer uniquement à la volcanologie, afin que pareil événement ne se reproduisît plus jamais. Il était en effet persuadé qu'un tel phénomène naturel était prévisible si on surveillait le

Entrée de l'ancien observatoire volcanologique du Vésuve.

volcan. La cause d'Alfred Lacroix fut donc relayée par Thomas Jaggar, qui milita inlassablement pour la construction d'observatoires volcanologiques sur différents volcans du monde.

Après avoir travaillé sur des volcans en Italie et au Japon, il se retrouva à Hawaii, où il mit en application ses recommandations. Au bout de trois années de démarches, l'observatoire fut établi sur le Kilauea, au bord du cratère Halemaumau, alors occupé par un lac de lave en fusion. Mais les finances se firent rares et Jaggar fut forcé d'exercer divers métiers pour sauver l'observatoire. Aujourd'hui, son observatoire (Hawaii Volcano Observatory) est le plus célèbre du monde ; le bâtiment ancien a été transformé en musée. Quelques années plus tard, en 1906, sur les flancs du Vésuve alors en éruption, Lacroix et Jaggar firent la connaissance d'un étrange personnage. Frank Perret, ingénieur et inventeur de génie, était l'associé de Thomas Edison. Lors d'un de ses nombreux voyages, il arriva à Naples juste à temps pour admirer le Vésuve. Fasciné par ce phénomène, il consacra dès lors tous ses talents d'inventeur à l'observation et à la surveillance du dynamisme éruptif, et se lia avec Matteucci, autre génial inventeur, alors directeur de l'observatoire du Vésuve. Il visita tous les volcans italiens, conseillant parfois très utilement les autorités face à des problèmes de gestion des risques. Il défendait également de nouvelles théories sur le volcanisme en prétendant que les gaz étaient transportés par le magma et qu'ils étaient à l'origine du dynamisme éruptif. Lors des phases éruptives les plus fortes du Vésuve, il mit en évidence des vibrations et

découvrit ce que l'on allait appeler le tremor, tremblement continu dû à la remontée de la lave dans la cheminée d'alimentation. Ce signal sismique particulier est, aujourd'hui encore, le marqueur typique des phases éruptives. Il partit ensuite reconnaître les volcans du Japon puis se retrouva à la Montagne Pelée vers 1929, alors que le volcan se réveillait. Il s'installa un petit observatoire personnel à proximité du cratère et, quelle que fut la violence de l'éruption, poursuivit impassiblement ses observations. À plusieurs reprises, il dut se protéger des nuées ardentes en se calfeutrant dans sa cabane dont il boucha tous les interstices avec des linges humides… Son courage physique fascinait les habitants de Saint-Pierre qui suivaient ses tribulations à la longue vue. Il démontra, avec raison, que la ville ne courait pas de danger et qu'il était inutile de l'évacuer. Reconnaissants, les habitants de Saint-Pierre lui ont érigé une statue.

Après ces notables précurseurs, la science volcanologique entra définitivement dans sa phase moderne. Elle se confronta à des théories nouvelles, comme la tectonique des plaques ; elle assimila aussi les progrès techniques et multiplia les méthodes d'investigation, allant du marteau au satellite…

Aujourd'hui, la volcanologie est présente dans toutes les universités, des observatoires se construisent dans les pays du monde entier et, prenant la suite des quelques originaux des débuts, les chercheurs se comptent maintenant par milliers. Cependant la passion reste… et, sur le terrain, on se prend bien souvent à rêver d'Empédocle !

Page 129. Entre 95 et 119 °C, le soufre des gaz volcaniques cristallise en aiguilles. Au-dessus de cette température, il fond et se transforme en un liquide orangé, comme ici dans le cratère du volcan Kawah Ijen. Île de Java, Indonésie.

Pages 130-131. Nombreuses sont les stations thermales autour du volcan Sakurajima où les curistes prennent des « bains » de sable chauffé par les fumerolles du volcan. Japon.

Pages 132-133. Vue aérienne du lac Natron. La soude séchée et durcie au contact de l'air forme des guirlandes blanches qui se découpent sur le fond rouge du lac. Tanzanie.

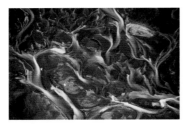

Pages 134-135. La rivière Thjorsà est la plus longue rivière d'Islande, elle prend sa source dans les massifs volcaniques du sud du pays et se charge en sels minéraux, qui lui donnent sa couleur caractéristique. Islande.

Pages 136-137. Situé à 30 kilomètres de la ville de Pétro-pavlosk, le volcan Achavinsky culmine à une altitude de 2 738 mètres. Son cratère actif rempli de lave est un des terrains d'observation favoris des volcanologues russes. Kamchatka. Russie.

Pages 138-139. Région de Jokuldalir. Paysage typique façonné par les éruptions volcaniques. Islande.

Pages 140-141. Le blast latéral de l'explosion de 1980 a totalement balayé les forêts qui étaient implantées sur les pentes du Mont Saint Helens, ainsi que celles des montagnes aux alentours dans un rayon d'une vingtaine de kilomètres. États-Unis.

Pages 142-143. Le lac acide de Voui se trouve dans l'une des caldeiras sommitales du volcan Aoba. Il subit un phénomène rarissime : la remontée du magma dégage des gaz qui réchauffent, acidifient et colorent l'eau en bleu turquoise. Sur un îlot de terre noire, les arbres ont été rongés par les vapeurs acides, seules les fougères résistent à cette attaque chimique. La température de l'eau varie entre 38 et 40 °C et le PH est inférieur à 2. Vanuatu.

Pages 144-145. Le volcan Ol Doinyo Lengaï est la montagne sacrée des Massaï. Lors des éruptions, ils montent à proximité du cratère pour se laisser recouvrir de cendres afin de se purifier. Tanzanie.

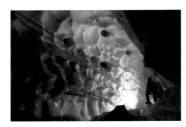

Pages 146-147. Massif du Torfajokull. Une activité volcanique intense de fumerolles creuse d'immenses galeries dans le glacier, jusqu'à 125 mètres sous la calotte glaciaire. Islande.

Pages 148-149. À Lalibela, la partie supérieure des dépôts de trapps, constituée de pyroclastites, a été sculptée dans la masse pour édifier des églises troglodites au XIIᵉ et au XIIIᵉ siècle. Éthiopie.

Pages 150-151. Flamants roses sur le lac Natron. Ces oiseaux sont les seuls animaux qui parviennent à survivre dans l'univers caustique du lac de soude. Mieux, ils l'utilisent… Durant la période de nidification. les flamants édifient de petits monticules de soude séchée au soleil pour y poser leurs œufs. Ils ingèrent également les algues rouges qui se développent dans la saumure et qui est à l'origine de la coloration des algues. Tanzanie.

Pages 152-153. Massif volcanique du Kawah Ijen (« cratère vert », en indonésien) avec son lac d'acide. la plus grande réserve d'acide sulfurique et chlorhydrique du monde. Sur les berges du lac, le soufre s'accumule en grosses quantités. il y est exploité par les hommes. Île de Java. Indonésie.

Pages 154-155. L'Etna est le plus grand volcan actif d'Europe avec à son sommet quatre grands cratères en activité. Culminant à 3 400 mètres d'altitude, il est couvert de neige en hiver et son ascension se rapproche des conditions de la haute montagne. Sicile.

Pages 156-157. De très nombreux volcans se trouvent dans le désert de l'Atacama. Leurs couleurs typiques sont dues aux fumerolles qui ont corrodé les roches volcaniques. Chili.

Pages 158-159. À Alcantara, la terre a vomi de grandes coulées de lave basaltique avant l'apparition de l'Etna. D'une épaisseur importante. elles ont formé ces colonnes visibles dans les parois de ce canyon. Sicile.

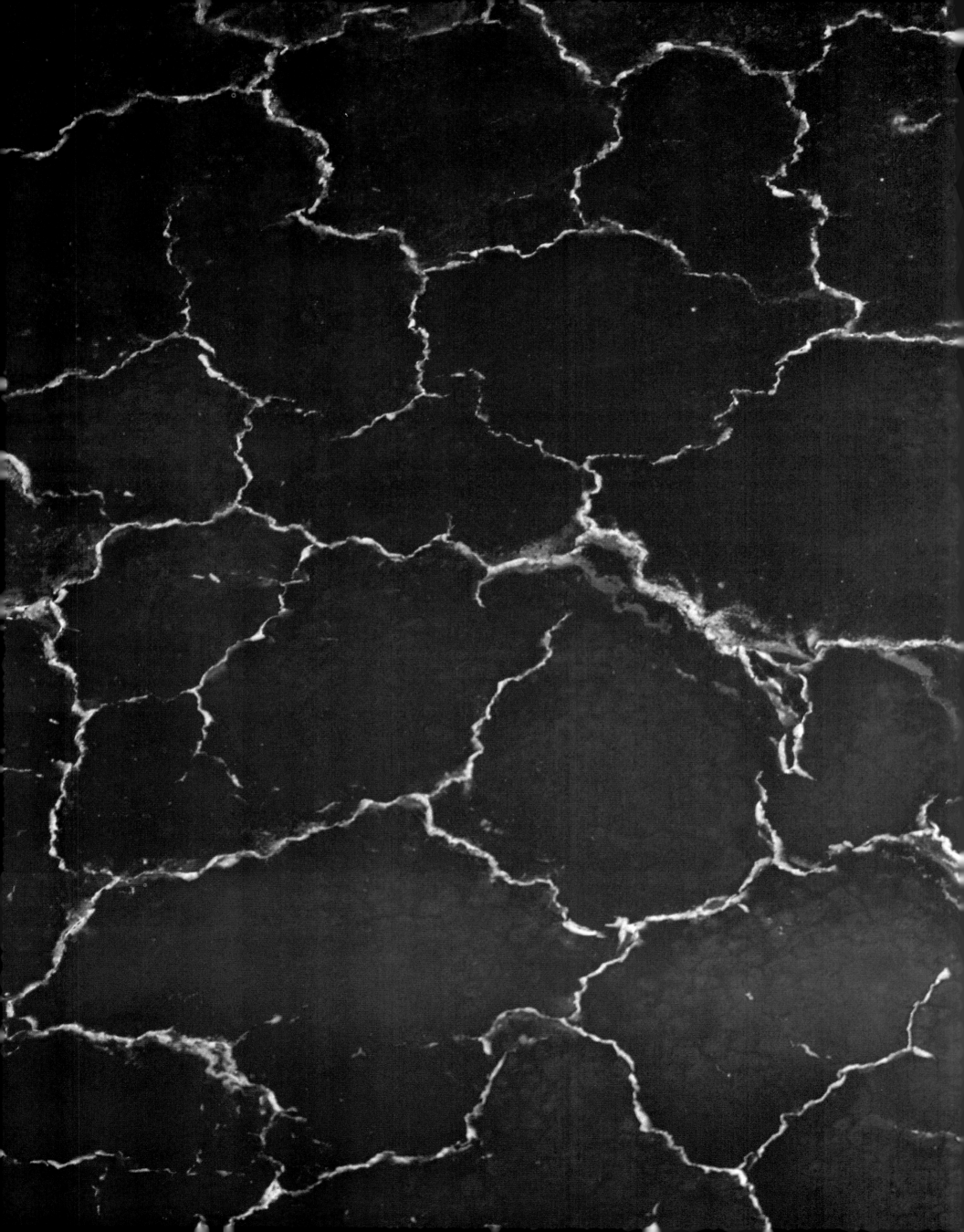

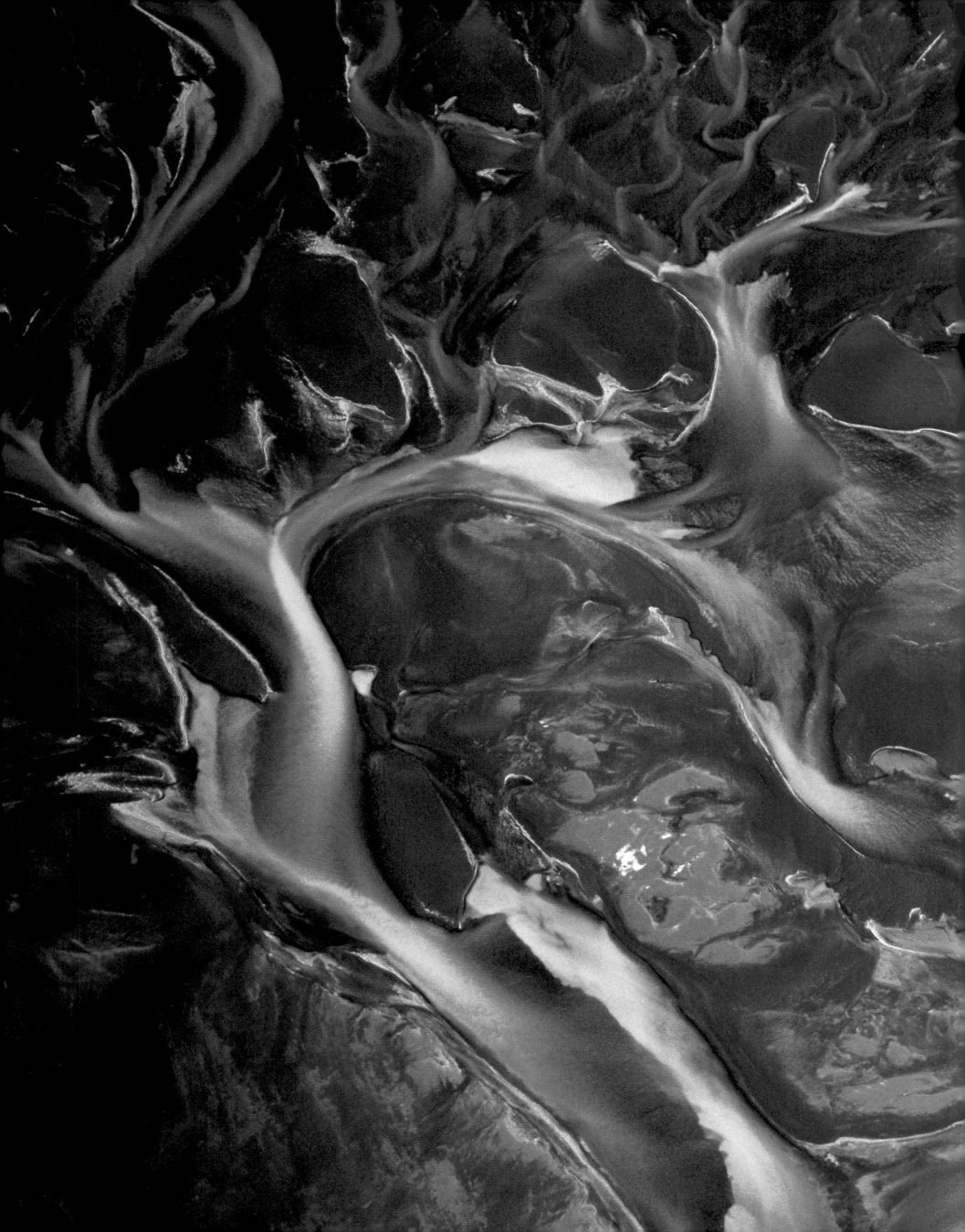

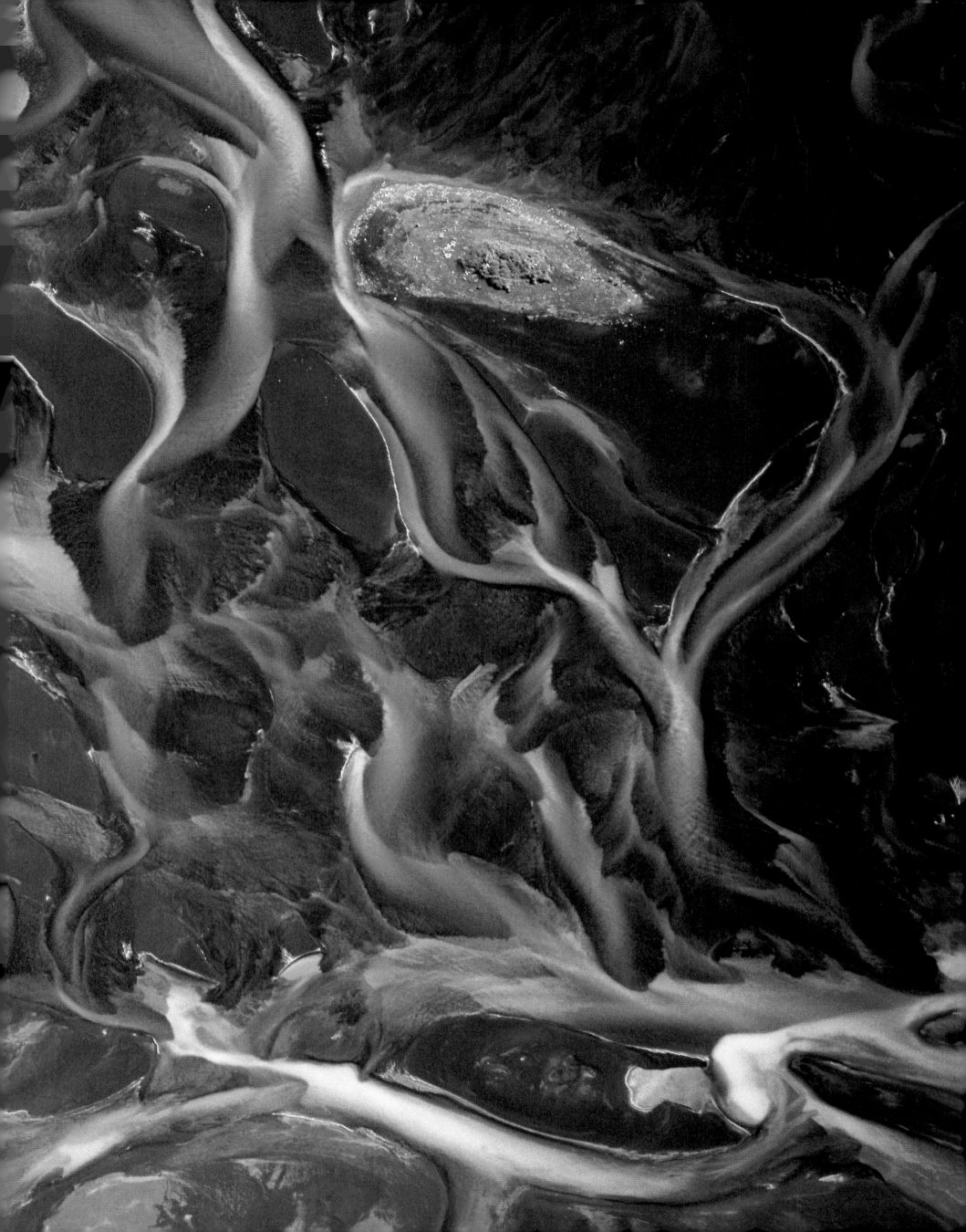

CONNAISSANCES

L'ÉRUPTION DU VOLCAN LAKI, ISLANDE, 1783

On entend très souvent dire de l'Islande qu'au XVIIIᵉ siècle, le pays était encore au Moyen Âge… Si c'est vrai sans aucun doute en ce qui concerne son développement économique, ce ne l'est pas pour sa culture. Depuis leur découverte et la colonisation du pays en 874, les Vikings – devenus les Islandais – ont perpétué des traditions écrites. Ils ont ainsi retracé toute leur histoire, de chroniques détaillées en récits mythiques.

Lorsqu'en 1783, l'éruption de Laki débute, toute la région avoisinante est touchée. Au monastère de Prestbakki, le révérend Jòn Steingrimsson se rend vite compte de l'ampleur et de l'intérêt du phénomène et décide d'en tenir la chronique. Sans formation scientifique préalable, il se révèle un observateur attentif et précis. Il ne se limite pas à l'observation de la manifestation, mais relate en parallèle les conséquences de l'éruption, faisant le compte minutieux des décès, essayant à chaque fois d'identifier la cause réelle de la mort de ses paroissiens. Son témoignage est un document unique, outil de travail remarquable pour le volcanologue qui veut s'intéresser à cette très grande éruption de notre histoire, dont les conséquences se mesurent à l'échelle européenne.

L'histoire se passe au sud de l'Islande, entre le grand glacier Vatnajökull et la mer, à quelques dizaines de kilomètres de celle-ci, au cœur d'une zone agricole riche.

Tous les habitants du voisinage se doutaient que quelque chose allait se passer car pendant près d'un mois la terre n'avait cessé de trembler dans toute la région. Mais personne, à cette époque, ne pouvait imaginer qu'une éruption volcanique allait se produire près d'eux. Tout commence le 8 juin 1783, vers 9 heures du matin. Une gigantesque fissure éruptive s'ouvre et rejette immédiatement de grandes coulées de lave.

Jòn Steingrimsson raconte. Le 9 juillet 1783 : « Avec mes compagnons, je me rendis près de la crevasse. Le fleuve de feu avait maintenant pris des dimensions comparables à celles de nos grandes rivières lors de la débâcle de printemps. Au milieu de ce fleuve se précipitaient et déboulaient des rochers et des blocs de pierre comme s'il y avait d'énormes roues en train de nager. […] Il volait çà et là des flammèches et des langues de feu si grandes que le spectacle était affreux. J'étais également intrigué par l'éruption souterraine. La terre commença par se gonfler, dans un concert de hurlements, pleine d'un vacarme qui la fit éclater en morceaux, la déchira et l'éventra comme lorsqu'un animal enragé met en pièces quelque chose. Alors flammes et feu jaillirent de la lave. De grands blocs de pierre et des mottes de gazon étaient projetés en l'air à une hauteur indicible, de temps à autre avec de grands claquements, éclairs, jets de sable, fumées claires ou denses. Oh ! quelle épouvante c'était de contempler de tels signes de colère, de telles manifestations divines. […] Le 20 juillet, qui était le cinquième dimanche après la Trinité, il y eut le même temps couvert, avec des coups de tonnerre, des grondements et des mouvements souterrains. Ils se succédaient avec une telle force que tout flamboyait dans l'église et qu'il y avait comme des échos dans les cloches, le sol tremblant fréquemment. […] Je fis durer le service divin aussi longtemps que d'habitude : le moment n'était pas trop long alors pour parler avec Dieu. L'office fini, on alla contempler les progrès qu'avait fait le feu. Il n'avait pas progressé sensiblement depuis notre arrivée, il avait préféré, pendant ce temps, s'entasser et se gonfler, couche sur couche, là dans le lit de la rivière en pente, d'environ 70 toises de large et 20 de profondeur. »

Le 29 juillet, une seconde fissure s'ouvre. Au total, près 115 cratères s'alignent sur 25 kilomètres de long. Le débit estimé des coulées de lave est phénoménal : 5 000 mètres cubes par seconde, soit l'équivalent du débit du Rhin à son embouchure… et cela pendant près de deux mois ! Le bilan de l'éruption est impressionnant. 12,3 kilomètres cubes de lave sont émis, la surface couverte par les coulées dépasse les 550 kilomètres carrés, 8 000 kilomètres carrés sont couverts de cendres. Tous les pâturages et toutes les eaux de surface sont pollués en Islande : 50 % du cheptel bovin, 79 % des moutons et 76 % des chevaux sont morts. Pour les hommes aussi les conséquences sont catastrophiques : 24 % de la population islandaise meurent de faim à la suite de l'éruption. Mais il y eut d'autres conséquences et ce, à plus grande distance… et c'est seulement aujourd'hui qu'on le comprend.

En Angleterre, en Allemagne et en France, des choses surprenantes se passent à partir de l'été 1783. Un étrange brouillard, sec, mais d'une texture et d'une odeur inconnues, obscurcit le ciel. On retrouve de nombreux témoignages dans des lettres, des rapports ou des journaux de l'époque :

« En Provence, comme ailleurs, ces brouillards avaient une odeur fétide, sulfureuse, et picotaient les yeux. À Mannheim, le brouillard a persisté jour et nuit et peut certainement être considéré comme un phénomène extraordinaire […] il est très sec, ce qui est prouvé par l'hygromètre […] le soleil a pris une couleur rouge comme du fer incandescent et durant la journée il est très pâle. La chaleur est écrasante. »

Ces mêmes manifestations affectent également l'Italie où, par exemple, les pêcheurs de la baie de Naples n'osent plus s'aventurer au large sans boussole, tant la visibilité est réduite. De nombreux autres phénomènes météorologiques viennent s'ajouter. Dans toute l'Europe, et spécialement en Angleterre, on note des tempêtes violentes et destructrices et surtout des orages avec des éclairs remarquables. Les accidents dus à la foudre sont très fréquents. Ces orages apportent parfois des bourrasques de vent violent et des chutes de grêle, et ce, en plein été.

« […] Les orages étaient fréquents, imprévus et les coups de tonnerre affreux. Le premier de ces orages se produisit le 26 juin. Pendant les jours qui suivirent, la foudre tomba aux alentours, et ce parfois à l'improviste sans que l'on vît de nuages […] »

Ces orages et ces tempêtes n'ont aucun effet sur le brouillard qui persiste toujours. Près d'un mois de brouillard continu commence à affecter la végétation ; bien sûr, sévirent une chaleur et une sécheresse inhabituelles, mais ceci n'explique pas toutes les observations enregistrées tant en Angleterre qu'en France :

« Les plants d'orge devinrent bruns et altérés à leurs extrémités, tout comme les feuilles de l'avoine, et le seigle semblait moisi. Le bout des branches des pins se décolorait… les cerisiers, les pêchers et les noisetiers perdaient subitement toutes leurs feuilles comme en automne. […]. Brusquement, le matin du 28 juin,

À gauche : **Détail des coulées de lave émises par la grande éruption du volcan Laki, en 1783.**

Lors de l'éruption du volcan Laki, près de 115 cratères se sont formés, alignés sur 25 kilomètres.

toute la végétation se fana. [...] Les feuilles et les fruits tombèrent. La campagne apparaissait désolée. » De la même manière, le raisin dépérit et les vendanges furent peu rentables et produisirent un vin médiocre.

Les conséquences sur les populations ne sont pas négligeables non plus : yeux fatigués, maux de tête, perte d'appétit, difficultés à respirer. Les effets se firent également sentir sur le long terme avec des répercussions jusqu'à plusieurs mois après l'apparition du brouillard sec. « Au mois de mars 1784, une maladie, accompagnée d'une odeur pestilentielle, sévit. Les brouillards des mois de juin, juillet et août 1783 annonçaient ce fléau. » [...]

Les conditions climatiques étranges, le dépérissement de la végétation et la perte des récoltes, les atteintes directes à la santé humaine frappèrent profondément l'imagination populaire. L'angoisse des campagnes était à son comble. Pour preuve, ces témoignages : « [...] le peuple veut que le curé ou le vicaire de la paroisse se tienne alors à la porte de l'église, revêtu du surplis et de l'étole, avec de l'eau bénite, pour faire de l'exorcisme, comme si les nuages étaient des diables... » Certains, exploitant la crédulité populaire, prétendaient que le soleil n'allait plus se lever. De telles énormités furent dites que les autorités religieuses demandèrent aux prêtres de prévenir leurs paroissiens que cela n'était pas la fin du monde et que ces nuées n'annonçaient pas le Jugement dernier.

Quelques intellectuels, en revanche, cherchèrent des explications plus rationnelles à ces phénomènes. On peut entre autres citer l'astronome De la Lande, membre de l'Académie des Sciences, qui fit voler au-dessus de Paris un cerf-volant afin de recueillir à la plus haute altitude possible des particules de ce brouillard. Benjamin Franklin, alors ambassadeur des États-Unis d'Amérique auprès du roi de France, s'intéressait bien sûr à ce qui se passait autour de lui et, dans une lettre écrite en mars 1784, il fait référence à une éruption islandaise comme cause possible aux perturbations météorologiques observées. C'est là la toute première fois que l'on fait mention des conséquences climatologiques des éruptions volcaniques...

Mais en réalité, que s'était-il donc passé en Islande ? On s'intéresse généralement aux grands panaches éruptifs des volcans explosifs : des quantités importantes de cendres et de gaz sont émises à très haute altitude. Ces panaches, hauts de plusieurs dizaines de kilomètres, frappent l'imagination. Rien de tout cela ne s'était produit en Islande. Il s'agissait d'une éruption basaltique fissurale sans phénomène explosif violent. Ce qui différait, c'était la durée de l'éruption. Pendant près de huit

mois, d'importants volumes furent rejetés. Avec 12.3 kilomètres cubes de basalte, c'est l'éruption la plus « volumineuse » depuis les années 1600. En résumé, pendant une période s'étalant sur plusieurs mois, de manière constante, une grande quantité de gaz a été émise dans l'atmosphère à basse altitude. On a calculé récemment, se fondant sur la composition moyenne des laves, sur leur volume, sur le rapport entre ce volume et le volume des projections, qu'un minimum de 20 millions de tonnes de dioxyde de carbone ont été rejetés dans l'atmosphère. Mais le gaz le plus important est sans conteste le dioxyde de soufre. Celui-ci, à plus ou moins haute altitude, réagit avec l'eau et forme de l'acide sulfurique sous forme de gouttelettes qui restent en suspension dans l'atmosphère. Des calculs récents ont montré que l'éruption de Laki aurait été responsable de l'apparition de près de 90 millions de tonnes d'acide sulfurique. Ces gouttelettes d'acide peuvent avoir un double effet. S'abattant sur terre, elles donnent alors des pluies acides, et ce sont elles qui sont responsables du dépérissement de la végétation et de la perte des récoltes. Ce voile atmosphérique d'acide est aussi un filtre au rayonnement solaire. Avec un ensoleillement moindre, on assiste à une diminution du réchauffement. Accompagnés d'une situation climatique bien particulière, les gaz acides émis par l'éruption sont restés bloqués au-dessus de l'Europe. Ce qui explique le brouillard sec et irritant qui a recouvert l'Allemagne, l'Angleterre et la France pendant de longs mois.

Les modélisations théoriques actuelles, ainsi que les analyses des relevés météorologiques de l'époque, montrent que la température moyenne de l'hémisphère Nord a baissé de 1 ou 2 °C. Il apparaît que ces perturbations climatiques ont perduré au moins jusqu'en 1789.

Il est donc compréhensible que de telles manifestations ont eu des effets importants sur les populations. Celles-ci n'étaient pas seulement affectées dans leurs croyances ou leurs superstitions : le dépérissement de la végétation, la pauvreté et l'absence totale de récoltes furent également à l'origine de plusieurs famines. Bien des familles se retrouvèrent sans ressource et quittèrent les campagnes. Cet exode les mena vers les grandes villes où, là aussi, la vie s'avérait problématique. La pénurie en denrées alimentaires faisait considérablement augmenter le coût de la vie : une population de plus en plus nombreuse commença à souffrir de la faim.

Les perturbations climatiques se poursuivirent donc pendant plusieurs années encore. Des hivers des plus rigoureux avec des gelées très longues et intenses se succédaient, des chutes de neige considérables atteignaient parfois plus de 60 centimètres en plaine. Cela, bien sûr, n'arrangea en rien la situation du peuple, victime des famines, de maladies, de l'exode rural, et de la surpopulation des villes.

Ces différents facteurs de mécontentement populaire comptèrent certainement parmi les diverses causes de la Révolution française. Il est peut-être un peu osé de voir dans un volcan islandais l'origine de notre système républicain, mais il y a d'une certaine façon contribué.

Ce qu'il importe de retenir, c'est que des éruptions volcaniques peuvent avoir des effets à distance. De telles observations semblent aujourd'hui prendre de plus en plus d'importance et nombreuses sont les études sur les effets globaux du volcanisme et sur la vulnérabilité éventuelle de nos sociétés face à ceux-ci.

LE RIFT EST-AFRICAIN :
DE LA NAISSANCE DE L'HOMME
À LA NAISSANCE D'UN OCÉAN

Le rift est-africain : un concentré de paysages et de vie animale qui a fait la renommée de tout le continent africain. Pour nos civilisations, les images du rift renvoient à des images de l'Afrique…

Le rift est-africain est aussi un des plus grands accidents géologiques de la planète : les cosmonautes nous racontent qu'ils le voyaient à l'œil nu depuis la surface de la Lune ! Sur près de 4 000 kilomètres de long, il s'étend de la mer Rouge jusqu'au Mozambique. Ce colosse géologique est, pour nous scientifiques, relativement jeune : né il y a 30 millions d'années, il n'a pas encore terminé sa formation. Son exploration permet de mettre en évidence les forces que la Terre met en jeu pour poursuivre son ouverture. Celle-ci est riche de conséquences sur les paysages, le climat et la faune.

Il y a 30 millions d'années

À cette époque, l'Afrique formait une plaque tectonique beaucoup plus grande que celle nous connaissons actuellement, l'Arabie actuelle en faisant intégralement partie. Tiraillée sur ses bords par d'amples mouvements dus à la tectonique des plaques (depuis près de 150 millions d'années, l'océan Atlantique s'ouvrait sur son flanc est), cette plaque africaine avait réussi à maintenir son intégrité.

Cependant, un panache de point chaud, c'est-à-dire une remontée de matière mantellique chaude et légère, vient buter contre la lithosphère. Le panache chaud exerce une pression verticale sur la lithosphère, mais également la réchauffe et l'amincit.

La plaque africaine va donc, dans un premier temps, se déformer. Elle se bombe, se gonfle, s'amincit et se déchire. Par un dense réseau de longues fissures, le magma chaud s'injecte vers la surface où il est émis sous forme de gigantesques coulées de lave. Il y a 30 millions d'années, démarre une fabuleuse éruption qui durera près de 500 000 ans. Les coulées basaltiques s'empilent les unes sur les autres sur une épaisseur de près de 3 000 mètres, et ce, sur une surface équivalente à celle de la France : près de 3 millions de kilomètres cubes de matière sont émis. Ces laves empilées, que l'on nomme des trapps, se retrouvent aujourd'hui sur les hauts plateaux éthiopiens, en Somalie et au Yémen. Les conséquences de cette énorme éruption sont importantes pour la plaque africaine. Percée par les remontées de magma, déchirée par les fractures, amincie et réchauffée, donc ramollie, la plaque ne va plus pouvoir résister longtemps aux forces auxquelles elle est soumise. À partir de l'impact du point chaud, qui entraîne la rupture, elle se déchire. Pour diverses raisons, cette déchirure n'est pas continue, mais se fait en trois branches : une constitue le rift est-africain, qui se propage vers le sud, une autre est le rift d'Aden, la troisième forme le rift de la mer Rouge.

Des conséquences surprenantes

L'ouverture du rift est-africain a eu des répercussions sur les paysages et le climat de tout l'est de l'Afrique. Le bombement de la plaque africaine a, en certains endroits, remonté le niveau des sols à près de 1 600 mètres d'altitude. Au sommet, ils se sont rompus, formant cette énorme crevasse qu'est le rift, large de plusieurs kilomètres et profond parfois de plusieurs centaines de mètres. Cette longue balafre, et les marges élevées qui l'entourent, fait comme une barrière climatique qui sépare les versants ouest des versants est. À l'ouest, subsiste une épaisse forêt primaire humide (telle qu'on la trouve au Congo actuellement), constamment arrosée par les vents dominants chargés de nuages provenant de l'océan Atlantique. Mais ces mêmes vents sont arrêtés par la barrière du rift. Les versants est de celui-ci sont beaucoup plus secs, la forêt a dépéri et a été remplacée par une savane, avec des galeries arborées le long des rivières. Cet assèchement a été encore renforcé par le réchauffement du versant est, il y a près de 8 millions d'années.

Dans la forêt primaire, vivaient des grands singes. Ils sont restés dans leur biotope naturel, ont quelque peu évolué et, au fil du temps, ont donné naissance aux singes hominoïdes que nous y connaissons toujours aujourd'hui, comme les chimpanzés ou les gorilles. Certains de ces singes se sont retrouvés isolés à l'est du rift, ou dans le rift lui-même. Leur milieu naturel a donc disparu au profit d'une savane. Loin de l'abri des arbres où ils avaient l'habitude de trouver refuge et nourriture, ils ont dû évoluer pour s'adapter à ce nouveau paysage. Le fait de quitter les arbres pour vivre dans l'herbe a modifié la morphologie de ces animaux, qui ont dû se redresser. De plus, dans ce nouvel espace qui est un milieu ouvert, ils se sont transformés en proies potentielles pour les prédateurs. De nouvelles stratégies ont été indispensables à leur survie. Certains chercheurs pensent aujourd'hui qu'ils se sont d'abord redressés pour que leur regard puisse passer au-dessus du niveau des herbes. C'est ainsi que les singes seraient passés à la bipédie (et l'on trouve dans le rift des pistes formées d'empreintes de pas de bipèdes datant de plus de 3 millions d'années). Cette nouvelle posture, redressant la colonne

Au pied d'un cône volcanique, des hommes préhistoriques ont laissé des empreintes dans ce qui était autrefois de la boue au bord d'un lac. Vallée du rift. Éthiopie.

vertébrale, aurait fait basculer la tête et augmenter le volume crânien, donc participé au développement du cerveau. La socialisation des individus au sein d'un groupe serait également apparue et, petit à petit, les singes hominoïdes se seraient transformés en hominidés. Remarquons ici que la plupart des découvertes paléontologiques concernant les hominidés se situent le long du rift, depuis le Nord Danakil jusqu'au cœur de la Tanzanie. Cette richesse de découvertes pourrait simplement provenir de la tectonique. Les innombrables failles qui entaillent le rift ont soulevé des blocs, en ont fait s'effondrer d'autres et ont donc mis au jour des couches fossilifères anciennes qui affleurent aujourd'hui sur plusieurs kilomètres carrés. Les nombreuses éruptions volcaniques ont également provoqué d'importants dépôts de cendres. Ces dernières ont eu un double rôle. D'abord, elles ont protégé les restes fossiles, ensuite, par leur dispersion régulière sur de grandes surfaces, elles ont grandement contribué à mettre en place la chronologie des dépôts ainsi que leur datation.

Il semble aujourd'hui acquis pour tous que le rift a joué un rôle primordial dans l'apparition de l'homme. Il a également, par son activité géologique, grandement œuvré à sa survie, donc à son évolution. Les falaises et les escarpements taillés par la tectonique ont servi de barrières protectrices, tout comme certaines coulées de lave ou des cratères volcaniques ont pu être utilisés comme refuges ou véritables espaces de vie. Ces mêmes volcans leur ont donné les matériaux nécessaires à la confection d'outils, des premiers fragments de roche éclatés en bifaces primitifs jusqu'aux pointes de flèche et grattoirs minutieusement taillés dans l'obsidienne, verre volcanique naturel. Pendant longtemps, l'homme a vécu à proximité de cet environnement volcanique. Aujourd'hui, sur les flancs de volcans beaucoup plus jeunes (quelques centaines à quelques dizaines de milliers d'années), nous retrouvons toujours les traces de cette occupation humaine

que ce soit sous la forme de véritables ateliers de taille d'outils en obsidienne ou sous la forme de traces de pas figées dans un dépôt de cendres volcaniques au bord de ce qui fut autrefois un lac ou une mare…

Une tectonique toujours active

Si la déchirure du rift est-africain, tout en l'entaillant profondément, n'a pas complètement ouvert la plaque africaine, il en va tout autrement des rifts d'Aden et de la mer Rouge. Ceux-ci ont découpé une partie de la plaque et s'emploient encore de nos jours à écarter l'actuelle Arabie du continent africain. Lorsque celle-ci sera entièrement détachée, un nouvel océan naîtra entre la plaque africaine et la plaque arabique. Nouvel océan au sens géologique du terme, c'est-à-dire que les deux plaques continentales seront séparées par une portion de plaque océanique et que celle-ci sera en extension, continuant d'écarter les deux plaques continentales.

Cependant, nous n'en sommes pas encore là car il existe toujours un « pont » continental entre l'Afrique et l'Arabie.

Bien qu'il soit à l'origine de la déchirure, le point chaud est également responsable du fait que les plaques continentales ne soient pas entièrement détachées. Les deux rifts – celui de la mer Rouge et celui d'Aden – progressant l'un vers l'autre pour effectuer la séparation définitive, ont atteint l'endroit où la plaque africaine a été percée par le point chaud. Et là, depuis 20 millions d'années, elles piétinent… Les remontées mantelliques chaudes ont, à cet endroit, réchauffé et ramolli la plaque continentale, la rendant moins cassante, plus élastique. Coincée entre les deux rifts qui se cherchent, une portion de continent se fissure, se déchire, s'étire… mais ne se rompt pas : c'est le triangle de l'Afar, situé entre les hauts plateaux éthiopiens à l'ouest, la dépression Danakil à l'est, la république de Djibouti au sud. Ce triangle

Sur les hauts plateaux éthiopiens formés par les trapps volcaniques, les habitants bénéficient de la fertilité des sols.

de l'Afar s'ouvre par rotation principalement sous l'action du rift d'Aden.

Sur le terrain, au milieu de cette zone, tout le paysage est marqué par ces forces en action. En effet, les géologues assistent « en direct » à la séparation de deux continents, à la naissance et à l'ouverture d'un nouvel océan. Les mécanismes en jeu sont directement visibles et ne se produisent pas sous des milliers de mètres d'eau de mer, comme c'est le cas au milieu de l'Atlantique. La machine Terre est à l'œuvre et modèle le futur visage de notre planète. Le fragment de plaque continentale qui sépare encore l'Afrique de l'Arabie a été étiré et de nombreuses failles normales l'ont entamé. Entre elles, de grands panneaux se sont effondrés, amincissant la croûte jusqu'à creuser le sol de l'Afar en une dépression aujourd'hui plus basse que le niveau de la mer. Plusieurs de ces failles ont permis au magma de remonter. Son arrivée en surface a donné naissance à de nombreux volcans. Lorsque l'une de ces failles joue, les effets sont spectaculaires, comme en 1978, dans la partie sud de l'Afar, à Djibouti. De violents tremblements de terre ébranlent la région, le rift se déchire brusquement de près de deux mètres et s'approfondit de presqu'un mètre. Du magma remonte par des fractures fraîchement ouvertes et un nouveau volcan naît : l'Ardoukoba. Son éruption ne sera que de courte durée. Certains autres volcans sont en activité constante, comme l'Erta'Alé, au nord du triangle de l'Afar, dans le rift de la mer Rouge. L'Erta'Alé domine une chaîne volcanique qui s'étend sur près de 80 kilomètres de long. Elle occupe presque toute la largeur du rift et la production magmatique a été telle que la plupart des structures tectoniques (failles et escarpements) sont cachées sous les accumulations de lave. Cependant, l'allongement de toute la chaîne, ainsi que celui de la caldeira de l'Erta'Alé, montre bien le contrôle tectonique à l'origine de sa mise en place.

L'Erta'Alé contient en son cratère un des très rares lacs de lave actifs du monde. La permanence de ce phénomène éruptif est attestée depuis près de 150 ans et témoigne de l'activité du rift en cette région, activité dans laquelle le magmatisme a pris le relais de la tectonique.

La partie la plus basse de la dépression du triangle de l'Afar (aussi nommée dépression Danakil), située entre 90 et 120 mètres sous le niveau de la mer, est occupée par une vaste plaine de sel. Des sondages et la sismique ont montré qu'en plusieurs endroits, ce dépôt de sel atteint plus de 2 000 mètres d'épaisseur. En fait, il s'agit de sel marin. Depuis la naissance du rift, la mer Rouge, passant par le nord, a envahi celle-ci au cours de huit épisodes différents. Chaque inondation a été suivie d'éruptions du volcan Alid, juste à l'endroit où le rift de la mer Rouge pénètre dans le triangle de l'Afar. À chaque fois, l'accumulation des coulées de lave a fait barrage et a isolé la nouvelle mer intérieure. Sous la chaleur intense qui règne en ces régions, celle-ci s'est rapidement évaporée et le sel qu'elle contenait s'est cristallisé, créant une nouvelle couche venue s'additionner aux précédentes. La dernière de ces invasions marines date approximativement de 80 000 ans.

Les volcans actuels, ou plutôt les chaînes volcaniques, ont des sommets qui dominent de quelques centaines de mètres ces plaines de sel parfaitement horizontales. Cette image préfigure un peu ce que sera le paysage de demain. L'ouverture du futur océan se poursuit entre les hauts plateaux éthiopiens et la dépression Danakil. Au rythme actuel, d'ici 1 à 2 millions

d'années, les fractures seront tellement ouvertes que l'eau de la mer Rouge s'y engouffrera pour envahir toutes les parties basses de l'Afar.

Les volcans d'aujourd'hui deviendront alors des îles volcaniques au milieu du nouvel océan. Océan qui, dans un premier temps, aura encore un plancher continental simplement recouvert d'eau de mer. Il faudra encore attendre au moins 2 millions d'années pour qu'une véritable croûte océanique se mette en place entre les deux blocs continentaux. À ce moment, le véritable océan dont on a vu le début de la naissance va continuer de croître : le désert de l'Afar, actuellement un des plus chauds au monde, se bordera de plages tropicales.

VOLCANS LABORATOIRES : LES OBSERVATOIRES VOLCANOLOGIQUES

Certains volcans du monde, conservant pour la plupart une activité éruptive constante ou très fréquente, se sont transformés en laboratoires naturels. Sur leurs flancs, on a alors établi des observatoires volcanologiques permanents.

Il était normal que le premier de ces observatoires apparût sur le volcan le plus emblématique : le Vésuve. En 1841, le roi Ferdinand II de Naples décide de la création d'un observatoire météorologique et volcanologique. La direction en est confiée à Macedonio Melloni, célèbre géologue et physicien de l'époque, spécialiste du magnétisme des roches. Il reçoit instruction de faire du nouvel observatoire un centre moteur d'une recherche scientifique internationale coordonnée. Beau programme, qui pourrait toujours être un objectif ambitieux pour n'importe quel observatoire actuel... Malheureusement, le projet sombrera avec les problèmes politiques de 1848.

L'Osservatorio Vesuviano est repris en 1852 par Luigi Palmieri, très grand scientifique doublé d'un inventeur génial. Pour lui, l'étude du Vésuve est un véritable sacerdoce : il se donne complètement à la recherche, inventant sans relâche de nouveaux instruments pour prendre le pouls du volcan, vivant presque à plein temps sur ses pentes. Il devient un véritable héros national

Aspect du rift à Djibouti, avec volcanisme juvénile et effondrement central en marches d'escalier. Ce réseau de failles normales aide les rifts à fendre le désert.

en 1872, quand il reste seul sur la montagne au cœur même d'une éruption voisine de l'observatoire. Sous le regard incrédule des Napolitains qui le suivent à la longue-vue, il vit et travaille entre les coulées de laves en fusion, les nappes de gaz toxiques et les panaches de cendres.

Raffaele Matteucci, qui prend sa succession, est de la même trempe... On leur doit à tous deux la mise en place d'un programme scientifique complet, enrichi par de nombreux échanges internationaux. Tous les grands chercheurs de la fin du XIXe et du début du XXe siècle passeront par l'Osservatorio Vesuviano : ils y trouveront un cadre propice à leurs études et à la comparaison de leurs travaux avec ceux de leurs contemporains ou de leurs prédécesseurs. À cette époque, l'observatoire se dote également d'une bibliothèque exhaustive sur le volcanisme, bibliothèque aujourd'hui dilapidée... On y a fait aussi de nouvelles découvertes, dont certaines ont pris parfois des chemins étranges pour voir le jour : Frank Perret, ingénieur américain ex-associé de Thomas Edison, fit un très long séjour à l'observatoire à partir de 1904 et y vécut durant toute l'éruption de 1906. Il remarqua qu'en serrant entre ses dents les barres métalliques de son lit scellé dans le sol, il pouvait percevoir dans les os du crâne une étrange vibration : c'est ainsi qu'il découvrit ce que l'on appelle le tremor, vibration continue qui apparaît lors de l'émission du magma en surface.

Malheureusement, la création de ce formidable laboratoire en prise directe avec le phénomène éruptif ne fit pas école et les autres volcans du monde ne s'équipèrent pas d'observatoires volcanologiques. Il faut dire ici que l'on peut distinguer deux motivations très différentes quant à la construction des observatoires.

La première motivation, celle qui était à l'origine de la construction de l'Osservatorio Vesuviano, est de considérer un observatoire comme un laboratoire de recherche pure. L'observatoire est alors consacré à l'étude du volcan, à son évolution et à son histoire géologique, à l'étude de son dynamisme, à l'observation des caractéristiques de ses éruptions. À partir de ces analyses, on pourra extrapoler certaines connaissances sur d'autres volcans et mieux appréhender le phénomène volcanique dans sa globalité.

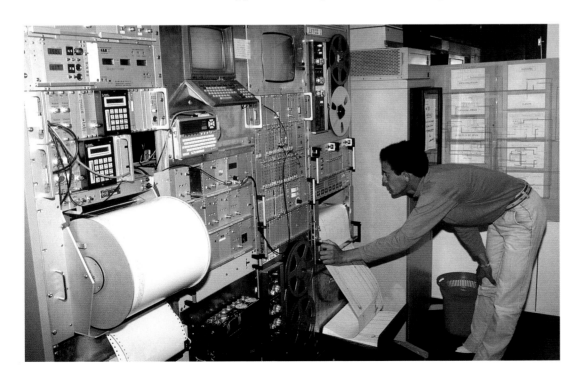

Une autre motivation, pas forcément opposée à la première, est de considérer un observatoire comme une base de surveillance du volcan. On s'efforcera alors d'enregistrer et d'interpréter des signaux précurseurs d'une éruption et de faire un schéma prévisionnel de celle-ci. Ces observations serviront aux autorités du pays pour limiter les dégâts de l'éruption prévue, soit par aménagement des zones menacées, soit par évacuation des populations exposées aux risques.

Plusieurs grandes catastrophes volcaniques ont fait de cette seconde option la raison principale de la construction des observatoires, et ce, suivant une logique économique très simple. L'analyse des catastrophes volcaniques montre que les coûts des études préventives et de mitigation des risques sont bien inférieurs à la valeur des dégâts, surtout lorsque ceux-ci se comptent en vies humaines. On pourrait voir dans chacune de ces catastrophes comme un signal qui réveillerait l'intérêt tant de la communauté scientifique que des autorités des États concernés, mais aussi un rappel utilisé par les médias auprès du grand public, toujours sensible aux phénomènes naturels et aux risques qu'ils génèrent. Presque systématiquement donc, chaque grande catastrophe a été à l'origine de la création d'un nouvel observatoire, de manière un peu semblable à l'avancée des connaissances suite à quelques grandes éruptions (voir chapitre DEUX DÉCENNIES POUR COMPRENDRE).

Le premier de ces désastres se produisit en mai 1902 : la ville de Saint-Pierre de la Martinique fut rasée par une éruption de la Montagne Pelée, qui eut un écho formidable dans le monde entier. La mort instantanée de 28 000 personnes et surtout la diffusion immédiate de la nouvelle par de nouveaux moyens de communication frappèrent l'imagination et provoquèrent une émotion bien compréhensible. Ce bouleversement fut plus fort encore pour les premiers scientifiques arrivés sur les lieux. Trois d'entre eux devinrent des volcanologues de premier plan : un Français, Alfred Lacroix, et deux Américains, Thomas Jaggar et Frank Perret : tous les trois se dirent qu'une étude systématique des volcans dangereux permettrait d'éviter de telles catastrophes (voir chapitre LE SUICIDE D'EMPÉDOCLE).

Le premier observatoire de la Montagne Pelée fut établi en 1903, l'année suivant l'éruption, par Alfred Lacroix. Construit à moins de 10 kilomètres du cratère, avec vue directe sur celui-ci, il fut équipé des meilleurs appareils de surveillance de l'époque, la lunette télescopique d'observation n'étant pas le moins important de ceux-là ! Malheureusement, une vingtaine d'années d'inactivité du volcan eurent raison de sa fonction et les autorités décidèrent de sa fermeture. C'était sans compter le volcan : il eut une longue éruption de 1929 à 1932 et Alfred Lacroix insista de nouveau sur l'importance d'un observatoire permanent. Celui-ci, un des mieux équipés de l'époque, vit le jour en 1935. Depuis cette date, la Montagne Pelée est surveillée de manière constante par un réseau régulièrement modernisé. Alfred Lacroix défendit l'idée d'observatoires pour d'autres volcans et il en recommanda la construction tant sur la Soufrière de Guadeloupe que sur le Piton de la Fournaise, à la Réunion. Il faudra attendre longtemps pour que les volcans actifs français (tous situés dans des départements d'outre-mer) soient équipés : la Soufrière n'aura son observatoire qu'en 1950, tandis qu'à la Réunion, il faudra attendre l'éruption de 1977 et la destruction du village de Sainte-Rose pour qu'un premier observatoire y apparaisse.

Les deux autres témoins de l'éruption de la Montagne Pelée en 1902 partageaient les idées de Lacroix quant à la nécessité des observatoires volcanologiques. Frank Perret partit pour l'Italie, où il mit son talent d'ingénieur et d'inventeur au service de l'observatoire du Vésuve. Thomas Jaggar retourna aux États-Unis et milita inlassablement pour la construction d'un observatoire sur le volcan Kilauea à Hawaii, lequel, à l'époque, contenait en son cratère un grand lac de lave actif.

Lors d'un voyage sur le Vésuve en 1909, il retrouve Frank Perret et l'associe à son projet. Un premier poste d'observation est construit en 1911 au bord du cratère Halemaumau et, en 1912, le « Hawaii Volcano Observatory » est officiellement créé. Dans un premier temps, il est financé par un groupe d'hommes d'affaires de Hawaii, convaincus de l'intérêt d'une telle entreprise. Il s'agit d'un observatoire à but scientifique et la plupart des chercheurs se consacrent à l'étude du fabuleux lac de lave qu'ils ont à leur porte. Leurs travaux font aussi avancer les connaissances en volcanologie générale : nouvelles techniques de prise d'échantillons dans la lave en fusion, de mesure de température, prélèvements de gaz (par Shepherd, en 1917, qui restent parmi les meilleures analyses jamais faites sur de la lave en fusion…).

À peu près à la même époque, devant les risques que ce volcan pose, les Japonais construisent leur premier observatoire sur le volcan Asama. Au fil du temps, de crise éruptive en crise éruptive, de nombreux observatoires se construisent, parfois de façon chaotique, ou dans l'urgence d'une situation inattendue. Cela se poursuit jusqu'à l'époque actuelle : la fameuse éruption du Mont Saint Helens décida de la construction de l'observatoire des Cascades, mais aussi de l'observatoire volcanologique d'Alaska.

Au début du XXIe siècle, nous avons une soixantaine d'observatoires volcanologiques répartis autour du monde ; tous ensemble, ils surveillent environ 150 volcans considérés comme actifs, potentiellement actifs ou dangereux. Ces observatoires, sous l'égide de l'Association internationale de volcanologie et de chimie de l'intérieur de la Terre, sont coordonnés par une structure internationale, le WOVO (World Organization of Volcano Observatory).

Surveiller un volcan en permanence coûte très cher, tant en investissements dans les équipements d'enregistrement, de transmission et d'analyse des données que dans les salaires des chercheurs affectés à ces observatoires. Or, les moyens alloués à la volcanologie varient énormément d'un pays à un autre. Certains peuvent financer des réseaux complets, aux mailles très serrées et aux moyens de communication très sophistiqués, d'autres pays doivent se contenter parfois d'une simple veille constante d'observation visuelle. Une tendance actuelle, pour pallier ce manque d'équipement de certains volcans considérés comme potentiellement dangereux, est de les équiper d'une simple « sonnette d'alarme ». Lorsque le paramètre retenu pour définir l'approche d'un risque éruptif varie de manière significative, une pré-alerte est donnée, et une équipe mobile (nationale ou internationale) vient déployer sur le terrain un système entier de surveillance dans les délais les plus brefs.

L'existence des observatoires volcanologiques, et la permanence du réseau de surveillance qu'ils gèrent, a maintes fois été justifiée par la bonne gestion de diverses crises volcaniques.

Il est cependant parfois très difficile d'expliquer, tant aux bailleurs de fonds qu'à certains scientifiques pourtant bien prévenus du problème, la nécessité vitale de la surveillance constante. Il est vrai que certains observatoires suivent en permanence des volcans sur lesquels, entre les crises éruptives, il ne se passe pas grand-chose. Certains désireraient voir ces fonds attribués à une recherche plus fondamentale, et non pas à une gestion « technologique » du volcanisme. Une analyse lucide des crises de ces dernières années montre cependant que la permanence d'une équipe scientifique aguerrie – possédant à la fois la connaissance du terrain sur lequel ils travaillent et les bases théoriques indispensables, équipe bénéficiant d'un réseau de surveillance efficace, testé dans le temps et dont toutes les stations ont fait l'objet d'expérimentations continues quant à la pertinence de leur localisation et de leurs systèmes de mesure, bref un observatoire complet – est la meilleure garantie de la bonne gestion d'une crise éruptive. De plus, la permanence d'un observatoire sur le terrain permet de renforcer la connaissance des contraintes socio-économiques de la région et d'acquérir la confiance tant des populations concernées que des autorités locales, toutes choses qui concourent à la réussite d'une bonne prévention des risques.

SURVEILLER ET PRÉVOIR

La surveillance des volcans par les observatoires a pour but principal de prévoir les éruptions ou l'évolution des activités en cours, et ce, afin d'en mitiger les risques et d'en limiter les dégâts. Il convient avant tout de préciser ce que l'on entend par prévision, véritable diagnostic scientifique, bien éloigné des « prédictions » proclamées par des « volcanologues-prophètes ». Pour être utilisable en prévention de risques, une prévision devra répondre à trois questions fondamentales : quoi ? où ? quand ?

« Quand » est la question la plus cruciale : de la réponse donnée peut dépendre directement la sécurité des personnes vivant dans la zone menacée définie par la carte de risques. C'est aussi cette réponse qui est la plus attendue tant du public que des autorités. Elle est la plus difficile à obtenir : en effet, les paramètres enregistrés peuvent mettre en avant la probabilité d'un événement éruptif dans un futur plus ou moins proche. Cependant celui-ci peut différer son arrivée… ou parfois ne pas se produire du tout. On a vu plusieurs crises volcaniques se développer de manière évidente avant de se stabiliser en une phase de pause qui, parfois, peut se prolonger plusieurs années. Pourtant, ce critère temps est le plus important pour assurer la sécurité des populations. Certaines éruptions présentent des phases explosives très violentes dès leur début et la seule protection des personnes consiste en une évacuation préalable

Le « quoi » est le type d'activité que l'on peut attendre sur le volcan en question ; on le cherche surtout dans les éruptions du passé. L'étude géologique fine, au sens le plus classique du terme, nous retrace l'histoire du volcan : les dépôts anciens montrent quel type de dynamisme a animé les dernières éruptions. L'extension et l'épaisseur de ces mêmes dépôts sont des marqueurs de la puissance de ces éruptions. Suivant une loi classique en géologie, on présume que des événements s'étant produits dans le passé restent possibles dans le futur. L'étude de l'histoire géologique du volcan et la reconstitution minutieuse de ses activités donnent donc le profil des éruptions à venir et mènent à une modélisation du dynamisme éruptif. Ce modèle est affiné par des simulations théoriques fondées sur des principes physiques : influence des pentes, de la rugosité du sol ou de la viscosité des laves sur l'extension des coulées, contraintes des écoulements pyroclastiques par la morphologie des chenaux qui les canalisent, etc.

« Où » définit les zones qui seront soumises aux conséquences de cette éruption ; les facteurs déterminants sont multiples. Par exemple, les emplacements de retombées de cendres sont dessinés par la direction des vents dominants. Les écoulements des coulées de lave sont dirigés par les lignes du relief, relief qui exerce également ses contraintes sur l'orientation des coulées pyroclastiques. Dans les grands volcans basaltiques, l'éruption se manifeste souvent par l'ouverture d'une fracture éruptive sur un des flancs du volcan : la surveillance de la migration du magma aidera à prévoir de telles zones d'ouverture.

Les réponses aux deux questions « quoi » et « où » permettront de dresser une carte de risques : c'est-à-dire une carte qui fera apparaître le type de dynamisme, donc de risque, susceptible de frapper toutes les zones entourant le volcan. Cette carte décrira aussi l'intensité du danger selon l'éloignement du site éruptif, l'instabilité des sols, etc. L'établissement de cette carte est le premier pas de la prévention : c'est en fonction de ses informations que l'on décidera des zones à protéger ou à évacuer.

Les diagnostics prévisionnels reposent sur l'interprétation de divers paramètres acquis par la surveillance constante du volcan. Une éruption volcanique se produit lorsque du magma, remontant de la profondeur, atteint la surface. L'ascension de ce magma, son stockage plus ou moins long dans des chambres magmatiques, profondes ou superficielles, son injection dans des fractures, son dégazage vont émettre des signaux, physiques ou chimiques, qui atteindront la surface bien avant le magma lui-même.

La surveillance d'un volcan consiste en la réception, l'enregistrement et l'analyse de ces signaux. La réception se fera plutôt

par un réseau de plusieurs stations que par un enregistreur unique : on aura ainsi une meilleure appréhension du phénomène dans l'espace. Un volcan, ou plutôt un massif volcanique, présente une géométrie souvent complexe, sur des surfaces parfois très vastes. Un réseau de capteurs permettra de localiser l'origine du signal, enregistré en trois dimensions, au sein de cet édifice, ainsi que de suivre le déplacement de cette source de signaux. Un observatoire complet consistera en plusieurs réseaux, chacun d'entre eux étant consacré à un type de signal. En général, dans les observatoires modernes, les stations d'acquisition sont autonomes et tournent en temps réel, voire très légèrement différé. Ces stations, parfois construites sur des points très éloignés du bâtiment « mère » de l'observatoire, sont alimentées en énergie par un système de panneaux solaires et d'accumulateurs. Les signaux enregistrés sont transmis à l'observatoire par radio, par ligne téléphonique, ou même par un faisceau de communication passant par satellite. L'observatoire reçoit de multiples signaux envoyés par plusieurs stations différentes. Ceux-ci sont enregistrés sur des supports divers (papiers, bandes magnétiques, disques durs d'ordinateur, etc.). Ils sont analysés par les scientifiques, mais parfois aussi traités en temps réel par des ordinateurs spécifiques qui, interrogeant divers paramètres, mettent très rapidement en évidence la remontée du magma sous l'édifice volcanique.

Les réseaux de surveillance sismique

Il s'agit du signal physique le plus caractéristique que l'on puisse rencontrer sur un volcan. Il convient ici de bien distinguer les séismes d'origine volcanique des tremblements de terre destructeurs, tristement célèbres. Si ces derniers sont parfois très sensibles à l'homme, la plupart des secousses d'origine volcanique passent inaperçues, leur énergie étant très faible.

Lorsque le magma remonte de la profondeur, il se fraie un passage au sein de roches en place, provoquant une surpression au sein de l'édifice volcanique, le déformant, le fracturant. Chaque fois que la roche solide cède, sa cassure soudaine provoque un ébranlement plus ou moins violent, que l'on appelle un séisme. Celui-ci engendre un train d'ondes qui rayonnent en tous sens à partir de leur point d'origine, le foyer. L'enregistrement des séismes se fait par un sismographe : avec des formes et des procédés parfois très différents, les sismographes fonctionnent, depuis leur invention au XIX\ve siècle, selon le même principe. Une masse inerte est suspendue à un bras vertical ou horizontal fixé à un bâti solidaire du sol. Lorsque le sol est ébranlé par un séisme, l'inertie de la masse fait qu'elle bouge par rapport à son support : ce mouvement est alors enregistré. Dans les premiers sismographes, ces mouvements de la masse étaient directement inscrits par un stylet attaché à celle-ci sur des rouleaux de papier enduits de noir de fumée. Si le principe physique du sismographe est resté le même, l'appareil a cependant connu bien des améliorations techniques. Les sismographes (ou plutôt sismomètres) actuels consistent en une masse aimantée suspendue au cœur d'un solénoïde : les mouvements de cet aimant engendrent un courant électrique. On transforme ainsi les chocs que connaît le volcan au site d'enregistrement en un signal électrique, que l'on peut aisément transmettre à distance par radio ou ligne téléphonique, enregistrer sur de multiples supports ou encore retranscrire de diverses façons sur papier ou sur écran d'ordinateur. La lecture d'un même séisme par plusieurs sismographes permet de le situer sous le volcan et donc de localiser l'injection magmatique à l'origine de la fracturation.

Le suivi de ces mesures, tant dans l'espace que dans le temps, met en évidence la migration des foyers sismiques, donc la migration de l'injection magmatique. On pourra ainsi prévoir son arrivée en surface, c'est-à-dire anticiper, dans les meilleurs cas, le moment et le lieu du début de l'éruption volcanique.

Les déformations du sol

La remontée du magma provoque, au sein de la chambre magmatique, une surpression qui modifie sa forme et donc celle du volcan qui la surmonte. De la même manière, une injection de magma au sein de l'édifice volcanique modifie la géométrie de celui-ci. En gros, ces déformations se traduisent par des gonflements soit globaux, qui intéressent tout le volcan, soit ponctuels, qui ne concernent qu'un cratère ou un flanc du volcan.

En surface, ces gonflements se manifestent par des augmentations de l'inclinaison des pentes, des ouvertures de fissures, l'écartement des bords de cratère, des basculements de blocs ou, dans des cas extrêmes (voir chapitre ÉRUPTION DU MONT SAINT HELENS), l'apparition de véritables intumescences, inconnues auparavant. Selon les volcans considérés, ces déformations peuvent avoir des ordres de grandeur très différents : de quelques millimètres pour des volcans à lave fluide jusqu'à plusieurs mètres, voire dizaines de mètres, pour des volcans à lave visqueuse. Dans la plupart des cas, ces déformations sont associées aux crises sismiques liées aux mêmes mouvements de fluides.

Les gonflements sont donc causés par l'injection du magma : lorsque celui-ci arrive en surface, l'éruption commence et la lave s'épanche à l'extérieur du volcan sous quelque forme que ce soit : coulées de lave, cendres, ponces, etc. Le soutirage de cette lave provoque une déflation de l'édifice volcanique et l'on assiste souvent, pendant ou après les éruptions à une déformation inverse du sol. Certaines très grandes éruptions déplaçant d'énormes quantités de lave, donc provoquant une importante vidange au niveau de la ou des chambres magmatiques, peuvent être suivies de modifications extrêmes, comme des effondrements de caldeiras : certaines ont des volumes de plusieurs kilomètres cubes !

Il faut remarquer cependant que toutes les déformations enregistrées n'aboutissent pas toujours à une éruption : dans certains cas, on observe une inflation correspondant à une remontée de magma, magma qui n'aboutit pas à la surface mais qui stationne, parfois longtemps, en se refroidissant en profondeur. Dans d'autres cas, après la première inflation due à la remontée du magma, on assiste à une déformation du sol qui va en s'éloignant du volcan : elle correspond à une injection latérale du magma dans des réseaux de fissures (que l'on nomme des dykes). Ce magma ne débouchera pas forcément en surface pour donner une éruption.

La surveillance globale des déformations d'un volcan est chose complexe. En effet, les mouvements du magma à l'intérieur du volcan ne sont pas toujours les mêmes et leurs effets en surface peuvent varier. Les injections se produisent avec des volumes différents et à des endroits variables. Ce n'est que l'analyse de plusieurs crises volcaniques et de leurs précurseurs, ainsi que la construction de modèles théoriques qui permettront de choisir les sites d'acquisition des mesures de déformation. En outre, la surveillance de ces déformations ne sera pas ponctuelle, mais devra se faire par un réseau qui couvrira l'ensemble de l'édifice. Le mécanisme même des déformations peut varier d'un site à un

Antenne de retransmission des données acquises par une station automatisée sur le volcan Spurr, Alaska.

Le volcan Spurr, qui appartient à la chaîne des Aléoutiennes, reçoit la visite de volcanologues venus contrôler les stations automatiques qui envoient directement les informations à l'observatoire.

autre ou d'une éruption à une autre : il y aura donc plusieurs techniques de mesures utilisées en même temps. Au final, et dans l'idéal, le volcan surveillé sera couvert par plusieurs réseaux différents, chacun appliquant une des techniques de mesure.

Les réseaux d'inclinométrie

La modification de l'inclinaison des pentes est le signe le plus clair d'un gonflement affectant un flanc de volcan. Une inflation augmente l'angle de pente, une déflation le diminue. Deux principes de mesures très différents coexistent : les niveaux à liquide et les pendules. Les niveaux à liquide fonctionnent selon le principe des vases communicants : deux vases gradués sont remplis de liquide et communiquent entre eux par un tuyau plus ou moins long (certains ont plusieurs dizaines de mètres). Si un vase est surélevé par rapport à l'autre, une différence de niveau du liquide sera enregistrée, les deux surfaces liquides marquant toujours l'horizontale. Cette mesure de différence de niveau peut être faite soit par un observateur, soit par un système de mesure automatique et télétransmise à l'observatoire.

Les inclinomètres à pendule consistent en un bâti solidaire du sol au centre duquel est suspendu un pendule qui marque toujours la verticale : une modification de la pente sur laquelle est fixé l'inclinomètre fera varier la position du pendule. Cette modification de position peut être enregistrée électriquement et le signal sera envoyé à l'observatoire. Une station d'inclinométrie moderne consiste en deux inclinomètres. L'un est en position radiale : il mesure la pente menant au sommet du volcan, le second est perpendiculaire au premier, et mesure une déformation tangentielle à la pente du volcan. Ces systèmes de mesure sont extrêmement précis et permettent aujourd'hui d'atteindre le micro radian, c'est-à-dire un angle de pente correspondant à une différence d'altitude d'un millimètre entre deux points situés à un kilomètre l'un de l'autre !

Un réseau d'inclinométrie consiste en plusieurs stations, souvent automatisées, et dont les mesures sont télétransmises à l'observatoire ; ces stations sont toutes coordonnées entre elles par une horloge de très haute précision. L'ensemble des mesures reçues à l'observatoire permet de tracer ce que l'on appelle des vecteurs de déformation, de voir ainsi où ça pousse, comment ça pousse et avec quelle intensité. La réitération de ces mesures et leur analyse en temps réel permet de « voir » la déformation en train de se faire, donc de suivre en direct l'injection du magma. Dans certains cas, une propagation régulière de la déformation marque très clairement la direction et la vitesse de la progression de la fissure d'injection du magma. Anticipant ces données,

on peut prévoir, à très court terme, son arrivée en surface, et anticiper et le lieu et le moment du début de l'éruption.

Les mesures de distance

Les mesures de distance donnent une vision plus globale du gonflement d'un volcan. En effet, lorsque celui-ci gonfle, l'ensemble de sa surface se déplace par rapport à un point fixe situé à l'extérieur du volcan. On équipera donc le volcan de « cibles » solidaires de ses flancs : ces cibles seront visées par un appareil de mesure fixe situé en une zone stable indépendante de l'édifice volcanique.

On dispose aujourd'hui de distancemètres électroniques qui permettent d'effectuer des mesures de haute précision. Les cibles consistent en des miroirs (prismes à réflexion totale) qui sont visés par un rayon laser émis par une base qui enregistrera le temps nécessaire à recevoir le rayon réfléchi par le miroir-cible. Chaque mesure est ponctuelle, mais leur réitération régulière – au jour, à l'heure, à la minute…, rythme variable en cas de crise – permet de suivre une déformation avec une très grande précision. Les distancemètres à rayon laser actuels permettent d'atteindre une précision de un millimètre par kilomètre mesuré.

Les extensomètres

Lorsqu'il y a injection de magma, l'enveloppe extérieure du volcan se déforme. Cependant, les roches ne sont pas plastiques et le volcan a alors tendance à se fendre. Les déformations successives, accumulées au cours de nombreuses éruptions, ont ouvert ainsi une multitude de fissures.

Lors d'une nouvelle injection de magma, de nouvelles fissures peuvent apparaître mais les anciennes vont aussi rejouer. Grâce à l'expérience de plusieurs éruptions du passé, on repère en général celles dont les mouvements sont représentatifs de ceux du magma, tant par leur ouverture lors de l'inflation que par leur fermeture lors de la déflation suivant l'éruption. On les équipe alors d'extensomètres qui fonctionnent tous selon le même principe : mesurer le mouvement relatif entre deux repères solidaires de chacune des lèvres de la fissure. Dans les systèmes fixes non automatisés, un observateur viendra calculer la variation de distance entre deux règles graduées attachées aux bords de la fissure. Il existe plusieurs systèmes automatiques : le plus commun consiste en une tige aimantée solidaire d'un bord de la fissure, qui glisse à l'intérieur d'un solénoïde solidaire de l'autre bord. Le courant électrique engendré dans le solénoïde permet d'apprécier le mouvement. Un bon support électronique permet d'atteindre une grande précision. Aujourd'hui, on atteint le millionième de millimètre. Ces signaux électroniques sont facilement relayés en temps réel à l'observatoire par radio ou par ligne téléphonique.

Réseau GPS

Le positionnement par satellite est de plus en plus répandu et fait aujourd'hui partie de notre vie quotidienne. Il consiste en le repérage très précis d'un récepteur à partir de plusieurs satellites dont les orbites sont parfaitement fixes. Ces orbites étant totalement indépendantes du sol terrestre, un récepteur fixé à un point quelconque du globe marquera les mouvements que subit ce point. Pour accroître la précision de la mesure, on travaille aujourd'hui par GPS différentiel. S'aidant des réponses de plusieurs satellites, on mesure les mouvements relatifs entre une base située en un point fixe extérieur au volcan et une balise solidaire du volcan dont on veut apprécier les mouvements. Par cette technique, on atteint aujourd'hui une précision millimétrique. Il semblerait que cela soit une technique d'avenir car le coût des stations de réception diminue de plus en plus. D'un autre côté, le signal enregistré est aisément transmissible par radio et facilement analysable à l'observatoire.

D'autres systèmes de mesure

La sismicité et les déformations du sol sont les signes précurseurs les plus communs d'une éruption volcanique et sont suivies attentivement sur tous les volcans surveillés, par presque tous les observatoires du monde. Cependant, les injections magmatiques dans les édifices volcaniques sont à l'origine de bien d'autres phénomènes. Les mouvements des masses de magma, leur dégazage, les perturbations entraînées dans les circulations des fluides émettent des signaux très divers, qui peuvent être captés par des moyens d'analyse spécifiques et, dans certains cas, leur étude peut aider à la prévision.

Les mesures gravimétriques déterminent en un point défini la valeur du champ de pesanteur : normalement, cette valeur est fixe pour le point considéré. Pourtant, une injection de magma, chaud et de composition éventuellement différente du soubassement du volcan, correspond à un transfert de masse et va modifier la valeur du champ de pesanteur. La réitération de mesures gravimétriques sur divers points fixes va donc permettre de voir des modifications locales du champ de pesanteur et ainsi mettre en évidence les mouvements de l'injection magmatique.

La contrainte mécanique exercée par l'injection du magma sur les roches du soubassement, le réchauffement de ces roches par la proximité du magma frais, la circulation de fluides hydrothermaux peuvent créer des champs magnétiques locaux qui viennent perturber localement le champ magnétique terrestre. Un suivi des modifications du champ magnétique résultant, par des magnétomètres situés à des points fixes, donnera également des informations sur la migration du magma au sein du volcan.

Lorsque le magma s'injecte et remonte vers la surface, la pression qui lui est appliquée diminue et le magma se dégaze. Ces gaz sont beaucoup plus mobiles que le magma résiduel et, le précédant, ils arrivent rapidement en surface en percolant par de multiples fissures ou en passant par les pores de la roche. Un suivi de la composition gazeuse – d'un point de vue tant qualitatif que quantitatif – de certaines fumerolles peut être un bon indicateur d'une injection de magma frais. De la même manière, le système hydrothermal du volcan subit des modifications importantes et les gaz ont tendance à se dissoudre dans les eaux : on suivra donc également l'évolution de la composition chimique des diverses sources thermales présentes sur les flancs du volcan. L'injection de magma frais, c'est-à-dire chaud, réchauffe les fluides qui circulent au sein de l'édifice volcanique. Un suivi de l'évolution de la température des fumerolles comme des eaux des sources diverses peut être un indicateur précieux.

Le magma frais est également une source de radon, isotope radioactif du radium, lui-même issu de l'uranium contenu dans le magma. Le radon, très volatil, est entraîné vers la surface par la vapeur d'eau et le CO_2 relâchés par le magma qui se dégaze. La variation du taux de radon est facilement mesurable et peut elle aussi servir à repérer la remontée du magma.

Un projet prometteur : la surveillance satellitaire

De nombreux volcans, et souvent parmi les plus dangereux, sont parfois assez inaccessibles. Leur activité éruptive, ou prééruptive, peut aussi présenter un risque certain et l'on n'aura pas toujours le loisir d'envoyer des équipes de terrain pour y établir des stations de mesure et d'enregistrement. D'un autre côté, la surveillance d'un volcan par un observatoire associé à plusieurs réseaux de stations de mesure a un coût très élevé, auquel ne peuvent faire face de nombreux pays. Il est donc tentant de mettre au point des techniques de surveillance à distance et de faible coût. L'observation par satellites semble être une bonne réponse à ce problème.

Les satellites sont employés dans un premier temps pour retransmettre les données enregistrées par les stations au sol. On n'a pas toujours un observatoire complet à proximité d'un volcan que l'on veut mettre sous surveillance. Le réseau des stations de mesure peut compacter ces données, les envoyer vers le satellite qui les stockera momentanément avant de les réexpédier vers une station terrestre, où elles seront enregistrées, avant d'être étudiées en détail. On a vu plus haut le rôle que les satellites pouvaient jouer dans le positionnement par GPS.

D'un autre côté, les très nombreux satellites qui observent le globe terrestre en fournissent diverses images, et ce, très souvent dans des longueurs d'ondes qui ne relèvent pas du spectre visible. On a ainsi des satellites qui travaillent dans l'infrarouge et peuvent repérer les endroits où se produit un réchauffement dû à une activité magmatique. La précision de telles images va toujours s'améliorant, et de nouvelles générations de satellites apporteront des images plus représentatives de ce qui se passe au sol. Une autre technique d'avenir réside dans l'imagerie radar différentielle. Les images radar présentent l'avantage de pouvoir être prises quelles que soient les conditions climatiques de la zone en question. Ces images, de très haute qualité, sont produites à chaque passage du satellite au-dessus du volcan surveillé. On analyse ensuite les interférences entre deux images acquises lors de passages successifs : non seulement on obtient une vision détaillée du relief du volcan, mais surtout on peut suivre, à chaque passage du satellite, l'évolution de ce relief, c'est-à-dire les déformations du sol. La précision atteinte actuellement par de telles techniques est de l'ordre du millimètre…

Les volcans des îles Aléoutiennes sont suivis en permanence par les volcanologues de l'observatoire d'Alaska, qui ont mis au point des techniques de surveillance des panaches de cendres par satellite.

Page 173. La lave est projetée en l'air par les gaz sous pression contenus dans le magma. Volcan du Piton de la Fournaise. Île de la Réunion.

Pages 174-175. Un volcanologue pénètre dans le cône éruptif du Piton de la Fournaise pour observer une fontaine de lave. Il est protégé du rayonnement thermique par la couche alumisée qui recouvre son vêtement ignifugé. Île de La Réunion.

Pages 176-177. Une peau élastique, résultant du refroidissement superficiel du lac de lave, forme de grands panneaux qui dérivent à sa surface. Volcan Erta'Alé. Afar. Éthiopie.

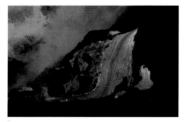

Pages 178-179. Les coulées de lave qui émanent du volcan Kilauea se déversent dans l'océan Pacifique, agrandissant ainsi l'île de Big Island depuis le début de l'éruption en 1983. L'eau de mer se vaporise au contact de la lave en fusion. Volcan Kilauea. Hawaii.

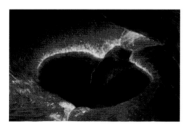

Pages 180-181. Une coulée de lave fraîche enveloppe progressivement une lave solidifiée. Volcan Kilauea. Hawaii.

Pages 182-183. Cône éruptif et sa coulée de lave sur le flanc nord du volcan du Piton de la Fournaise. Île de la Réunion.

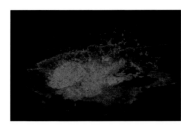

Pages 184-185. Les gaz emprisonnés dans le lac en fusion de l'Erta'Alé se libèrent en projetant la lave qui se déchiquette. Afar. Éthiopie.

Pages 186-187. Falaise de lave en progression dans les vagues de l'océan Pacifique. Le rivage semble en feu. Lorsque la lave atteint l'océan, elle dégringole des falaises en cascade comme des rubans de taffetas rouge qui sont alors coagulés et emportés par les vagues. L'eau et le feu se livrent un combat sans merci. La mer fume, preuve que la lave s'épanche sous le niveau de l'eau. Depuis les premiers temps de l'éruption, les coulées de lave ont parcouru les 13 kilomètres qui séparent le cratère actif du bord de mer. Volcan Kilauea. Hawaii.

Pages 188-189. Volcanologue protégé du rayonnement thermique par un scaphandre ignifugé en Nomex alumisé. Cette protection est indispensable car la température de la lave atteint les 1 200 °C. Volcan du Piton de la Fournaise. Île de la Réunion.

Pages 190-191. Formation d'une lave cordée. Il existe plusieurs types de coulées de lave. À Hawaii, elles sont de type « lisse ». Caractéristiques des laves fluides, elles peuvent se répandre sur des dizaines de kilomètres et forment des dalles, dessinent des cordes (lave cordée) et des boyaux (lave en tripe). On les regroupe sous le vocable hawaiien de coulées « pahoehoe ». Volcan Kilauea. Hawaii.

Pages 192-193. Là où les laves pénètrent dans l'océan, des panaches de vapeur s'élèvent en grosses volutes blanches et, souvent, dans un chuintement étouffé, des explosions surviennent. La lave est parfois si fluide qu'elle explose sans bruit en lambeaux qui virevoltent dans l'air comme des rubans. Volcan Kilauea. Hawaii.

Pages 194-195. L'accumulation de projections de matériels volcaniques construit progressivement le cône éruptif. Volcan du Piton de la Fournaise. Île de la Réunion.

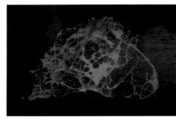

Pages 196-197. Explosion de bulles de lave en lambeaux. Volcan Kilauea. Hawaii.

Pages 198-199. Alors que la surface des coulées de lave se solidifie et forme une croûte durcie, la lave fluide continue de circuler sur de grandes distances en ne perdant que peu de chaleur sous ces « tunnels » isolants. Volcan Kilauea. Hawaii.

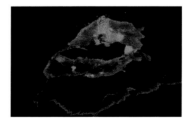

Pages 200-201. Fontaines de lave sur la surface du lac de lave du volcan Erta'Alé. Afar. Éthiopie.

Pages 202-203. Formation d'une bulle de lave au petit matin en bordure de mer. Volcan Kilauea. Hawaii.

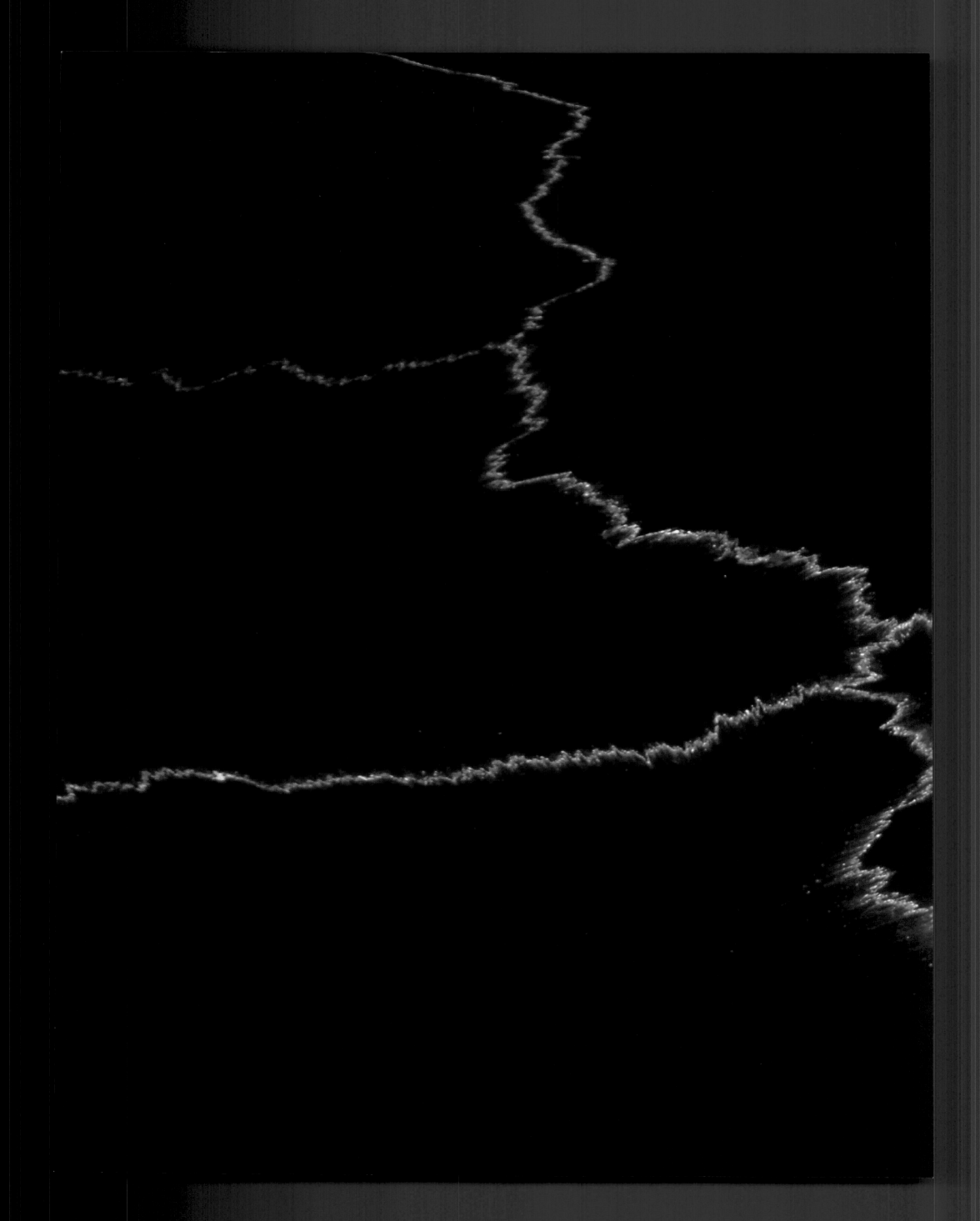

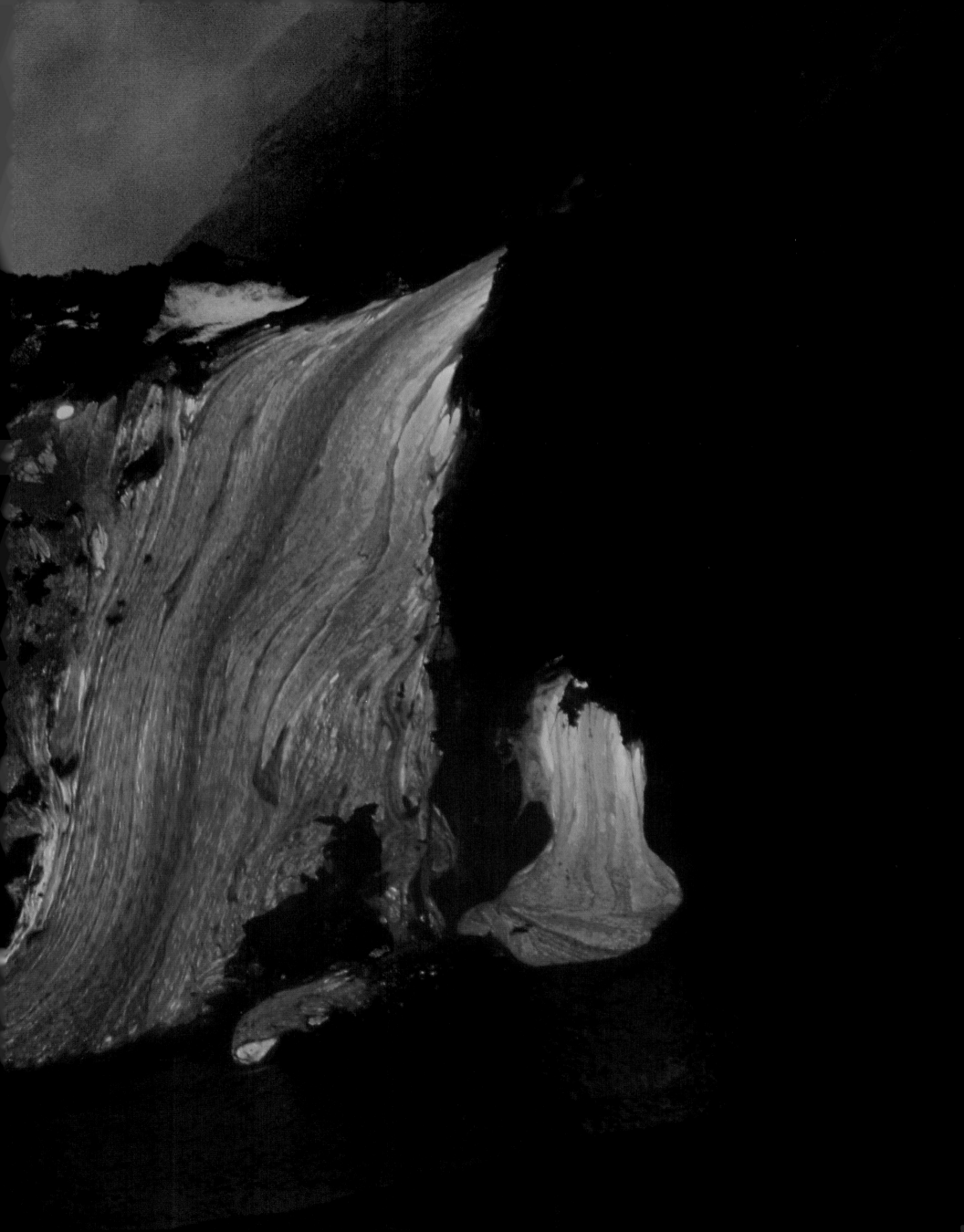

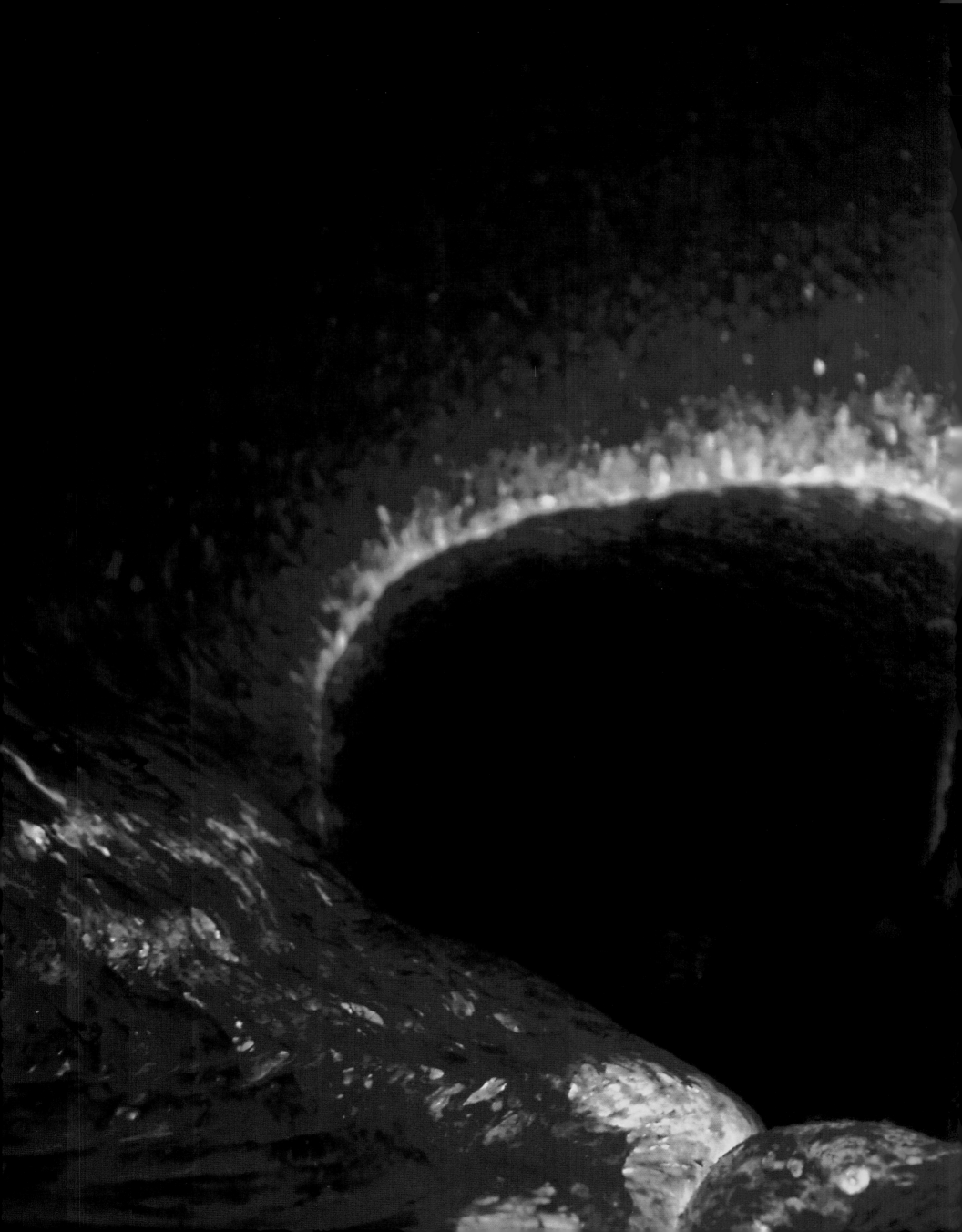

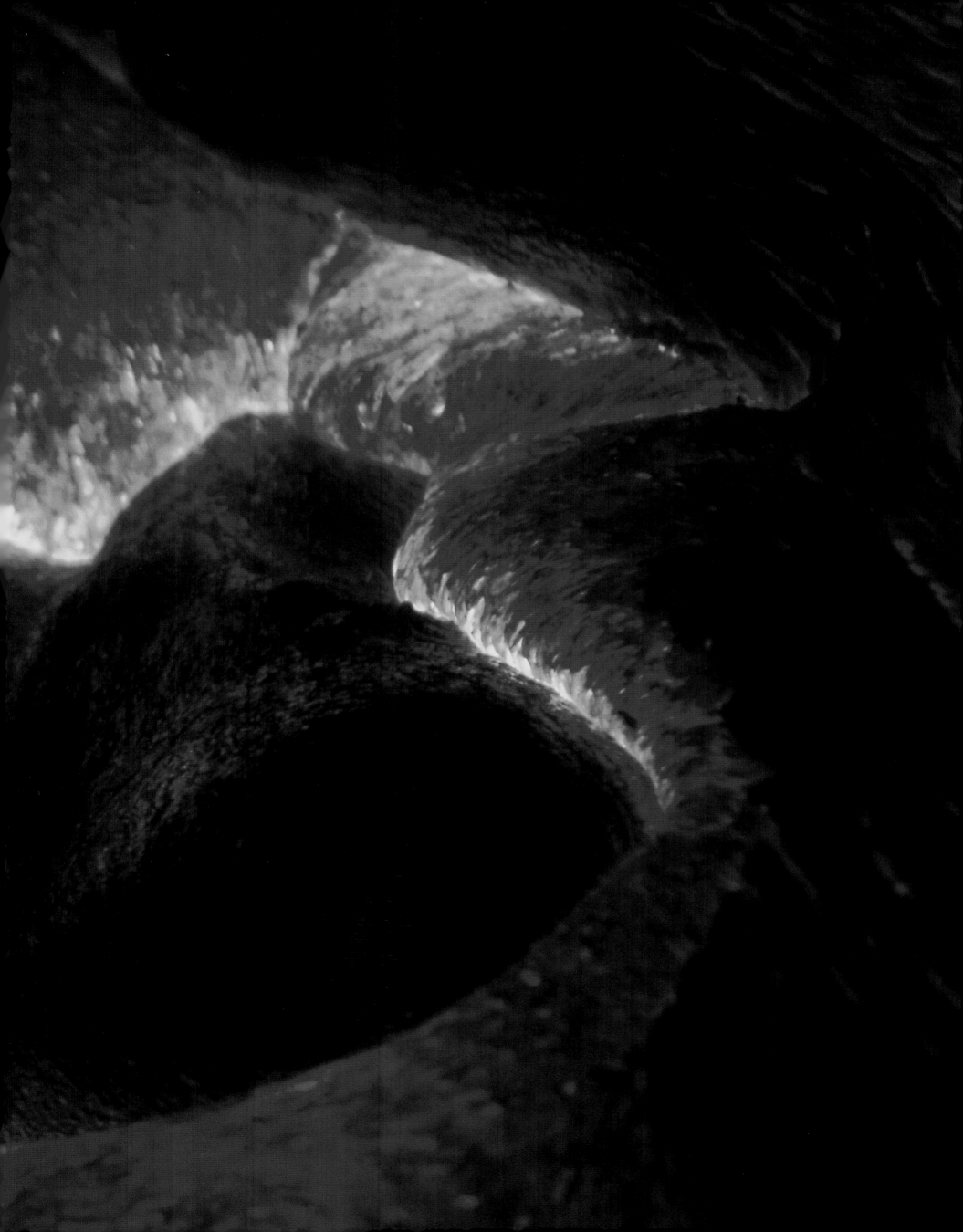

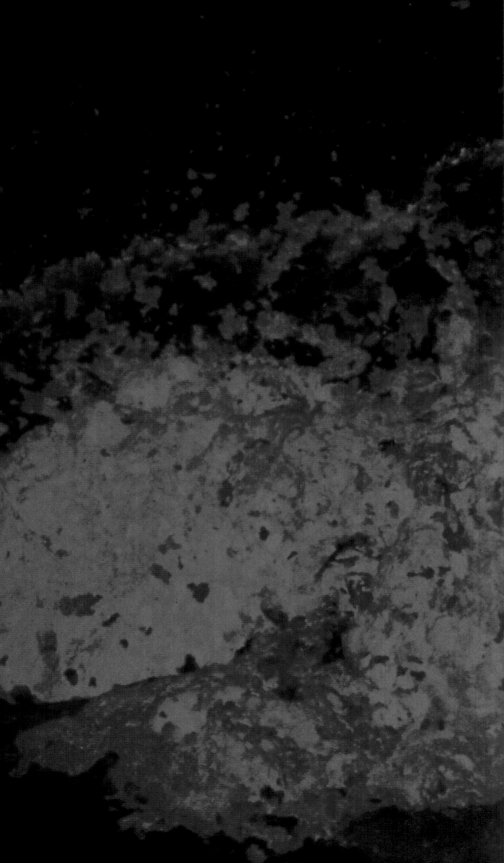

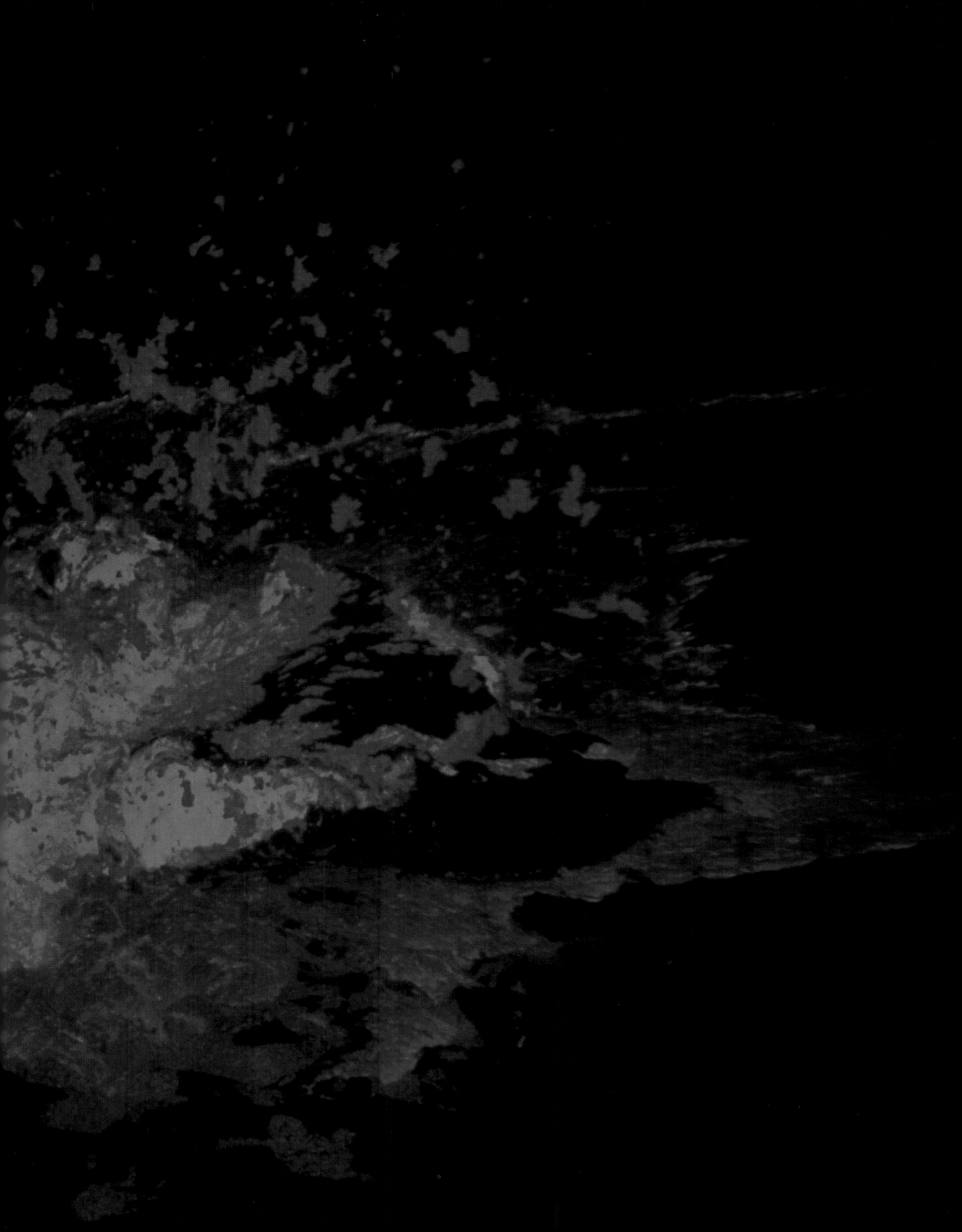

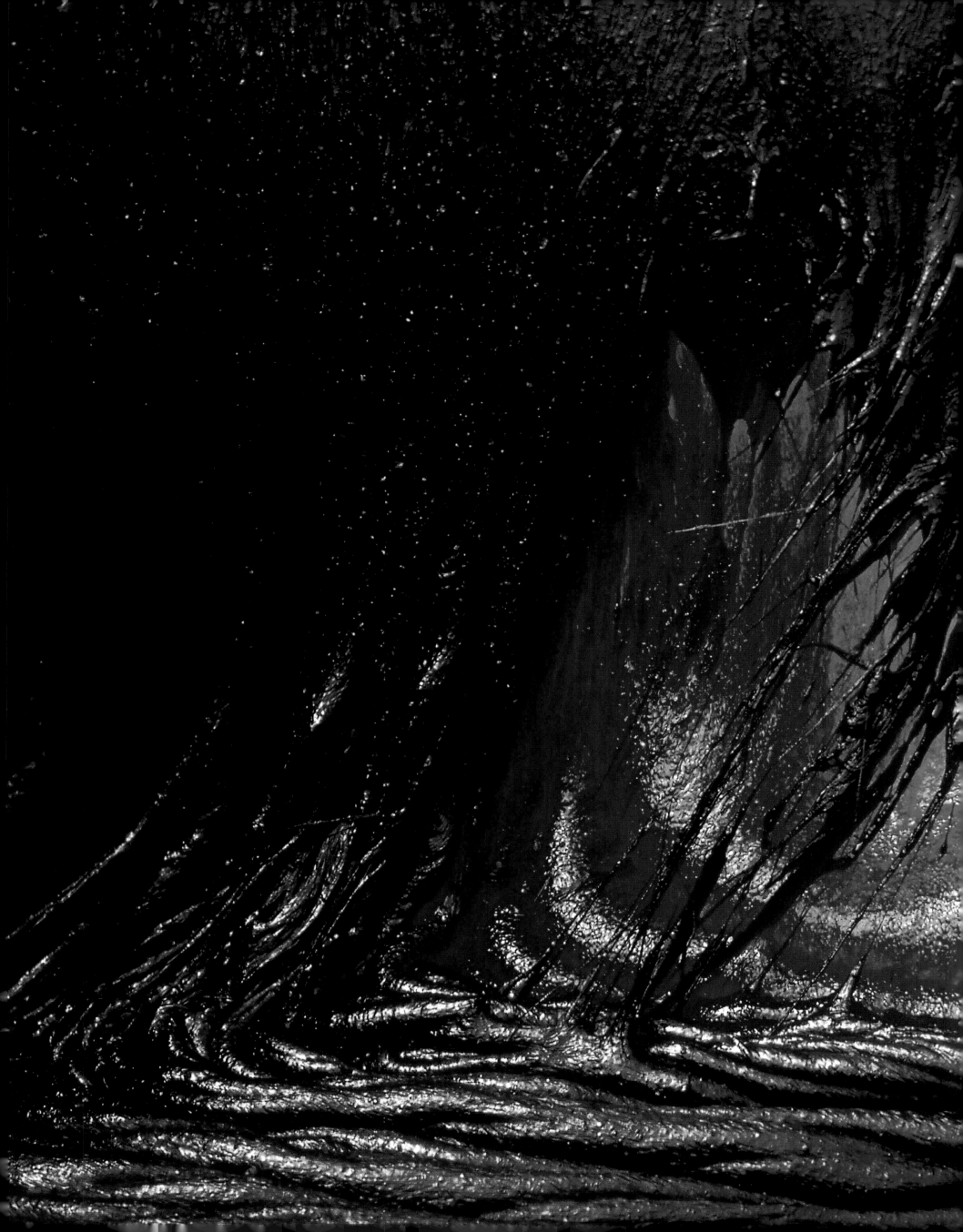

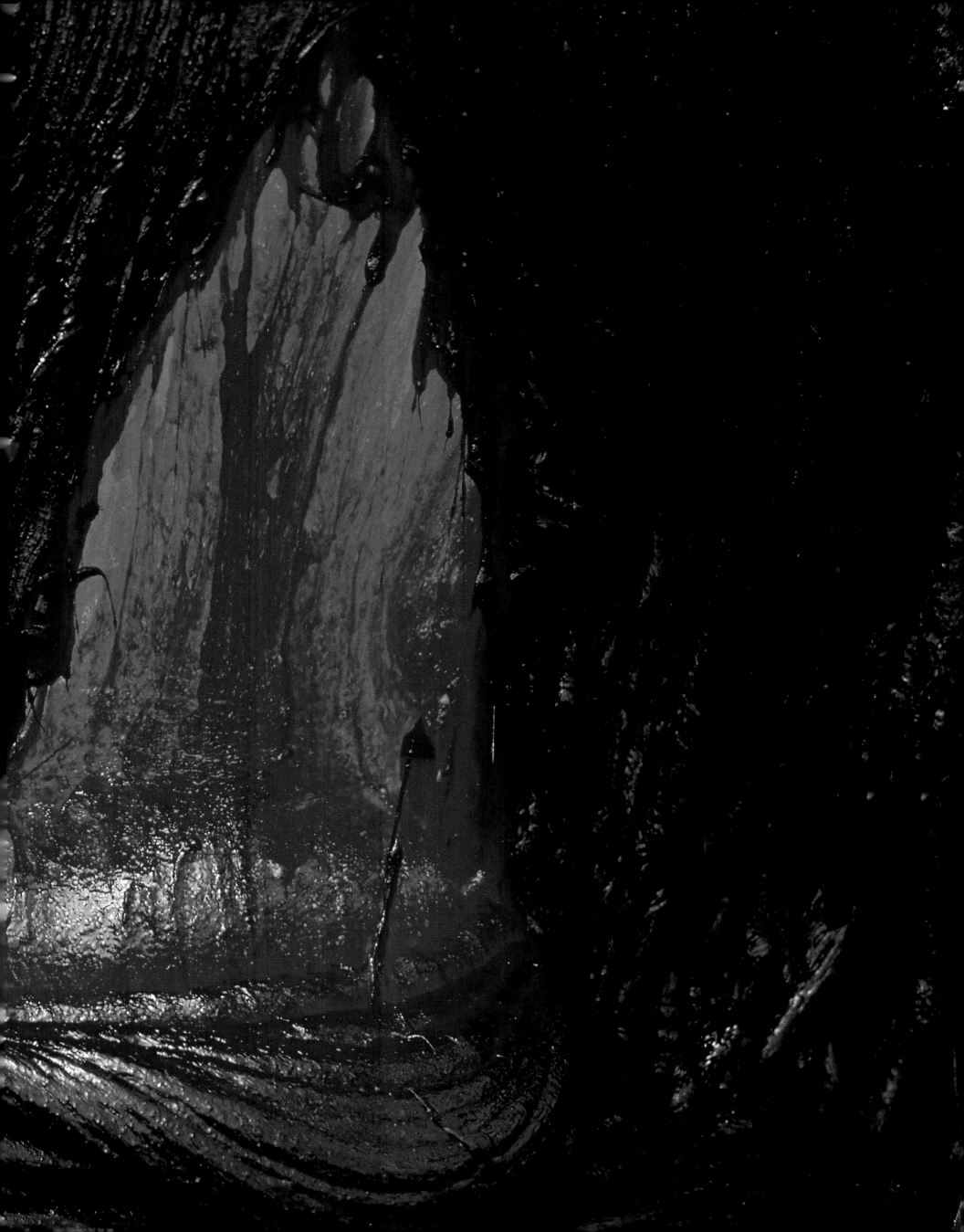

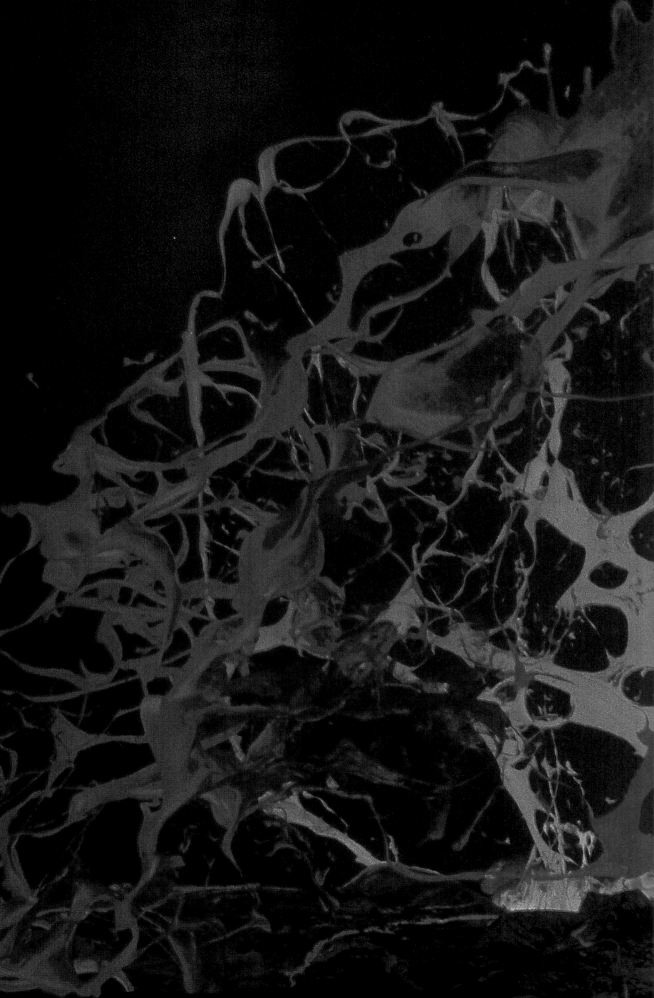

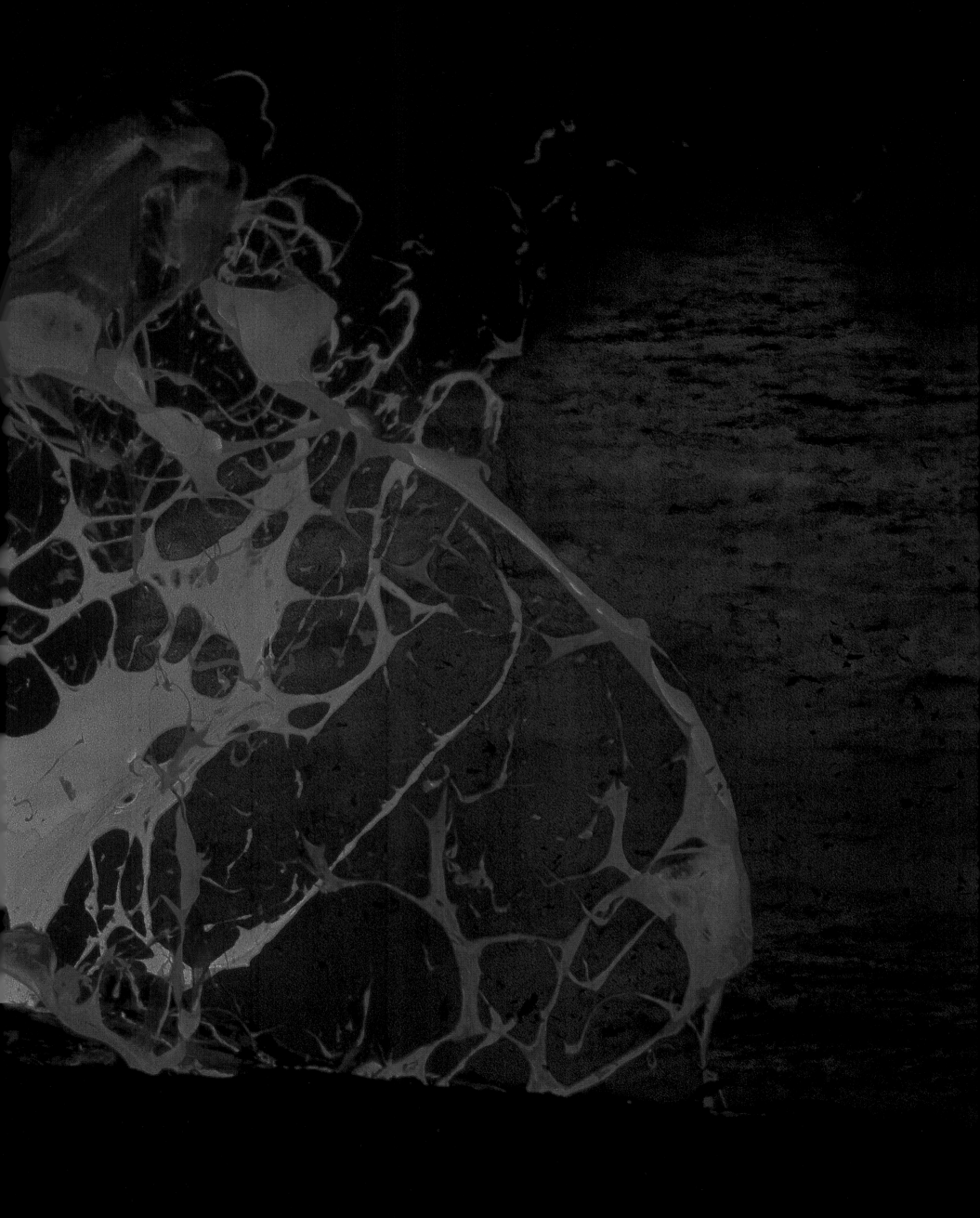

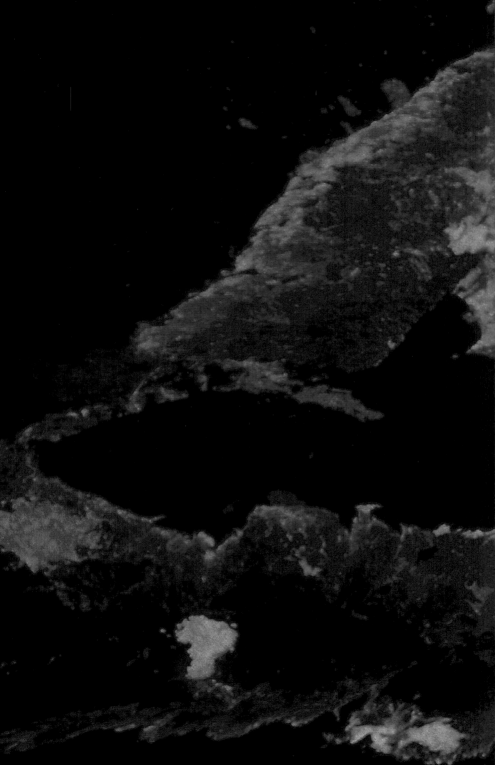

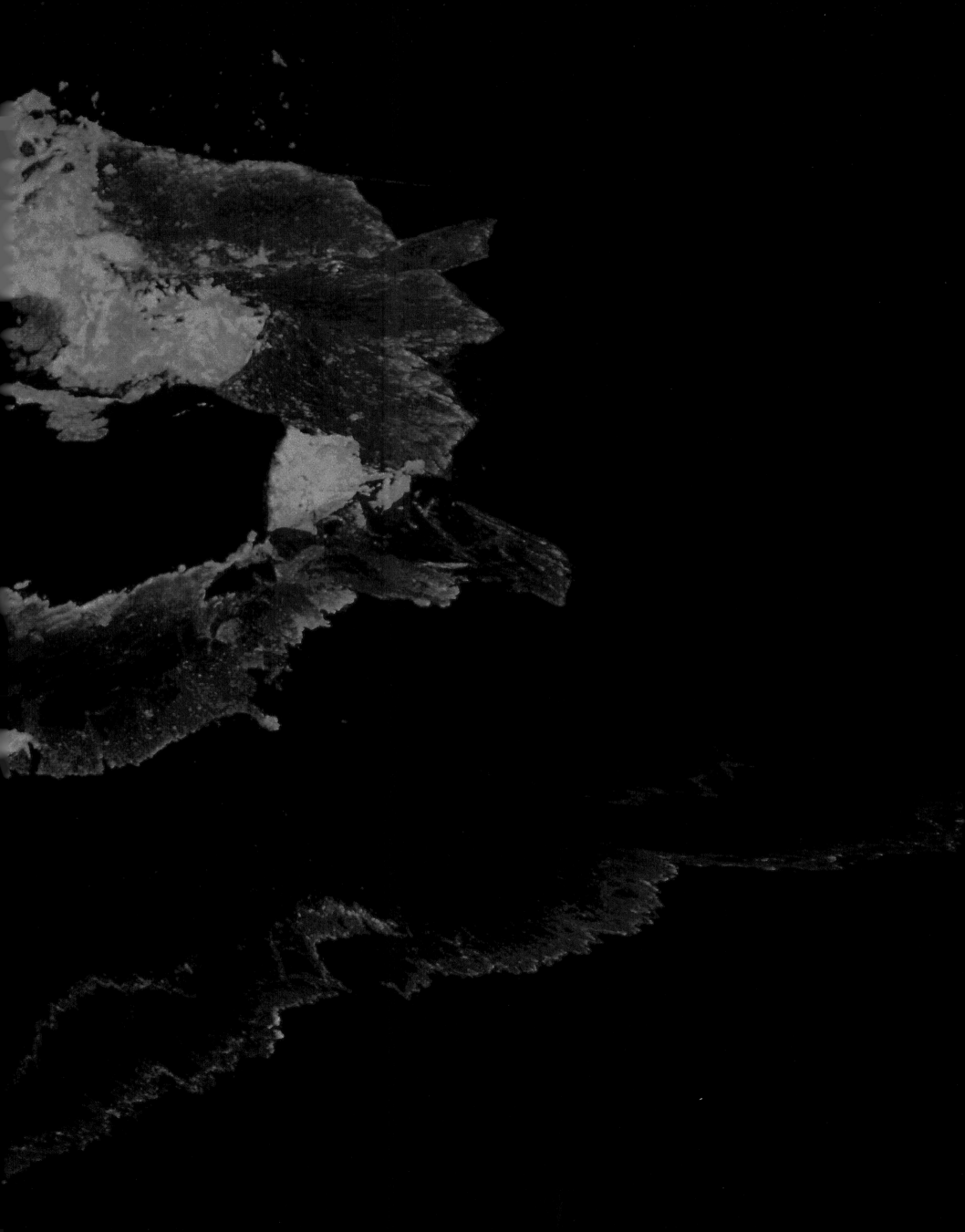

COEXISTENCES

LES RISQUES VOLCANIQUES

Pour notre civilisation, la connaissance des risques volcaniques remonte au Ier siècle, à l'éruption du Vésuve en 79 apr. J.-C. Bien plus tard, en 1631, le même volcan eut une autre éruption destructrice, qui fit plus de 4 000 victimes. Craignant une catastrophe semblable dans le futur et cherchant à témoigner de ce qu'il avait vécu, le vice-roi de Naples de l'époque fit graver dans le marbre une adresse solennelle à la population. Aujourd'hui, cette plaque est toujours enchâssée dans son monument à Portici, face au volcan. Bien que datant de près de trois siècles, l'avertissement est, plus que jamais, d'actualité :

« Générations futures, générations futures,
Il s'agit de vous :
Le présent éclaire le futur de sa lumière.
Écoutez...
Vingt fois depuis que le soleil est apparu,
si l'histoire ne raconte pas de légendes,
Le Vésuve s'est transformé en flammes
Toujours suivi d'une grande extermination pour ceux qui hésitent.

Je vous avertis pour qu'il ne vous trouve pas indécis.
Cette montagne a le ventre empli de Poix
D'Alun, de Fer, de Soufre, d'Or, d'Argent
De Salpêtre et de sources d'eau.
Tôt ou tard le volcan prend feu et, avec l'aide de la mer, il l'engendre.
Mais avant de l'engendrer, il se secoue et secoue le sol.
Sa fumée rougit et s'embrase
Il ravage horriblement l'atmosphère
Il hurle des grondements et des tonnerres
il poursuit les habitants des environs.
Fuyez lorsque vous en avez encore le temps
Ici il y a éclairs, explosions et vomissement
de matières liquides mélangées à du feu
qui coulent à toute allure, coupant la route
de fuite de celui qui s'est attardé.
S'il te rejoint c'est fini pour toi : tu es mort.
De telle manière que plus il y a d'hommes, plus surabondant
est le feu qui est à craindre par ceux qui le méprisent.
Il punit les imprudents et les avares
qui font plus attention à leurs maisons et à leurs biens
Qu'à leurs propres vies.
Si tu as quelque bon sens, écoute la voix de cette pierre
Ne te préoccupe pas de ta maison, ne te préoccupe pas de tes bagages,
fuis sans retard. »

De l'année 1632, 16 janvier du règne de Philippe IV, Emmanuel Fonseca Y Zunica, comte de Monterey, vice-roi.

Texte extraordinaire, prophétique presque. Non seulement il met en évidence les manifestations qui précèdent l'éruption, mais il délivre aussi le message fondamental de la gestion des risques volcaniques. Fuir lorsqu'il en est encore temps. On verra que, 350 ans plus tard, ce message toujours d'actualité n'était pas encore compris... et qu'il en est résulté une des catastrophes majeures du XXe siècle.

Réalité des risques

Depuis l'an 1600, les volcans ont tué environ 281 000 personnes. Ce chiffre est extrêmement faible, comparé au nombre de victimes d'autres catastrophes naturelles comme les cyclones, les tremblements de terre ou les inondations. Et que dire des massacres perpétrés par les hommes eux-mêmes ou par la circulation automobile ?

Notons que la quasi-totalité de ces victimes est le fait de quelques éruptions très meurtrières. Ainsi, 77 % des décès ont été causés par seulement huit éruptions ayant fait chacune au minimum 5 000 morts.

Tous les volcans présentent des risques certains. Le rôle des instances volcanologiques est d'essayer d'en préserver les populations. Il convient cependant de distinguer risques volcaniques directs, c'est-à-dire déterminés directement par l'activité éruptive, et risques indirects, liés à la conjonction du phénomène éruptif et de faits externes.

On considère généralement sept risques volcaniques majeurs : retombées de tephra, coulées pyroclastiques, coulées de lave, émanations de gaz, coulées de boue, glissements de terrain, tsunamis. Famines et épidémies liées aux catastrophes constituent des risques secondaires. Mais les volcans pourraient presque être assimilés à des tueurs innocents. Les comportements que les hommes adoptent face au dynamisme éruptif les conduisent à prendre des risques inconsidérés. Cette attitude, et donc les risques qu'elle induit, a évolué au cours de l'Histoire.

Évolution des risques

Les volcans, lorsqu'ils sont dangereux, ne se manifestent pas toujours de façon identique. Chacun d'entre eux présente des risques particuliers. Si les volcans ne tuent plus comme ils ont tué, ils demeurent une menace pour les sociétés modernes.

Ne seront examinées que des éruptions bien documentées, ayant donc eu lieu dans une période historique relativement récente. Il a été choisi de ne prendre en compte que les éruptions postérieures à l'an 1600. En effet, on peut considérer qu'à partir de cette date, toutes les parties du monde, ou peu s'en faut, ont été découvertes et que les éruptions nous sont connues par des témoignages directs ou indirects.

On s'aperçoit que les risques évoluent entre la période qui va de 1600 à 1900 et le XXe siècle. Cela se traduit principalement par une réduction quasi totale du nombre de victimes mortes des suites de maladies ou de famines. Les progrès de la médecine, l'organisation des secours, l'utilisation de moyens de déplacement rapides et la coopération internationale en cas de catastrophe contribuent à cette évolution. On peut raisonnablement espérer que ces risques secondaires seront jugulés pour toutes les éruptions futures.

En revanche, on voit une extraordinaire augmentation des risques engendrés par les lahars et les coulées pyroclastiques. Ce sont pourtant des risques dits de « proximité », c'est-à-dire qu'ils n'existent que dans un rayon de quelques kilomètres, pouvant parfois atteindre plusieurs dizaines de kilomètres autour du volcan en éruption. On aurait tendance à croire que ces deux risques n'affectent que peu de personnes. Il n'en est rien. Et ce, parce que l'urbanisation est directement mise en cause. À cause de l'accroissement des densités de population et la formation de mégalopoles au pied de ces volcans, les manifestations volcaniques

Près de 300 000 personnes ont été évacuées de la zone du volcan Pinatubo. Les enfants et les vieillards, en particulier, souffraient de problèmes pulmonaires et digestifs dus à la grande concentration dans l'air de très fines particules de cendres.

sont d'autant plus meurtrières. Les deux grandes catastrophes du XXᵉ siècle, l'éruption de la Montagne Pelée en 1902, qui fit 29 000 morts, et celle du Nevado del Ruiz en 1985, qui provoqua 25 000 victimes, causant, à elles deux, près de 70 % des victimes du XXᵉ siècle, ont frappé deux villes qui ont été totalement rayées de la carte. Une catastrophe d'ampleur semblable a été évitée grâce à l'évacuation de Rabaul, ville de plus de 30 000 habitants, en 1994.

Si les éruptions volcaniques ne frappent pas n'importe comment, elles ne frappent pas non plus n'importe où. Il y a une véritable distribution géographique des risques volcaniques. Cette répartition est due aux situations géotectoniques particulières de différentes zones, situations qui déterminent très directement le dynamisme éruptif. Dans les zones d'accrétion et les zones de volcanisme de point chaud, un magma fluide provoque des éruptions peu explosives et donc peu dangereuses. Dans les zones de subduction, le magma visqueux produit des éruptions à caractère explosif, toujours dangereuses.

Remarquons également que les zones de subduction au volcanisme explosif, donc meurtrier, sont toujours des régions à forte densité de population. Ces densités élevées peuvent, elles aussi, s'expliquer par le volcanisme, dans la mesure où les éruptions fréquentes projettent de volumineux panaches de cendres. Celles-ci, riches en sels minéraux, retombent sur le sol comme un véritable engrais naturel, l'enrichissent et lui permettent de porter plusieurs récoltes par an. Tout naturellement, les populations se développent sur ces terres riches. Là, réside un des paradoxes du volcanisme, qui fait à la fois vivre et mourir.

Mais, malgré l'ampleur du nombre de victimes, il est reconnu que les volcans font aujourd'hui plus vivre qu'ils ne tuent.

Pour ce qui est du volcanisme explosif des zones de subduction, de l'Indonésie, des Philippines, du Japon, de l'Amérique centrale, des Antilles ou encore de l'Amérique du Sud, c'est l'Indonésie qui tient le triste record du plus grand nombre de victimes. Plusieurs explications peuvent être avancées pour comprendre ce phénomène. Premièrement, l'Indonésie présente la plus grande concentration de volcans actifs du monde. Avec 76 volcans actifs, 1 180 éruptions ont été recensées depuis le XVIIᵉ siècle dans l'archipel. Deuxièmement, l'Indonésie possède une très forte densité de population. Les alentours des volcans actifs constituent dans certains cas l'unique terre ferme dans cet archipel de plus de 13 000 îles. Troisièmement, le comportement dynamique des volcans indonésiens est toujours violent et s'accompagne d'explosions, de panaches de cendres, de coulées pyroclastiques et de lahars, rassemblant à eux seuls quatre des sept risques énoncés.

Risques et âge des éruptions

Les phases éruptives d'un volcan actif sont séparées par des temps de repos plus ou moins longs. Des temps de repos de l'ordre de plusieurs dizaines d'années, voire centaines ou milliers d'années, précèdent souvent une éruption très meurtrière pour diverses raisons. Tout d'abord, la plupart des volcans des zones de subduction, volcans explosifs à lave visqueuse, présentent des éruptions très courtes et peu fréquentes, ce qui implique des phases d'inactivité longues. Pendant ces années, gaz et magma s'accumulent progressivement au sein de l'édifice volcanique.

Leur émission lors de l'éruption est d'autant plus violente. Mais l'explication humaine n'est pas à négliger. Avec le temps, l'homme s'habitue à son environnement et oublie les catastrophes du passé. Sans exemple dynamique suffisamment récent, il ne peut imaginer qu'un volcan voisin, aujourd'hui en sommeil, puisse brusquement semer la désolation. Les catastrophes s'oublient vite, généralement une ou deux générations suffisent. On se comporte alors presque avec insouciance, au point d'habiter ou de cultiver jusque sur les pentes de volcans apparemment inactifs.

À l'opposé, face à un volcan fréquemment actif, les hommes tirent les leçons des éruptions beaucoup plus proches dans les mémoires. Ils en ont souvent subi les conséquences dans leur chair ou dans leurs biens. Une fois l'estimation personnelle des risques faite, les zones les plus menacées sont souvent identifiées et donc inoccupées. Que ce soit pour des raisons volcanologiques ou humaines, et aussi paradoxale que puisse être cette formulation, plus un volcan est actif, moins il est dangereux !

Les évacuations

Depuis une vingtaine d'années, la prévision des éruptions a rendu possible une attitude dynamique face au risque volcanique, qui intervient avant l'éruption plutôt qu'après. Il s'agit soit de mesures techniques lors de l'éruption, par exemple la déviation des coulées de lave, soit d'évacuation de population avant le début de la catastrophe.

Une des premières évacuations préventives eut lieu à la fin du XVIIIᵉ siècle. Observant l'augmentation du nombre des séismes et la fonte anormale de la neige sur un des flancs du Vésuve, lord Hamilton parvint à prévoir une éruption et recommanda aux populations d'évacuer la zone menacée par d'éventuelles coulées de lave.

Malheureusement cet exemple historique resta méconnu. Il s'avère aussi que les moyens scientifiques et techniques nécessaires à la prévision bénéficient de l'avancée de recherches récentes. Ainsi, en l'espace de deux décennies, les évacuations préventives, surtout pratiquées face à des risques majeurs et imparables comme les coulées pyroclastiques ou les lahars, deviennent plus fréquentes. Depuis, 77 évacuations ont été pratiquées, mobilisant près de 1 053 500 personnes : 68 d'entre elles ont été suivies d'éruptions effectives, ayant fait chacune moins de dix victimes.

Les risques du futur

Toutes les analyses le montrent très clairement. Plus les alentours des volcans sont densément peuplés, plus les risques sont importants, surtout lorsque des mégalopoles se construisent, parfois de manière anarchique, sous des volcans potentiellement dangereux. Quelques exemples sont particulièrement parlants. Deux millions de personnes vivent autour du Merapi, quatre millions aux alentours du Popocatepetl, trois millions habitent au pied du Vésuve… On estime que, en ce début du XXIᵉ siècle, il y a environ 500 millions de personnes exposées, à des degrés différents, aux risques volcaniques.

Comment limiter les risques ? Des actions préventives peuvent être menées en adaptant les habitations, en construisant des abris, en établissant des digues et des chenaux… mais il est indéniable qu'une protection efficace passe par l'éloignement d'une population du risque qui la menace. La pression démographique actuelle ne peut laisser envisager que des éloignements ponctuels, se limitant à des évacuations momentanées face à un risque immédiat. La définition précise de ce risque est fondamentale. Afin de l'anticiper, la science doit répondre à des questions relevant de trois ordres : à quel type d'éruption est-on exposé, quelles sont les zones menacées, et quand s'attendre à une éruption ? Cela afin de prévoir les précautions à prendre en conséquence.

1700-2000 :
LES ÉRUPTIONS LES PLUS MEURTRIÈRES (MIN. 2000 MORTS)

Année	Volcan	Victimes
1631	Vésuve (Italie)	4 000
1672	Merapi (Indonésie)	3 000
1711	Awu (Indonésie)	3 200
1760	Makian (Indonésie)	2 000
1772	Papandajan (Indonésie)	3 000
1783	Laki (Islande)	9 300
1792	Unzen (Japon)	15 200
1815	Tambora (Indonésie)	92 000
1822	Galunggung (Indonésie)	4 000
1856	Awu (Indonésie)	3 000
1883	Krakatau (Indonésie)	36 400
1902	Montagne Pelée (Martinique)	29 000
1902	Santa Maria (Guatemala)	6 000
1919	Kelut (Indonésie)	5 100
1951	Lamington (Nouvelle-Guinée)	2 900
1982	El Chichon (Mexique)	2 500
1985	Nevado del Ruiz (Colombie)	25 000

Lors de l'éruption du Pinatubo, des centres d'évacuation ont été mis en place hors des zones à risque.

DEUX DÉCENNIES POUR COMPRENDRE

Comme pour de nombreuses sciences, la compréhension du volcanisme nécessite de la patience. Cependant, à l'opposé d'autres sciences de la nature, la volcanologie d'aujourd'hui se penche encore sur son passé, parfois même très lointain. Si un biologiste fait, au mieux, référence aux découvertes datant d'une dizaine d'années, le volcanologue cherche encore aujourd'hui des informations dans les récits de Pline qui ont près de 2 000 ans, ou dans des dépôts de produits éruptifs encore bien plus anciens. Car la compréhension du dynamisme éruptif vient de l'étude des éruptions et, paradoxalement, celles-ci sont rares et très courtes face à la durée de vie totale du volcan. On peut considérer que la vie moyenne d'un volcan est de plusieurs centaines de milliers d'années alors que ses éruptions ne durent à chaque fois que quelques jours et sont parfois espacées de plusieurs siècles. Chacune est riche d'enseignements sur le volcan concerné, mais aussi sur le volcanisme en général et sur les mécanismes qui le régissent. Chris Newhall, un des très grands volcanologues contemporains, propose une très belle image à ce sujet. Il nous dit qu'étudier le volcanisme, c'est comme se trouver face à un calendrier de l'Avent. Sur le calendrier, chaque jour révèle une nouvelle

Vue aérienne du dôme actif dans le cratère du Mont Saint Helens après l'éruption de 1980.

image. Pour les volcans, chaque éruption est comme une fenêtre qui s'ouvre et qui nous en apprend davantage. Plus il y a de fenêtres ouvertes, plus notre compréhension s'affine. Malheureusement, il n'y a pas de fenêtres qui s'ouvrent tous les jours…

À cet égard, les deux dernières décennies ont permis une meilleure compréhension des phénomènes volcaniques. Remarquables ont été les trois dernières grandes éruptions quant à leurs enseignements. Elles ont fait évoluer la façon d'appréhender le volcanisme.

Jusqu'à ces dernières années, les volcanologues se rendaient sur les volcans, surtout sur les grands volcans explosifs, les plus dangereux, après, voire, au mieux, pendant les éruptions. La science était purement spéculative. On essayait de reconstituer les grands phénomènes du passé, d'en expliquer le fonctionnement et l'origine, d'en tirer des lois. L'étude du dynamisme éruptif s'interrogeait sur le pourquoi et le comment de ces manifestations. Les conséquences d'un jugement erroné

n'étaient pas graves. Au pire, elles ne remettaient en cause que quelques palmes académiques.

Aujourd'hui, la donne est différente. Les chercheurs sont sur le terrain avant les éruptions. Ces progrès placent les volcanologues devant des responsabilités nouvelles et lourdes à l'aube du XXIe siècle. La science leur demande de localiser et de prévoir les éruptions à venir. Il est alors intéressant de s'arrêter sur trois des dernières grandes crises volcaniques pour en comprendre les mécanismes et en tirer des leçons.

1980 : ÉRUPTION DU MONT SAINT HELENS AUX ÉTATS-UNIS

Le Mont Saint Helens, joyau de l'Ouest américain, haut de 2 549 mètres, dominait lacs et rivières, forêts et prairies. Sa forme et son sommet enneigé lui ont donné le surnom de « Fuji-Yama des Amériques ». Les Indiens qui vivaient là depuis des millénaires ne s'approchaient jamais du Mont Saint Helens, se bornant à l'appeler « la montagne qui fume ».

Une longue histoire géologique

Grand strato-volcan appartenant à la ceinture de feu du Pacifique, le Mont Saint Helens s'est montré particulièrement actif au XIXe siècle : il est entré en éruption continue entre 1831 et 1857. La région étant peu habitée, les témoins de ces éruptions sont rares. Si ce n'étaient les quelques témoignages laissés par des Indiens ou des trappeurs, l'on aurait vite perdu le souvenir de ces activités volcaniques.

Quelques géologues cependant se sont intéressés à ce volcan : Dwight Crandell et Donal Mullineaux, de formation très classique, en font une étude détaillée. Ils observent tous les dépôts du volcan, découvrent des traces évidentes de grands épisodes explosifs, identifient les restes de puissantes coulées de boue. Surtout ils datent les différentes éruptions et en établissent la succession. Quoique n'ayant aucune expérience du volcanisme actif, se fondant sur l'idée constante en géologie que tout phénomène du passé a le maximum de chances de se reproduire dans l'avenir, ils terminent leur rapport, publié en 1978, en disant que le Mont Saint Helens aurait d'autres activités, qu'elles seraient violentes et probablement destructrices, et qu'il pourrait y avoir une éruption avant la fin du siècle. Le volcan n'allait pas tarder à leur donner raison.

Les signes précurseurs

Après 123 ans de sommeil, le Mont Saint Helens montre les tout premiers signes de réveil en mars 1980. Un tremblement de terre de magnitude 4.2 sur l'échelle de Richter marque le début d'une série de chocs qui vont rapidement s'intensifier. Dès le 25 mars, on enregistre plusieurs centaines de secousses par jour. Le 27 mars, le volcan entre dans l'actualité. À 12 h 36, après une violente explosion entendue dans toute la région, le Mont Saint Helens commence à rejeter des panaches de vapeur et de cendres.

Aussitôt, de très nombreux volcanologues, parfois d'origines très diverses, se pressent à son chevet. Il faut dire que la situation est inédite et des plus intéressantes. Il est rare de pouvoir suivre en direct l'activité d'un grand volcan explosif et encore plus d'attendre son réveil. D'autant plus rare que, si elles sont rendues célèbres par leur violence, ces éruptions sont peu fréquentes.

Pour la plupart, ces volcans, situés dans des pays lointains et exotiques, se révèlent *a fortiori* difficiles à observer. Les scientifiques n'arrivent alors sur place que pour constater les dégâts et étudier l'éruption après coup.

Ici, au pied du Mont Saint Helens, la situation est tout autre, pour deux raisons fondamentales. Parce que le volcan est situé dans un pays à très haut développement scientifique et technologique et qu'il est au cœur d'une zone d'activités économiques, l'impact d'une éventuelle éruption représente une véritable menace. Le travail de recherche entrepris par Crandell et Mullineaux avait également permis de mettre déjà en évidence le potentiel du volcan et les dynamismes violents qui pouvaient survenir. Tout le contexte géologique était connu. Il ne restait plus qu'à en tracer le cadre dynamique.

En 1980, l'observation des volcans actifs n'était pas chose neuve, mais les études portaient principalement au préalable sur des volcans de type effusif. Pour les scientifiques américains, la formation de volcanologue spécialisé dans la surveillance et l'observation se faisait nécessairement à l'Observatoire volcanologique d'Hawaii. Ne disposaient-ils pas là, sur le territoire national, de deux volcans presque continuellement actifs et, qui plus est, d'un des plus anciens observatoires du monde ? Tout le développement de la technologie de surveillance ainsi que la formation des chercheurs s'étaient faits sur le Mauna Loa et le Kilauea. Les spécialistes ont donc très naturellement appliqué au Mont Saint Helens leurs « techniques hawaiiennes ».

La confrontation a été intéressante car ils ont dû passer de volcans que l'on pourrait qualifier de calmes et de « gentils » à un véritable monstre dont les produits des colères passées avaient déjà été identifiés. Et pour la première fois les techniques de surveillance allaient s'appliquer à un volcan explosif. Dans cette confrontation, trois parties ont dû cohabiter. Le volcan tout

d'abord, qui poursuivait inexorablement sa vie de volcan se préparant à une éruption : les observateurs d'Hawaii, ensuite, qui maîtrisaient les techniques de surveillance mais imaginaient assez mal le type de dynamisme qui pouvait apparaître ; les géologues locaux, enfin, qui appréhendaient bien le terrain, capables de clairement identifier les risques potentiels sans forcément être au courant des subtilités techniques de la surveillance dynamique et de l'interprétation des signaux enregistrés.

Tout le mois d'avril, le volcan élargit son cratère par des explosions nombreuses dont les cendres viennent peu à peu salir la neige. Les volcanologues qui suivent attentivement l'évolution du phénomène se rendent vite compte que ces explosions sont d'origine phréatique et qu'elles détruisent lentement un ancien dôme. En même temps, un tremor continu apparaît et suggère que du magma frais se met en place au sein de l'édifice volcanique. Des déformations importantes se font également voir. L'invraisemblance de leur taille fait d'abord croire aux scientifiques que les chiffres qu'ils enregistrent sont erronés tant ils leur semblent hors norme. L'intrusion du magma déforme le sommet du volcan et y crée une protubérance qui, le 12 mai, atteint 150 mètres de haut et qui continue à croître d'un mètre et demi par jour...

La surveillance du volcan, qui se fait au moyen d'enregistrements sismiques et de mesures de déformation, est un véritable challenge : plusieurs techniques nouvelles sont testées, certaines provenant de la déclassification de technologies militaires. Le Saint Helens devient un formidable laboratoire d'essais où se forgent les outils de la surveillance de demain. Le premier de ces outils est l'ordinateur. Pour la première fois, on a la possibilité de traiter en temps réel une énorme quantité de données très complexes.

Dès les premiers séismes, les responsables de l'US Forest Service interdisent l'accès à la montagne par crainte d'avalanches déclenchées par les ébranlements sismiques et les explosions. À partir du 27 mars, les volcanologues de l'US Geological Survey précisent leur pronostic d'éruption et veulent interdire l'accès dans un rayon de 30 kilomètres autour du volcan. Mais le Mont Saint Helens est très fréquenté par les touristes et ses forêts font aussi l'objet d'une intense exploitation. Certains scientifiques, dont un « expert » français, contestent la réalité d'une éruption imminente et leurs avis sont repris par quelques médias qui alimentent la contestation. Finalement, l'État de Washington se décide pour une évacuation en deux temps : une zone d'accès interdit, une seconde zone d'accès restreint.

Si bûcherons, résidents et visiteurs ne se rendent pas compte du danger réel et pénètrent toujours la zone restreinte, la plupart des volcanologues de l'USGS, eux, analysent maintenant parfaitement le risque. La plupart d'entre eux prédisent une éruption explosive à composante verticale, certains évoquent cependant la possibilité d'explosions latérales dirigées. Mais leur détermination ne leur fait jamais abandonner leurs postes de surveillance et ils demeurent sur place.

Le samedi 17 mai, le volcanologue David Johnston prend la garde de la station Coldwater II, relevant son collègue Harry Glicken (qui devait par la suite disparaître dans l'explosion du volcan Unzen en juin 1991). Le week-end s'annonce beau et ensoleillé, le printemps rend la nature riante et paisible... Ce même jour, sous la pression du lobby « anti-éruption », les

Le lac Spirit a été balayé par une vague de 300 mètres de haut provoquée par le souffle du blast du volcan Saint Helens. Tous les arbres qui se trouvaient sur les berges ont été aspirés au centre du lac.

et son renflement, le dôme intrusif grossissait : sa « couverture » disparaissant, il se décomprime très rapidement, en même temps que l'eau surchauffée qui l'entoure. Deux explosions naissent simultanément. Un panache monte droit dans le ciel et un second apparaît latéralement, sur le flanc du volcan. L'eau se vaporise et les gaz se libèrent avec une violence colossale. Le panache de l'explosion latérale dépasse l'avalanche de débris initiale. La nuée, dotée d'une énergie incroyable, descend les pentes, saute les crêtes... elle se déplace à près de 1 100 kilomètres/heure !

Le souffle arrache tous les arbres sur une surface de 600 kilomètres carrés. La température intérieure de la nuée atteint 260 °C, elle s'étend jusqu'à plus de 25 kilomètres du volcan. On estime que ce souffle latéral, ou « blast », ne dura que 30 secondes. L'avalanche de débris qui maintenant le suit transporte des cendres, des blocs de pierre, des morceaux de glace, des arbres abattus, au total plus de 2 milliards de mètres cubes de débris qui viennent s'accumuler dans le lac Spirit et la rivière Toutle, celle-ci étant comblée sur près de 30 kilomètres. À certains endroits, le dépôt fait plus de 180 mètres d'épaisseur. Des coulées de boue suivent, dues à la fusion de la glace et de la neige. Elles transportent cendres et blocs jusqu'à 45 kilomètres du volcan. Le panache vertical de cendres, en 15 minutes, atteint 25 kilomètres d'altitude et se prolonge durant 9 heures.

Lorsqu'on peut enfin voir le volcan, on découvre au sommet du Mont Saint Helens un nouveau cratère d'1,5 kilomètre sur 3 kilomètres, profond de 700 mètres. Comme décapitée par les explosions, la montagne a vu son sommet baisser de 400 mètres. L'éruption a fait une soixantaine de victimes, a détruit 300 kilomètres de routes, et brisé plusieurs millions d'arbres. La liste des victimes ne s'arrête pas là puisque près de 6 500 cerfs et élans ainsi que 200 ours noirs furent tués.

Plus tard, un nouveau dôme est apparu dans le cratère et a donné naissance à plusieurs phases explosives jusqu'en 1986. Aucune explosion n'égala en puissance celle du 18 mai 1980, qui a dégagé une énergie 27 000 fois supérieure à celle engendrée par la bombe de Hiroshima.

Loin de permettre seulement l'étude d'un cas précis, cette catastrophe a été riche en enseignements pour la volcanologie dans son ensemble. Tout d'abord, cela a révélé clairement la nécessité de replacer chaque éruption dans le contexte géologique du volcan et d'en dresser un historique précis. Ensuite, et pour la première fois, on a pu suivre en direct l'approche et le déroulement d'une grande éruption explosive. On a affiné les techniques de surveillance tout en les adaptant à ce type de volcan. Surtout, on a identifié les signes précurseurs de telles éruptions, qui se traduisaient par des modifications de l'activité sismique et des déformations de terrains. Une approche pluridisciplinaire et un travail en équipe s'avéraient alors indispensables pour surveiller ces différents signes annonciateurs. La carte de risques dressée par les volcanologues a également été l'occasion de se mesurer à tous les problèmes économiques et sociaux qu'une telle éruption peut avoir sur nos sociétés modernes. Cette prise de conscience correspond à une grande avancée de la volcanologie moderne. Enfin, le déclenchement d'une telle éruption dans un pays à haut développement technologique a permis de débloquer des budgets de recherches plus importants et de créer de nombreux programmes scientifiques nouveaux.

autorités ont dû lever certains barrages et autoriser les résidents de la zone d'exclusion à rejoindre leurs maisons pour en retirer ce qu'ils désirent préserver. Tout le monde est obligé de quitter la zone rouge au coucher du soleil.

L'éruption

Le 18 mai, à 7 h 00 du matin, David Johnston, depuis sa base d'observation située à 8 kilomètres du volcan, transmet par radio au centre de coordination de Vancouver les dernières observations sur le volcan. Séismes, déformation, émission de dioxyde de soufre, tout est semblable à ce que l'on connaît maintenant depuis plusieurs semaines. Devant les barrages, la foule des résidents commence à se rassembler. On leur fait savoir qu'à 10 heures du matin, ils pourraient à nouveau retourner chez eux...

À 8 h 32, la radio de David Johnston recommence à émettre : « Vancouver, Vancouver, ça y est ! ». Puis le silence. On n'a jamais rien retrouvé de David Johnston, ni son matériel, ni sa voiture, ni son campement. Le Mont Saint Helens vient d'entrer en éruption.

La première minute de cette éruption fut catastrophique. Tout s'est joué en quelques instants. À peine le temps de réaliser que le maximum de puissance est atteint. En réponse à un important séisme de magnitude 5,1, le renflement apparu près du sommet s'effondre. Tout le flanc nord se transforme en une énorme avalanche de débris qui commence à dévaler la pente. Sous ce flanc

L'éruption du Mont Saint Helens fit date. Il fut alors non seulement décidé d'établir sur le territoire américain de nouveaux observatoires volcanologiques, mais, fait marquant, de très nombreux chercheurs furent incités à étudier des volcans plus lointains et différents. Des missions d'étude et de surveillance se sont ainsi développées en Amérique centrale, en Amérique du Sud, en Indonésie et aux Philippines.

1985 : ÉRUPTION DU NEVADO DEL RUIZ EN COLOMBIE

Situé à 150 kilomètres à l'ouest de Bogota, le Nevado del Ruiz est un vaste strato-volcan culminant à 5 389 mètres d'altitude. Il est un des nombreux volcans actifs de Colombie, situé dans ce grand alignement d'édifices volcaniques qui, de l'Alaska au sud de la chaîne des Andes, forment la partie est de la ceinture de feu du Pacifique. Quelques éruptions ont marqué l'histoire : 1595, 1828, 1829, 1833... Toutes ont produit des panaches de cendres mis en place par des explosions, ainsi que de très importantes coulées de boue.

Dès novembre 1984, de nombreux séismes sont ressentis dans toute la région. En même temps, quelques alpinistes observent une fonte accrue du glacier qui entoure le cratère. Un réseau de surveillance sismique installé en août 1985 montre que les séismes enregistrés s'amplifient et semblent monter vers la surface. Ils sont très semblables à ceux que l'on a connus avant l'éruption du Mont Saint Helens.

Ces séismes naissent maintenant à 7 kilomètres sous le cratère. Les volcanologues les interprètent correctement et annoncent une éruption proche. Les scientifiques colombiens demandent à divers collègues étrangers de leur prêter main forte. S'ensuit la constitution d'une équipe internationale qui surveille le volcan et fait une estimation des risques futurs. Les autorités sont prévenues et tenues régulièrement au courant de l'évolution de la situation. On discute beaucoup de la taille et de la puissance potentielle de cette future éruption mais tous les spécialistes s'accordent à dire que la présence de glace et de neige au sommet du volcan est un facteur d'aggravation des risques, même en cas d'éruption modérée. Des dépôts de coulées de boue ont été identifiés dans un rayon de 60 kilomètres autour du volcan. Ils se révèlent extrêmement fertiles. Les champs sont cultivés, on y construit toujours des fermes, des villages et des villes...

En septembre 1985, les faits se précipitent. Des explosions violentes projettent des blocs à plus de 2 kilomètres du cratère, des cendres retombent à 30 kilomètres, jusque dans les zones habitées. L'indifférence est générale, mais les volcanologues ne désarment pas.

Ils dressent une carte de risques qui précise les zones exposées à des chutes de cendres ou à des coulées de boue. Celles-ci proviennent de la fusion de la neige et de la glace sous les retombées de cendres chaudes. Le mélange très dense de ces deux éléments dévale dans toutes les vallées qui rayonnent autour du volcan. La publication de cette carte de risques provoque un véritable tollé. Le gouvernement, obnubilé par des problèmes de politique et de terrorisme, la trouve trop alarmiste. Sur place, on craint un ralentissement de l'économie locale et une baisse de la valeur des terrains. L'Église, pourtant très influente, ne veut pas s'en mêler.

Le volcan Nevado del Ruiz est couvert de glaciers. Ceux-ci ont, par la fusion de la glace au contact de la lave chaude, été un facteur d'aggravation des risques lors de l'éruption de 1985, éruption d'ampleur très moyenne, mais aux conséquences catastrophiques.

Début novembre 1985, les volcanologues démontrent que le mécanisme des coulées de boue a 67 % de « chances » de détruire la ville d'Armero et publient une mise à jour de la carte de risques. Encore une fois, les autorités n'écoutent pas les conseils des volcanologues. Mauvaise communication, manque de compréhension des concepts techniques, insuffisance des moyens financiers, mais surtout crainte d'une fausse alarme entretiennent cette passivité des pouvoirs publics. On préfère attendre pour être sûr de ne pas évacuer pour rien.

Soudain le volcan frappe. Mercredi 13 novembre 1985, une série d'explosions ébranlent le volcan. L'éruption commence vers 16 h. À Armero, à 40 kilomètres du cratère, des cendres tombent sur la ville dès 17 h 30. Des explosions violentes se font entendre à partir de 21 h. À 22 h, une intense pluie de cendres touche à nouveau la ville. Devant ces signes menaçants, la Croix-Rouge, de sa propre initiative, décide d'évacuer. Mais il est déjà trop tard.

22 h 30. Précédée par un grondement énorme, une coulée de boue, de fragments de glace, de troncs d'arbres et de débris divers se dirige vers la ville d'Armero. Une vague de 40 mètres de haut broie les maisons, emporte routes et ponts. Sur les 4 500 maisons que comptait la ville, seules 80 subsistent. 25 000 personnes sont tuées. La ville d'Armero ne sera pas reconstruite au-dessus des cadavres qu'elle tient toujours prisonniers dans son linceul de boue.

Pour les volcanologues du monde entier, cette éruption, meurtrière malgré les mises en garde, a été à l'origine d'une importante prise de conscience. Il ne suffit plus de prévoir, il faut aussi agir. Trop souvent dans nos sociétés, la gestion des catastrophes se réduit à fournir une assistance après le drame. Il est évident aujourd'hui que les dispositions prises avant l'éruption sont beaucoup plus importantes. Beaucoup moins coûteuses aussi… S'il convient d'intervenir avant la catastrophe, si l'on a aujourd'hui les moyens techniques de le prévoir, encore faut-il pouvoir convaincre pour en limiter les dégâts. Le principal enseignement d'Armero est bien là : se donner les moyens de persuader.

Pour parler clairement, pour parler simplement et efficacement, il faut communiquer avec les techniques de son temps. L'Association internationale de volcanologie décida donc de lancer un programme de communication sur les risques volcaniques. Ce programme devait voir le jour sous forme d'une cassette vidéo qui identifierait les sept risques volcaniques principaux et qui mettrait en évidence leurs effets sur les œuvres humaines. Maurice Krafft, qui filmait toutes les éruptions volcaniques autour du monde depuis longtemps, se proposa pour réaliser ce programme vidéo.

1991 : ÉRUPTION DU PINATUBO AUX PHILIPPINES

Le Pinatubo est l'un des 21 volcans actifs que comptent les Philippines. Il est au centre de l'arc volcanique parallèle au bord ouest de l'île de Luzon, à quelque 90 kilomètres au nord de Manille. La dernière éruption de ce volcan, né il y a plus d'un million d'années, remonte aux environs de l'an 1380. Depuis cette époque, l'érosion, très importante en milieu tropical, a profondément disséqué le massif. Tous les flancs du volcan sont couverts d'une forêt très épaisse coupée par de nombreux canyons dont de larges rivières sont issues. Le sommet du volcan est formé d'un ancien dôme de près de 3 kilomètres de diamètre.

En fait, hormis une zone thermale située au pied de ce dôme, rien dans le paysage ne rappelle son origine volcanique, au point

que la dernière éruption a complètement quitté la mémoire des hommes. Près de 15 000 personnes vivent dans de petits villages au pied du volcan, 500 000 autres habitent dans des agglomérations situées à proximité. On y trouve aussi deux très importantes bases militaires américaines, Clark Air Base et Subic Bay, qui abritent près de 30 000 personnes. Sur les pentes du cône volcanique lui-même vivent 500 familles d'Aetas, une ethnie aborigène qui vit de quelques cultures, de cueillette, de chasse et de pêche. Leur survie dépend directement des rivières et de la forêt du Pinatubo. Tout cet ordre fut bouleversé l'après-midi du 2 avril 1991 lorsque des explosions se firent entendre au sommet du volcan.

Les signes précurseurs

Ces explosions sont d'origine phréatique et se prolongent quelques heures. Détruisant quelques kilomètres carrés de forêt, rejetant des blocs et des poussières de laves anciennes, elles creusent plusieurs cratères sur le flanc nord du dôme sommital. Le lendemain, une série de grosses fumerolles apparaît dans le même axe.

Les autorités sont immédiatement en alerte et une véritable course commence entre le volcan et les volcanologues. Les experts du PHILVOCS (Service volcanologique des Philippines) connaissent bien les dangers de leurs volcans, tous très explosifs. On décide immédiatement l'évacuation de 5 000 personnes résidant dans un rayon de 10 kilomètres autour du sommet du Pinatubo. Les volcanologues installent rapidement un premier réseau de sismographes autour du volcan, jusqu'alors jamais surveillé. De 40 à 140 secousses quotidiennes sont enregistrées. Mais la question reste de savoir si ces secousses ponctuent le développement normal du volcan ou si, au contraire, elles sont le signe précurseur d'un réveil.

Lors de l'éruption du Pinatubo, les arbres se sont effondrés sous le poids des cendres alourdies par les pluies.

Des experts étrangers viennent aider leurs collègues philippins pour mettre sur pied dans l'urgence un nouvel observatoire volcanologique, le Pinatubo Volcano Observatory. On se rend rapidement compte que les chocs sismiques présentent des caractéristiques assez semblables aux précurseurs enregistrés au Mont Saint Helens, qui avaient annoncé la montée du magma. Immédiatement, on commande une étude géologique complète du volcan. L'étude des éruptions passées pourrait servir à esquisser le portrait de l'éruption à venir. Très rapidement, ce rapport tire des conclusions inquiétantes puisque l'on découvre que, durant ces mille dernières années, le Pinatubo a eu de très violentes éruptions explosives. Celles-ci ont produit des coulées pyroclastiques volumineuses dont on trouve des dépôts à plus de 20 kilomètres du cratère. Ces dépôts sont à l'origine de larges coulées de boue ou lahars qui ont recouvert tous les flancs du volcan.

Ces données sont reportées sur une carte qui dessine les différents risques encourus dans la zone. Cette carte sert de base aux autorités civiles et militaires pour décider des mesures de prévention. Encore faut-il pouvoir les convaincre de la réalité du danger... La principale résistance vient des autorités militaires américaines qui se refusent à céder devant la menace d'un petit volcan. Les volcanologues américains envoyés aux Philippines doivent persuader un à un les différents officiers des bases. Pour certains, seule l'approche en hélicoptère des zones affectées par les explosions phréatiques, pourtant bien insignifiantes face au potentiel réel du volcan, les effraie assez pour leur faire changer d'avis. Les autorités philippines analysent la réaction américaine comme une volonté de se désengager militairement de leur pays, qui pourtant a bien besoin du loyer des bases... Prétexte ou crainte réelle de l'imminence de l'éruption ?

Cependant, on a retenu la leçon d'Armero et tout est fait pour convaincre. La cassette vidéo, qui décrit les différents risques volcaniques, est visionnée. L'utilisation de ce film a été fondamentale pour sensibiliser les autorités philippines et toute la population. À chaque projection, la cassette est dupliquée et bientôt plus de 80 copies tournent dans la région pour expliquer en images ce qui pourrait se produire au Pinatubo et quelles pourraient être les conséquences d'une telle éruption. Dès cet instant, les efforts des scientifiques se portent non seulement sur l'observation du volcan mais encore sur une politique de communication accrue auprès des autorités et des populations concernées.

À partir du 3 juin, les événements s'accélèrent. Explosions, retombées de cendres, activité sismique s'intensifient. Également le 3 juin, Maurice et Katia Krafft, Harry Glicken et une quarantaine de Japonais sont tués par une explosion du volcan Unzen sur l'île de Kyushu. Cette nouvelle provoque un véritable électrochoc tant pour les militaires américains que pour les autorités philippines. Le 5 juin, les volcanologues décident de passer au niveau d'alerte n° 3 qui implique une « éruption possible dans les deux semaines ». Le 6 juin, on mesure une déformation importante du sommet qui se gonfle de plus en plus. On commence à craindre un scénario du type Mont Saint Helens...

Le 7 juin, une violente explosion rejette un panache de cendres et de vapeur jusqu'à sept kilomètres d'altitude. Le niveau d'alerte n° 4 (« éruption possible dans les 24 heures ») est déclenché et de nouvelles évacuations ont lieu au pied du volcan. Si convaincre les populations locales s'avère maintenant plutôt chose aisée, il reste en revanche à localiser les Aetas qui vivent dans la forêt. Ce sont les sœurs franciscaines qui entreprennent de les rassembler pour les encourager à rejoindre les camps de réfugiés. Les autorités militaires des deux bases américaines se laissent, elles aussi, peu à peu persuader.

Du 8 au 12 juin, on observe au sommet du volcan la croissance d'un dôme accompagnée d'explosions qui rejettent en permanence des cendres. Le 9 juin, le niveau d'alerte n° 5 est décrété. On atteint le stade d'une « éruption en cours ». Le rayon de la zone d'évacuation est porté à 20 kilomètres. 25 000 personnes sont déplacées. Le lendemain, sous les chutes de cendres et dans les grondements des premières coulées de boue qui passent à proximité, 14 000 militaires américains évacuent Clark Air Base. Les volcanologues restent sur place pour continuer à surveiller le volcan.

De grandes explosions

La première grande éruption explosive se produit le 12 juin. Haut de plus de 19 kilomètres, le panache de cendres est accompagné de petites coulées pyroclastiques affectant le nord du volcan. Le rayon de la zone d'évacuation est porté à 30 kilomètres. 58 000 personnes sont évacuées.

Du 12 au 15 juin, de telles explosions se multiplient. On ne distingue tellement plus la montagne qu'on peut se demander si la nuit est tombée ou si les cendres, si nombreuses, obscurcissent l'atmosphère. Ces explosions sont uniquement connues par les signaux sismiques qu'elles génèrent tandis que les panaches ne sont alors détectés que grâce aux radars encore en fonction à Clark Air Base.

Le 14 juin, le temps s'éclaircit, ce qui permet d'apercevoir le sommet du volcan. Le 15 au matin, des explosions se font

Le pont principal d'Angeles City a été coupé par le déferlement de coulées de boue dues au lessivage par les pluies des pentes chargées de cendres du Pinatubo. Routes et villages ont été détruits jusqu'à 60 kilomètres du volcan.

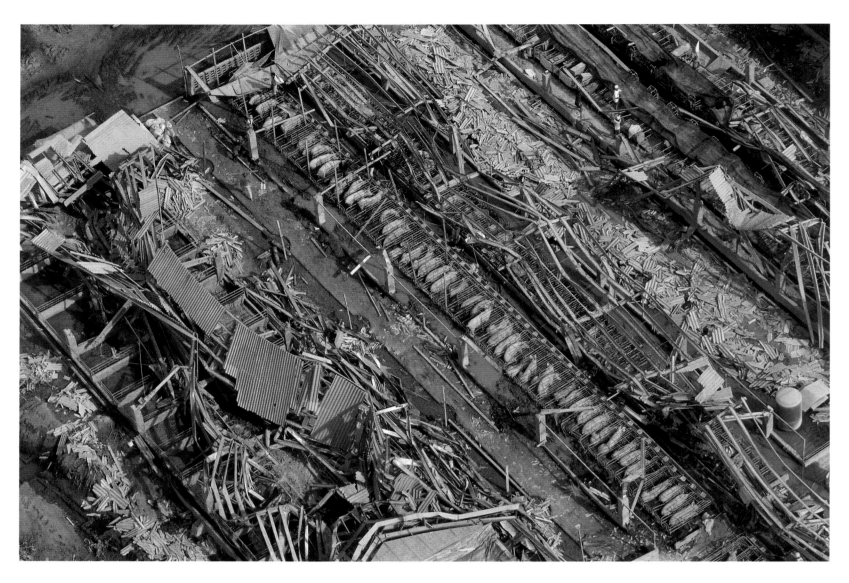

Dégâts dans
une porcherie
industrielle, dus
aux retombées
de cendres
du Pinatubo.

entendre et s'étendent plutôt latéralement, comme si elles sortaient de la base du dôme. Pourraient-elles annoncer un effondrement de celui-ci ? L'alerte est encore renforcée, on évacue toujours.

Jusqu'à présent, un vent d'est soufflait et préservait l'île de Luzon des retombées de cendres. À l'approche d'un typhon, les vents tournent et, avec eux, les chutes de cendres commencent à affecter le centre de l'île. Nombreux sont ceux qui quittent spontanément la région.

Le 15 juin, à 14 h 30, la nuit tombe en plein jour. À ce moment, un seul sismographe fonctionne encore sur le volcan. Tous les autres, situés près du cône, ont déjà été détruits par des coulées pyroclastiques dont certaines ont atteint la base de Clark, où sont établis les volcanologues. Des cendres d'un diamètre de près de 4 centimètres retombent à 20 kilomètres du cratère. Des brusques variations de la pression atmosphérique montrent qu'une gigantesque explosion est en cours.

Des cendres recouvrent maintenant toute la région. Ce sont elles qui obscurcissent la lumière du soleil. Les radars et les satellites mettent en évidence l'importance de l'explosion qui engendre ce gigantesque panache de cendres haut de plus de 30 kilomètres. Dans la stratosphère, ce panache s'élargit en un champignon de plus de 400 kilomètres de diamètre. À une telle altitude, les cendres sont emportées par des vents qui les répandent sur la presque totalité du globe terrestre.

Pour accompagner ces phases explosives, des coulées pyroclastiques débordent du cratère et dévalent toutes les pentes du volcan. Les unes après les autres, elles comblent les vallées, gomment le relief, s'accumulent pour créer un autre paysage. Sous ce manteau de lave, la forêt, les villages évacués et les quelques Aetas que l'on n'avait pu joindre ou qui avaient refusé de partir.

Alors que le volcan est à son plus haut niveau d'activité, le typhon Yunya touche l'île. Il accentue tous les méfaits dus à l'éruption. Mais là où le typhon aggrave considérablement la situation, c'est lorsque les pluies violentes qui s'abattent alourdissent le poids du manteau de cendres couvrant toute la région — les pylônes électriques se brisent, les toits des maisons s'effondrent, causant un grand nombre de victimes — et forment des lahars, provoquant d'importants dégâts jusqu'à plus de 40 kilomètres du cratère.

Fin juin 1991, le volcan est toujours actif mais son panache de cendres ne monte plus « qu'à » 15 ou 20 kilomètres de hauteur. Il est alors possible de s'approcher quelque peu de la zone et de faire un premier bilan.

Tout le sommet du volcan a disparu. À sa place, on trouve maintenant une profonde caldeira de 2 kilomètres de diamètre. Un manteau de cendres de 10 centimètres à un mètre d'épaisseur couvre une zone de 4 000 kilomètres carrés, bien que la plus grande partie de ces cendres soit retombée en mer de Chine. Le volume total des dépôts de tephra est estimé à 3 ou 4 kilomètres cubes.

Tous les flancs du volcan ont été recouverts par de très importantes coulées pyroclastiques. L'épaisseur des dépôts est remarquable. Dans un rayon de 16 kilomètres autour du cratère, elle atteint de 50 à 200 mètres. Le volume estimé de ces coulées est de 6 à 7 kilomètres cubes. Toute végétation a disparu, les vallées sont comblées, les rivières se creusent de nouveaux lits. Le territoire des Aetas a été rayé de la surface de la terre. L'étude de tous ces dépôts montre qu'ils proviennent vraisemblablement de l'émission de 4 à 5 kilomètres cubes de magma dense, soit plus de 10 fois ce que l'on avait connu au Mont Saint Helens.

Si cette éruption est à l'origine de la plus grande évacuation jamais organisée, c'est aussi parce qu'elle est certainement la plus importante du XXe siècle. Plus de 300 000 personnes ont dû quitter la zone. On déplore la mort de 300 personnes, mais le nombre de victimes aurait vraisemblablement atteint 15 ou 20 000 morts sans cette évacuation. Ces vies humaines ont été sauvées grâce à une parfaite maîtrise de la crise par les équipes volcanologiques mais surtout grâce à une étroite collaboration entre celles-ci et les autorités du pays. Une bonne compréhension des décisions prises par la population intéressée a aussi été primordiale. Il ne fait aucun doute que ce constat n'aurait pu être dressé si la circulation de l'information n'avait pas été aussi efficace entre les différentes instances. L'excellente gestion de cette catastrophe du Pinatubo en fait certainement une éruption « modèle » pour des événements à venir en d'autres points du monde. La confirmation n'allait pas tarder à arriver…

D'UN RISQUE ANTICIPÉ À UN RISQUE MAÎTRISÉ

Située dans le fond d'une grande caldeira volcanique sur le bord de laquelle se dressent deux volcans actifs, Tarvurvur et Vulkan, la ville de Rabaul, en Papouasie-Nouvelle-Guinée, compte 30 000 habitants. Tout le monde ici connaît bien les risques volcaniques : la ville a été déjà détruite presque entièrement en 1878, puis à nouveau en 1937. Elle connut encore une éruption en 1943. Depuis, les volcans sont surveillés avec attention par un observatoire.

En 1992, une très sérieuse crise volcanique commence. Les scientifiques la suivent avec attention, la population également. Une très bonne communication se met en place, des cartes de risques sont dressées et publiées, tous les habitants sont mobilisés, avertis des dangers possibles, informés des contre-mesures nécessaires. L'évacuation de la ville est planifiée et répétée. Pour une fois, les mesures préventives ont largement été prises mais l'éruption ne vient pas. Le magma suspend son ascension sous la caldeira et la situation retourne au calme.

Septembre 1994. Une nouvelle crise s'amorce. Les signaux précurseurs sont clairs, bien analysés par les scientifiques mais également ressentis et discutés par la population. La pression du magma sous la caldeira est telle que les déformations engendrées haussent des bancs de coraux au-dessus du niveau de la mer. Parallèlement, de nombreux séismes se font ressentir dans toute la zone. C'est tellement impressionnant que les habitants de Rabaul, mis en garde par la crise de 1992, évacuent spontanément la ville en bon ordre. Quelques heures plus tard, scientifiques et autorités décident d'un ordre officiel d'évacuation qui s'adresse à une ville déjà déserte. La ville est entourée de deux volcans qui entrent ensemble en éruption. Rabaul est détruite à 80 %. Aucune victime n'est à déplorer.

Pendant l'éruption, le Pinatubo crachait des volumes de cendres tels que, en plein jour, dans un rayon de 80 kilomètres autour du volcan, le paysage était parfois plongé dans une obscurité totale.

Page 217. Près du lac Turkana, un édifice volcanique a été tranché par l'une des fractures du rift africain. Kenya.

Pages 218-219. Ascension des pentes sommitales du volcan Ol Doinyo Lengaï, avant l'arrivée au bord du cratère. Malgré le caractère fluide des laves, ces pentes sont raides en raison des nombreux épisodes explosifs qui ont construit le cône du Lengaï. Tanzanie.

Pages 220-221. Le volcan Cotopaxi est le plus haut volcan actif du monde (5 911 mètres). Couvert de glaciers, son cratère sommital mesure 800 mètres de diamètre par 650 mètres de profondeur. En 1877, les lahars se sont écoulés à plus de 100 kilomètres du volcan vers le bassin amazonien et la côte Pacifique. Sa dernière éruption date de 1904. Équateur.

Pages 222-223. Trois jours après avoir quitté la mer, la procession de la cérémonie hindouiste de Panca Wali Krama, chargée d'offrandes, atteint le temple de Besakih au pied du volcan Agung. Bali. Indonésie.

Pages 224-225. À la surface d'une coulée de lave lisse se crée rapidement une peau refroidie qui reste suffisamment souple pour être plissée par le courant sous-jacent. Volcan Kilauea. Hawaii.

Pages 226-227. Forêt tropicale d'altitude qui recouvre les flancs des édifices volcaniques de l'île de la Réunion.

Pages 228-229. Début du travail d'érosion par les eaux de ruissellement qui creusent des canyons sur les dépôts des coulées pyroclastiques à proximité du volcan Pinatubo, juste après l'éruption de 1991. Philippines.

Pages 230-231. Le volcan Erta'Alé contient un lac de lave en fusion permanente. C'est l'un des trois seuls volcans au monde à posséder un tel lac. Afar. Éthiopie.

Pages 232-233. Effondrement de la voûte dans le glacier à la verticale du point de sortie de l'eau de la caldeira de Grimsvötn. Vatnajökull. Islande.

Pages 234-235. Exercice d'évacuation du volcan Sakurajima. Au port d'évacuation, en attendant les bateaux, les enfants protégés par des casques sont rassemblés dans un bâtiment conçu pour résister aux chocs sismiques, aux chutes de cendres ainsi qu'aux bombes volcaniques. Japon.

Pages 236-237. La nuit tombe sur le volcan Merapi. À l'arrière-plan, au-dessus des nuages, on aperçoit le volcan Merbabu. Indonésie.

Pages 238-239. Au pied du pic Toussidé, se trouve la caldeira du Trou-au-natron, 6 kilomètres de diamètre. 700 mètres de profondeur, où les Toubous, population saharienne du Tibesti. viennent prendre des bains curatifs dans les sources d'eau chaude du cratère. Tibesti. Tchad.

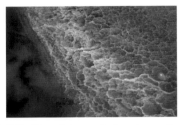

Pages 240-241. Vue aérienne du lac de soude de Magadi. Kenya.

Pages 242-243. Fissure éruptive d'une longueur de 2 kilomètres avec ses fumerolles et sa rivière d'eau chaude. à l'issue de l'éruption sous-glaciaire du Vatnajökull. Islande.

Pages 244-245. Région de Landmannalaugar. Islande.

Pages 246-247. Bassin au pied d'une cascade de 45 mètres dans le canyon de Bras-Rouge. Les colorations ocres sur la paroi correspondent à des dépôts de sel ferrugineux mis en place par des sources chaudes passant sous les coulées de lave massive entaillées par la cascade. Île de La Réunion.

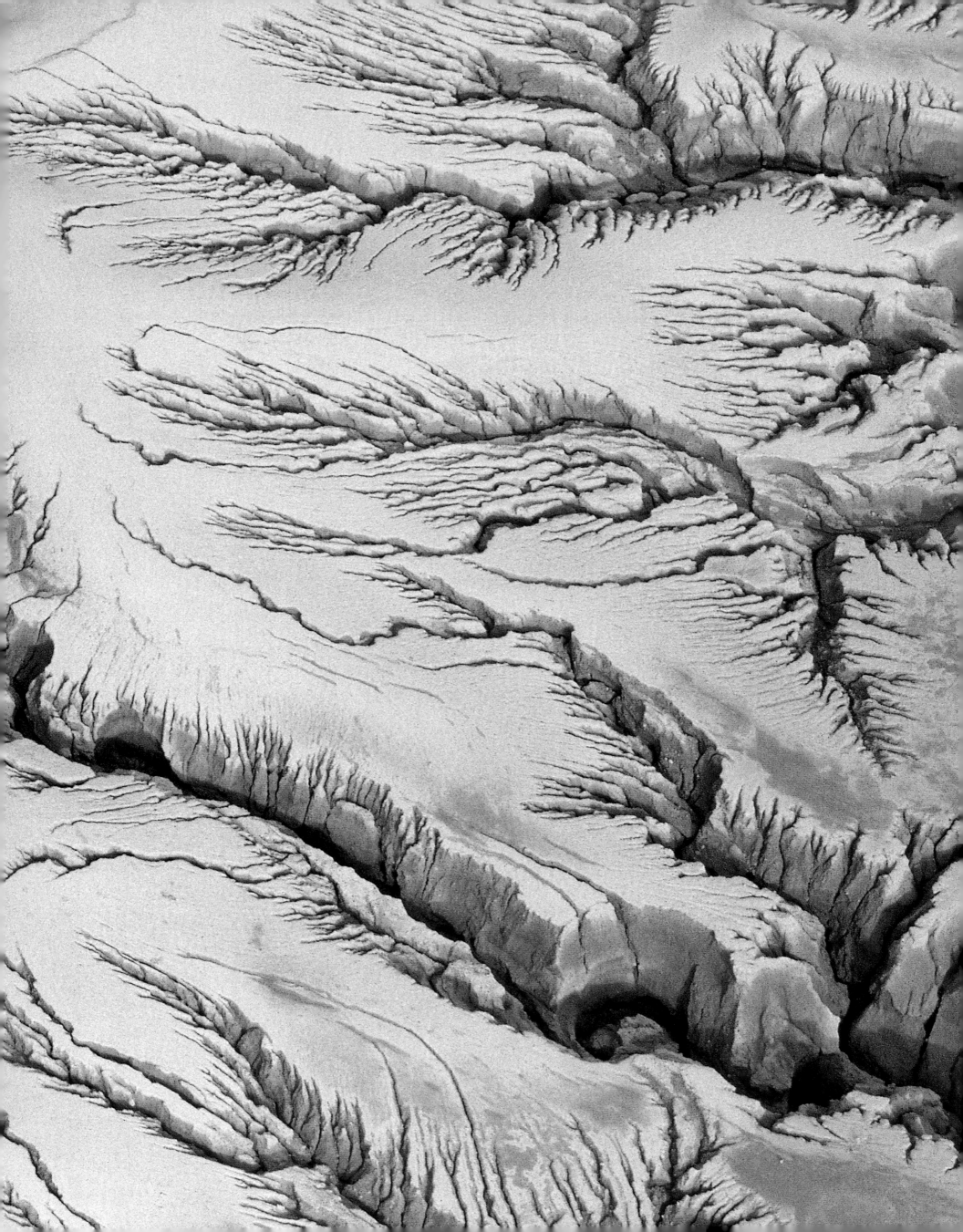

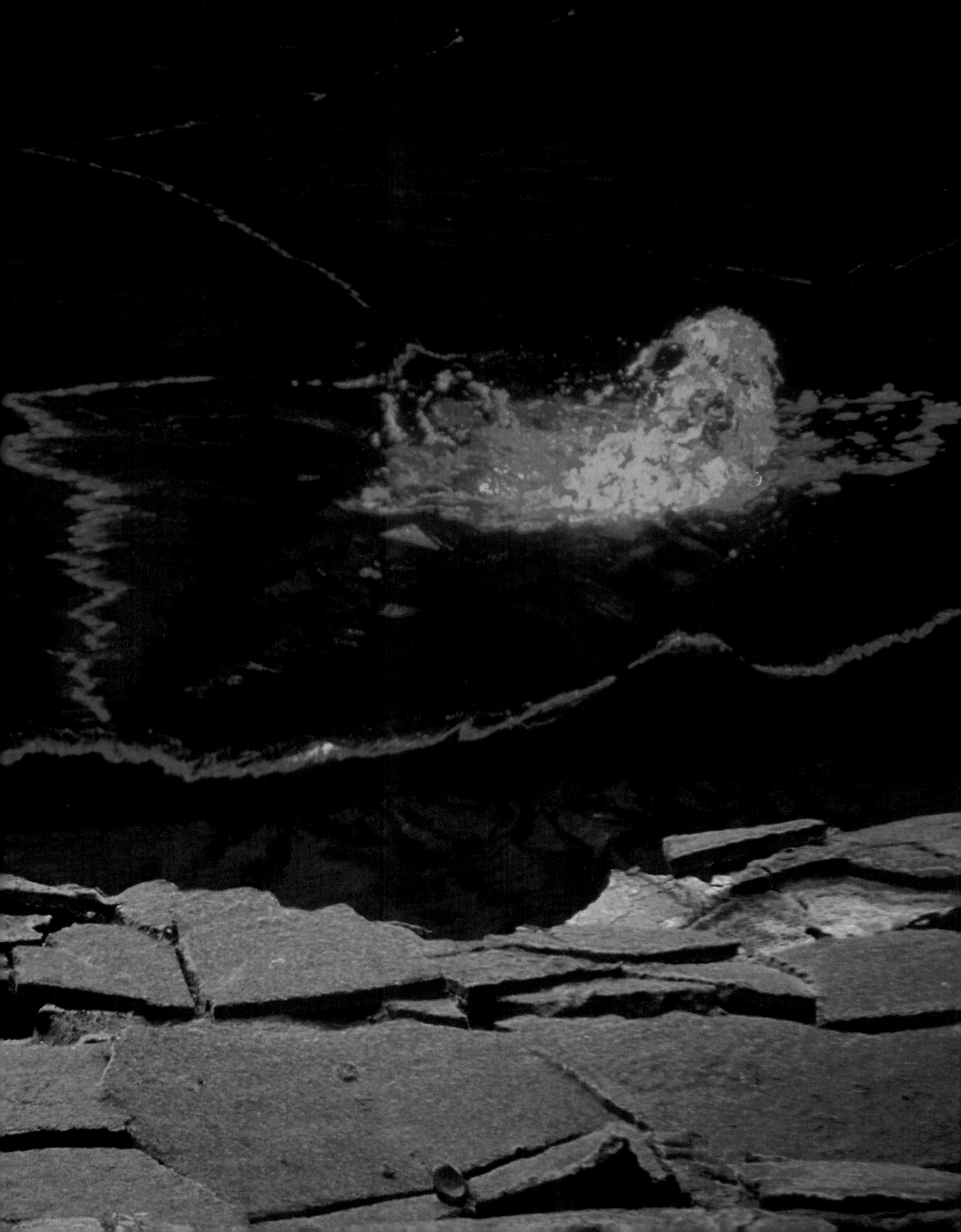

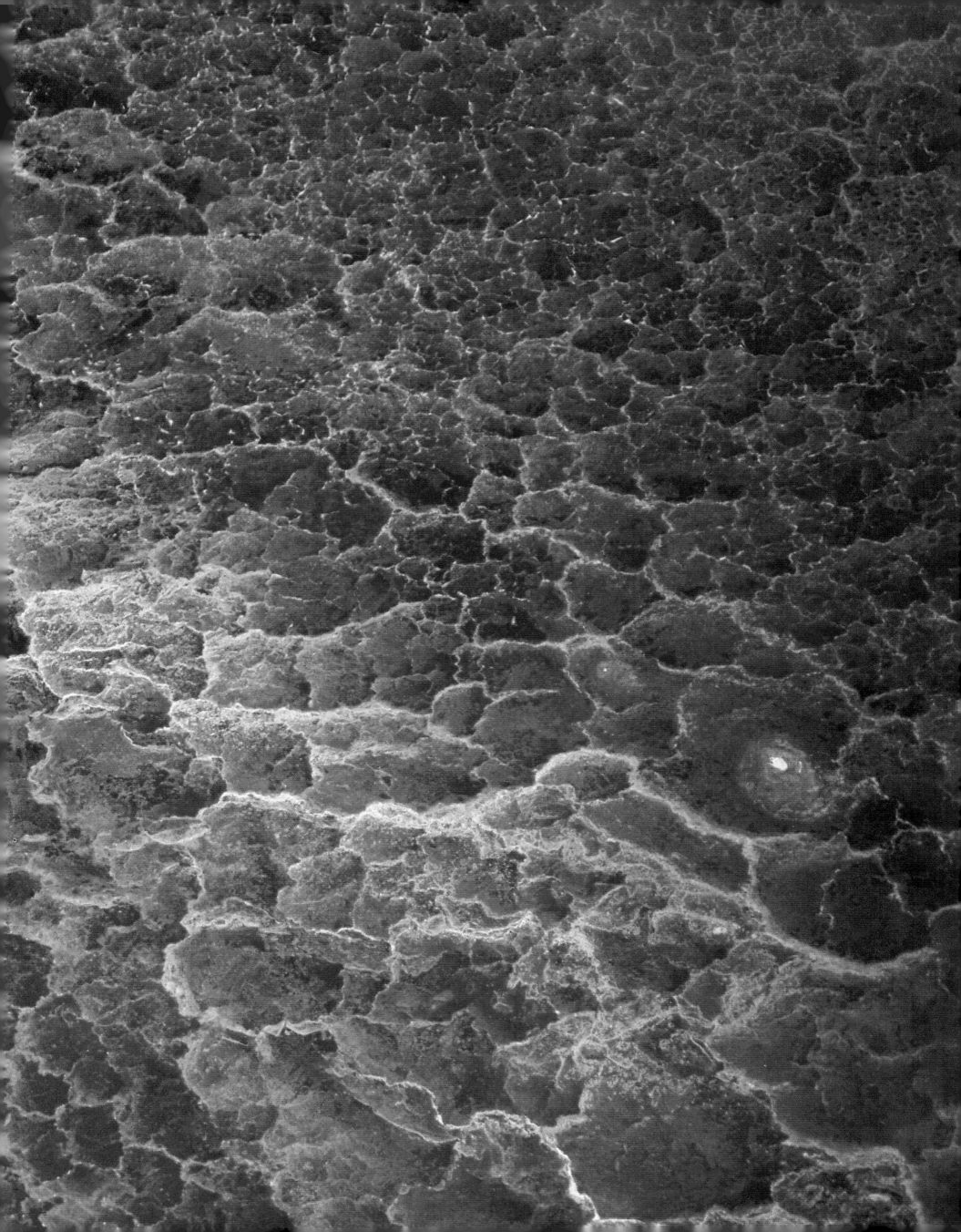

COEXISTENCES

QUAND LES VOLCANS S'ATTAQUENT AUX AVIONS

Longtemps, les pilotes et les volcanologues n'ont pas eu grand-chose à se dire. Pour les pilotes d'avion, les volcans étaient des éléments remarquables du paysage, repères le long de certaines routes ou attractions que l'on pointait aux passagers. Pour les volcanologues, l'avion était surtout le moyen le plus commode de se rendre sur le terrain, voire un moyen d'observation des édifices volcaniques, des caldeiras et des coulées.

Le trafic aérien s'est largement développé depuis une vingtaine d'années dans un souci constant de desservir un réseau toujours plus dense. De nombreux volcans sont ainsi survolés, parfois dans des régions très isolées. Quelques incidents au cours de ces survols ont montré qu'il était temps que pilotes et volcanologues se parlent.

Le 23 juin 1982, au centre de l'île de Java, le volcan Galunggung se réveille. En une explosion formidable, il émet un panache de cendres qui monte rapidement à plus de 15 kilomètres d'altitude. Un Boeing 747 qui assure une liaison entre la Malaisie et l'Australie survole le territoire indonésien. Aucune information n'apparaît sur les écrans de contrôle jusqu'à ce que l'appareil se retrouve entouré par d'innombrables arcs électriques. Toute l'électronique de bord tombe en panne, de la poussière pénètre dans la cabine et une forte odeur de soufre s'y répand. Après que de violentes turbulences ont secoué l'appareil, un, puis deux, puis les quatre réacteurs s'arrêtent. Privé de moteurs, l'avion plonge en une chute vertigineuse.

Les pilotes essaient de le stabiliser tout en s'efforçant de remettre les moteurs en marche. L'avion est déjà tombé de 12 000 à 4 000 mètres d'altitude. La situation semble complètement désespérée et le crash, au sol ou en mer, est imminent. Dans sa chute, l'appareil rencontre une couche d'air plus dense et surtout plus riche en oxygène. Après plusieurs tentatives, un premier moteur se remet péniblement à fonctionner. Quelques centaines de mètres plus bas, deux autres moteurs redémarrent. Le Boeing retrouve un peu de puissance et parvient à s'approcher de l'aéroport de Jakarta. Sans parvenir à apercevoir la piste, malgré les éclairages, les pilotes réussissent à se poser.

Le soulagement intense ne masque pas longtemps les interrogations concernant les causes de l'incident. En vitesse de croisière, c'est-à-dire à plus de 800 kilomètres/heure, l'appareil a traversé le panache de cendres du Galunggung. À cette vitesse, cela équivaut à passer l'avion à la sableuse. La peinture de la carlingue a disparu, les bords d'attaque des ailes, des ailerons, du gouvernail sont profondément érodés, tous les capteurs techniques et les prises d'air sont hors d'usage, le pare-brise est complètement dépoli, empêchant toute visibilité. Mais plus touchés encore sont les quatre moteurs. La cendre volcanique a été injectée avec l'air dans les turbines et la chambre de combustion. La température y atteint 1 000 °C. Sachant que les cendres volcaniques fines fondent à environ 700 °C, il n'est pas surprenant qu'elles aient fondu puis bouché toutes les arrivées d'air par une couche de céramique vitreuse...

Trois semaines plus tard, le 13 juillet 1982, une autre explosion du Galunggung envoie un panache de cendres à la rencontre d'un autre Boeing 747. Le même scénario se reproduit. Perdant la puissance de deux moteurs, il chute de plus de 2 000 mètres avant que les pilotes ne parviennent à le rétablir et à le poser à Jakarta. Encore une fois, on est passé très près de la catastrophe.

Après ces deux incidents, les autorités et les compagnies aériennes s'interrogent sans parvenir à des conclusions satisfaisantes. On déplore néanmoins que les radars de bord ne puissent déceler ces panaches de cendres. Il est cependant décidé de retransmettre aux autorités de l'aviation civile les bulletins d'alerte concernant les éruptions volcaniques. Malgré la préoccupation des transporteurs, leurs réactions et leurs décisions les montrent peu enclins à collaborer. Il est vrai que le volcan qui a frappé par deux fois est exotique et bien loin du monde moderne.

Le 15 décembre 1989, en Alaska, dans la salle de surveillance de l'observatoire volcanologique nouvellement construit, les sismographes enregistrent des signaux importants. Le volcan Redoubt vient d'entrer en éruption. L'aviation civile est aussitôt prévenue afin d'adresser des messages d'alerte aux diverses compagnies.

Il s'avère qu'un Boeing 747, en partance d'Amsterdam pour Tokyo par la route circumpolaire, descend vers Anchorage pour refaire le plein de carburant. Averti de l'éruption, le pilote prend des précautions pour éviter le nuage de cendres dont il a été prévenu. C'est le lever du soleil, la journée s'annonce claire, chose rare en cette région, et personne n'aperçoit de panache éruptif. Brusquement, l'avion se retrouve dans une obscurité complète provoquant le déréglement de tous les instruments de bord. Les pilotes modifient rapidement leur route pour s'échapper des cendres, mais il est déjà trop tard, les quatre moteurs s'arrêtent. L'avion est encore à près de 8 000 mètres d'altitude quand il commence à tomber. Après plus de 3 000 mètres de chute, les moteurs redémarrent péniblement et les pilotes parviennent à se poser à Anchorage. Une fois encore, une catastrophe a été évitée de justesse.

À gauche :
Après 600 années de silence, le Pinatubo entre en éruption en juin 1991. Les panaches de cendres s'élèvent à près de 30 kilomètres d'altitude.

Ci-dessous :
Surveillance par satellite d'un panache de cendres au-dessus des îles Aléoutiennes.

Sur les pentes du volcan Tokachi (île d'Hokkaido), les ingénieurs et volcanologues japonais ont construit le plus grand *Cribble Dam* du monde. Long d'un kilomètre, il protège la ville, située dans la plaine, des coulées de boue en cas d'éruption.

Tous les dommages de l'avion sont soigneusement recensés et l'on retrouve les mêmes dégâts qu'après l'incident du Galunggung : cendres fondues et vitrifiées dans les moteurs, abrasion, etc. Les dommages sont chiffrés. Les réparations s'élèvent à un montant de 550 millions de francs sur un avion qui en coûte 980 !

Ce nouvel accident a un large retentissement et des conséquences non négligeables. Cette fois, l'incident a eu lieu dans un pays développé et non pas dans une localité « exotique ». On réalise surtout que ce type de catastrophe, sans compter les risques très réels pour les passagers, a un coût financier très lourd pour les compagnies aériennes concernées. En plus, il a touché un vol qui empruntait un des plus importants couloirs aériens du monde. Celui que l'on appelle la route du pôle Nord, qui dessert tout le Sud-Est asiatique, est un des plus fréquentés. Près de 200 avions passent ici chaque jour, transportant quelque 17 000 passagers. Les volcans survolés sont très nombreux. On compte 40 volcans actifs en Alaska, 30 au Kamchatka, 30 autres dans les îles Kouriles, soit un total de 100 volcans potentiellement éruptifs qui se répartissent le long de cette trajectoire. Si l'on considère que, sur l'ensemble de ces volcans, 4 ou 5 éruptions se produisent chaque année, que chaque éruption engendre des panaches de cendres, il était normal que, dans ce contexte, l'observatoire volcanologique d'Alaska, situé à Anchorage, s'intéresse activement au problème. Il est ainsi devenu un des quatre centres mondiaux de surveillance des panaches volcaniques.

En attendant le lancement de satellites spécifiques, qui sont aujourd'hui en fabrication selon les recommandations des scientifiques de l'observatoire, les spécialistes du traitement des images satellites utilisent les informations fournies par les météorologues pour faire un tracé des panaches de cendres. Ils sont suivis heure par heure et leur trajet anticipé d'après les prévisions météorologiques. Ces informations sont distribuées mondialement aux pilotes, pour assurer un maximum de sécurité.

Car le problème réside bien là. Encore une fois, les volcans ne sont pas dangereux par eux-mêmes, mais les risques, très réels, sont induits par le comportement de l'homme. Le maillage très dense du trafic aérien fait que l'on survole aujourd'hui des volcans dangereux de régions autrefois éloignées et méconnues. La fréquence des vols augmente les risques auxquels s'exposent les avions. La nature même des appareils, très sophistiqués, dont le bon fonctionnement repose entièrement sur l'électronique, les rend beaucoup plus fragiles. Dans tous les incidents relatés, on a observé des pannes de l'électronique de bord et des systèmes de navigation. Si les moteurs à explosion classiques des avions à hélices, qui possèdent des filtres à air, n'ont jamais été endommagés dans le passé, il n'en est plus de même avec les réacteurs modernes qui engouffrent d'énormes quantités d'air, donc de cendres.

Toutes les informations, rassemblées par l'observatoire d'Alaska et relayées mondialement par différents réseaux, sont utilisées pour fixer des zones d'exclusion où tous les vols sont interdits et pour définir de nouvelles routes aériennes dont le tracé dépend des activités éruptives. Réponse moderne à un risque moderne. Les satellites viennent au secours des avions menacés par les volcans.

JAPON : LA TECHNOLOGIE
AU PIED DES VOLCANS

Pour le monde entier, le Japon évoque très souvent l'image du Fuji-Yama. Dans l'archipel japonais, les volcans et les hommes sont obligés de coexister. Par manque d'espace, les pentes de volcans sont construites et exploitées. Dans de nombreuses régions, de grandes villes, devenues des mégalopoles au cours des siècles, se dressent à seulement quelques kilomètres des cratères actifs. Ainsi, la civilisation japonaise a appris à vivre depuis longtemps avec les risques volcaniques. Elle apporte aujourd'hui à ce problème une réponse originale.

Il convient tout d'abord de rappeler que ce pays de volcans fait partie intégrante de ce que l'on appelle la ceinture de feu du Pacifique. Toute la périphérie de la plaque pacifique est constituée de zones de subduction et le volcanisme associé est toujours de type explosif, donc dangereux. Face à ce risque très direct, la seule réponse est l'éloignement du volcan menaçant. C'est pourquoi les volcanologues japonais ont multiplié les systèmes de surveillance et d'alarme qui permettent de déclencher les évacuations nécessaires. Parallèlement, ils ont mené une politique de protection active des biens et des vies face au principal risque que représentent les coulées de boue au pied des volcans. Ici aussi, la leçon d'Armero détruite par les lahars du Nevado del Ruiz a été suivie de faits.

L'exemple le plus frappant se situe à Hokkaido, au pied du volcan Tokachi. L'île d'Hokkaido, au nord de l'archipel japonais,

connaît un climat froid, très froid. En hiver, il est fréquent d'y trouver plusieurs mètres de neige. Ce manteau neigeux amplifie le risque volcanique puisqu'une éruption réchauffe le volcan ou fait tomber sur de vastes surfaces des cendres chaudes. Dans les deux cas, la fusion du manteau neigeux provoque une décharge rapide de grandes quantités d'eau qui, mêlées à des cendres juvéniles ou à des dépôts anciens non stabilisés, peuvent être à l'origine de lahars destructeurs.

Furano, la ville moderne située au pied du volcan, à l'instar d'Armero en Colombie, est construite dans une plaine, au débouché d'une vallée étroite qui descend droit du volcan. Les volcanologues japonais ont fait le voyage en Colombie et, au vu des dégâts, ont fait œuvrer leurs ingénieurs.

Il en résulte diverses solutions technologiques impressionnantes. Tout le long de la vallée qui mène du volcan à la ville se succèdent des séries de digues qui sont autant d'obstacles opposés à la course des coulées de boue. Les deux digues les plus en amont sont deux énormes grilles de tubes d'acier qui forment un crible de près de 7 mètres de haut, longs respectivement de 700 mètres et de 1 000 mètres. Ces filtres gigantesques sont conçus pour retenir blocs de rochers et troncs d'arbres emportés par les coulées. En effet, ces objets massifs qui, avec le lahar, se déplacent à vitesse élevée, se transforment en projectiles balistiques particulièrement destructeurs. Il convient donc de les arrêter au plus vite. Plus bas, des digues de béton en chicanes brisent l'élan des flots de boue. Elles sont prises en relais par d'autres digues « filtres » qui ferment de très grands bassins de sédimentation. Dans ces bassins vont se précipiter des éléments de petite granulométrie (cendres, sable, graviers…) qui augmentent fortement la densité de la masse liquide en mouvement.

Après l'action successive de toutes ces digues, il ne devrait plus rester, du lahar originel qu'un flot d'eau torrentueux. Celui-ci est alors dirigé vers des canaux dont les hautes berges de béton vont le contenir et le dériver loin des zones habitées. Des capteurs automatiques de pression sont installés sur chacun des ouvrages. Leur déclenchement fait sonner une alarme dans la partie basse de la vallée. Des caméras automatiques surveillent également digues, bassins et canaux. Toutes les informations sont relayées en temps réel par un centre de surveillance ultramoderne, véritable tour de contrôle qui domine l'exutoire de la vallée menaçante et la ville de Furano. Il a été calculé que, après leur déclenchement sur les flancs du volcan, les coulées de boue mettent quelques dizaines de minutes pour atteindre la ville. À partir du centre de contrôle, dès les premiers signaux reçus par les capteurs, les autorités de la protection civile lancent une alerte auprès de la population. Bien documentée et renseignée, mobilisée par plusieurs exercices en situation, celle-ci sait exactement où et comment évacuer. Pour ceux qui ne peuvent quitter en quelques minutes les parties basses de la ville, celles-ci étant trop éloignées des collines avoisinantes, il a été construit des plates-formes artificielles surélevées de quelques mètres au-dessus du niveau du sol.

Ces plates-formes comptent chacune, outre un grand parking et de vastes terrains de regroupement, un bâtiment central offrant des espaces et du matériel d'hébergement (matelas, couvertures, etc.), une cuisine équipée et approvisionnée, des salles de réunions et de conférences, un centre de communication ainsi qu'un centre médical. Le tout entièrement autonome en

Disséminés dans chaque vallon aux alentours du volcan Tokachi, des *Sabo Dam* ont été érigés par les ingénieurs japonais afin de pouvoir, si nécessaire, retenir les lahars.

matière d'énergie. Plusieurs aires d'atterrissage d'hélicoptères sont également prévues à proximité.

Cette réponse technologique complète, qui associe digues, dispositif d'alerte et centres d'évacuation, n'a pas encore eu à fonctionner, mais, inspirée des expériences des plus récentes catastrophes volcaniques, il y a fort à parier qu'elle sera extrêmement efficace.

Remarquons cependant qu'il y a des limites à une telle technologie et que ce modèle n'est pas forcément exportable à d'autres civilisations. Vu que le Japon est un pays très discipliné, on peut s'attendre à ce que la population réponde avec zèle et rapidité à un ordre d'évacuation. C'est seulement à ces conditions que l'on peut se permettre de miser sur des évacuations d'urgence. De telles infrastructures, qui représentent un coût de plusieurs milliards de francs, n'auraient par ailleurs pu être entreprises si le Japon n'avait pas été un pays riche. Il n'est pas concevable que des pays en voie de développement puissent faire face à de telles dépenses, surtout s'ils comptent plusieurs volcans menaçants sur leur territoire. Le modèle subit alors certains aménagements. D'après les plans japonais, des digues anti-lahars sont construites dans plusieurs vallées de la base du Merapi en Indonésie. Ici, le manque de ressources financières est pallié par une ingéniosité naturelle et une main-d'œuvre surabondante. Telles les pyramides ou la grande muraille de Chine, les énormes barrages sont construits à la main, pierre par pierre, par des centaines de travailleurs. On arrache des roches massives prisonnières des anciennes coulées et on les débite grossièrement. Les

blocs sont ensuite hissés au sommet de hauts échafaudages en bambou et assemblés grâce à du mortier gâché avec le sable des coulées de boue précédentes. Miracle du recyclage, les Indonésiens se défendent du volcan en utilisant le matériel de l'éruption précédente !

Dans le volcanisme andésitique de la ceinture de feu du Pacifique, on apprend à vivre à proximité des volcans. Certains sont également très explosifs et, malgré cela, une population nombreuse continue de vivre à leur pied. Dans l'île de Kyushu, au sud du Japon, le Sakurajima est en éruption quasi permanente et, plusieurs fois par an, ses violentes explosions ébranlent villes et villages qui l'entourent. Alors, ici aussi, on adopte un comportement spécifique dicté par ce dangereux voisin. Dès que l'on débarque dans la région, de nombreux détails insolites rappellent à qui l'oublierait le danger des explosions du volcan : ici, une cabine téléphonique est couverte par un abri en béton devant la protéger d'éventuelles chutes de bombes volcaniques, là, également, le lit de la rivière est coupé par différentes digues devant briser l'élan des coulées de boue. Plus loin, un panneau lumineux au bord de la route avertit les automobilistes des différentes chutes de cendres en cours et des limitations de visibilité qui en résultent. Tous les quelques kilomètres le long de ces mêmes routes se trouvent des abris en béton qui accueillent les voyageurs surpris par une explosion soudaine. Et, au bord de ces routes, on rencontre des groupes de maisons spécialement conçues pour résister aux tremblements de terre et pour ne pas s'effondrer sous

Dispositif unique au monde : un tunnel est creusé sous le volcan Sakurajima en direction de la cheminée d'alimentation. Il est truffé de capteurs qui suivent les moindres frémissements accompagnant la montée de la lave dans le cône.

le poids de cendres qui pourraient s'y accumuler. Les pentes des toitures sont calculées pour laisser glisser les cendres tandis que les chenaux sont surdimensionnés pour évacuer les mêmes cendres. Toute l'alimentation électrique est faite par câbles souterrains protégés tandis que des filtres spéciaux équipent les dispositifs de conditionnement d'air et de chauffage.

Le volcan et son activité sont complètement intégrés dans la vie des citadins et cela est spécialement visible tous les 12 janvier, date anniversaire de la grande éruption de 1914. C'est pour tous une journée générale d'entraînement et de mobilisation. Ce jour-là, toutes les forces d'intervention possibles sont mobilisées pour démontrer l'efficacité et la rapidité de l'action.

Après une première alarme, on simule un risque défini, généralement des explosions violentes du cratère sommital du volcan, des retombées de cendres et des coulées de lave au sud du volcan. Aussitôt, un PC opérationnel définit les mesures à prendre et mobilise tous les intervenants. La population civile, bien informée et entraînée, « joue le jeu » et, même s'il ne s'agit que d'une simulation, tout le monde prend son rôle au sérieux et réagit avec calme et diligence. Dès que la sirène de l'alerte retentit, sans panique, mais avec hâte et détermination, tous les élèves de l'école primaire de la ville se précipitent sous leurs pupitres, trouvant là un refuge momentané contre d'éventuels effondrements des toits des bâtiments ou encore contre les chutes de bombes volcaniques. Après quelques minutes d'attente, les enseignants

donnent des consignes précises. Chacun se relève alors, prend dans le vestiaire un casque qui y était soigneusement entreposé ainsi qu'un petit sac à dos contenant quelques affaires personnelles et un « pack » de survie obligatoire. Les enseignants, les spécialistes de la protection civile, des parents aussi, viennent encadrer les enfants et tous se pressent de rejoindre la rue centrale de la ville. Beaucoup de monde s'y retrouve. Ici, les enfants ne sont pas les seuls à évacuer, plusieurs groupes de civils s'entraînent aussi chaque année.

Sous le grondement des hélicoptères qui survolent la montagne pour y chercher la trace d'éventuels blessés, tout le monde descend en bon ordre vers le port d'Arimura. Là, un bâtiment qui ressemble à un *blockhaus* en béton, spécialement conçu pour résister aux chutes de bombes et de cendres volcaniques, sert de refuge et de lieu de rassemblement en attendant les bateaux d'évacuation. Un hôpital de campagne est monté sur le terrain de sport municipal, les responsables de la Croix-Rouge, sous la conduite de plusieurs médecins, y accueillent des blessés, aux fausses plaies barbouillées de rouge.

Toutes les informations recueillies sur leur état de santé sont utilisées par des accompagnateurs médicaux qui les orientent maintenant vers le moyen d'évacuation correspondant le mieux à leur situation. D'ici quelques instants, ils se retrouveront dans l'hôpital le plus apte à les soigner.

D'un autre côté, enfants et adultes, après s'être retrouvés dans les *blockhaus* des ports d'urgence et y avoir reçu les consignes nécessaires, se rangent en bon ordre sur les quais. Comme des coulées de lave sont annoncées, il faut quitter la zone. Un vrai et grand ferry se range rapidement le long du quai et, après un décompte rapide mais efficace, tout le monde monte à bord. En même temps, une station complète de télécommunications avec antennes satellites se monte. Malgré l'éruption, la zone ne sera pas coupée du reste du monde. Et, Japon oblige, il est même prévu un faisceau-image afin que le pays puisse suivre en direct à la télévision ce qui se passe sur le Sakurajima !

Cette « grand-messe » de la prévention a lieu tous les ans et est suivie avec beaucoup d'attention et de fierté par les diverses autorités japonaises. Si l'efficacité des infrastructures de digues et de barrages semble indiscutable, on peut émettre des réserves sur l'utilité de ces entraînements réguliers et systématiques. En effet, d'un côté, ils pourraient concourir à une sorte de banalisation du risque. D'un autre côté, cette parfaite organisation, extrêmement bien rôdée, très hiérarchisée, où il n'y a pas la place pour la moindre improvisation, risque d'être mise à mal par n'importe quel élément imprévu qui ne serait pas décrit dans le plan d'évacuation. Cet élément de surprise risque alors de « perturber » tout le système et de le faire s'effondrer comme un château de cartes.

LE VÉSUVE : LA CATASTROPHE DE DEMAIN

L'éruption de l'an 79 qui détruisit complètement Pompéi et Herculanum est connue sous le nom d'« éruption plinienne » en l'honneur de celui qui l'a si bien décrite. C'est aussi la plus grande et la plus violente activité éruptive jamais connue de l'époque historique. Cependant, alternant avec plusieurs phases de repos, le Vésuve a eu bien d'autres éruptions. Certaines ont été très violentes, comme l'éruption subplinienne de 1631. Une haute colonne de cendres a alors précédé l'émission de nuées

Exercice d'évacuation au pied du volcan Sakurajima : la population embarque à bord de bateaux qui doivent l'emmener vers le continent.

Les villages et les villes de la baie de Naples forment une gigantesque agglomération construite directement sur les pentes du Vésuve.

ardentes qui sont descendues jusqu'à la mer. Des pluies importantes ont également déclenché plusieurs lahars. Les villages d'Ottaviano, San Sebastiano et San Giorgio ont été complètement détruits. Il est tombé plus de 30 centimètres de cendres sur la ville de Naples. Cette éruption a fait, au moins, 4 000 victimes, alors que la région était relativement peu peuplée. L'intensité de l'activité, son côté spectaculaire mais également l'étendue des dégâts ont fait que cette éruption a été, en son temps, très « médiatisée ». Il en est fait mention dans nombre d'ouvrages, plusieurs gravures ont été tirées, des cartes des destructions et des dépôts éruptifs publiées.

Les activités éruptives qui ont suivi ont été fréquentes, la plupart du temps de moins grande amplitude, mais surtout sans coulées pyroclastiques destructrices et meurtrières. Elles ont présenté des dynamismes plutôt stromboliens avec projection de lambeaux de lave autour du cratère, panaches de cendres parfois volumineux et émissions de coulées de lave. Ces éruptions ont bien sûr, à différents moments, causé des dégâts. Vergers, vignobles, fermes ou même villages ont été détruits par les coulées de lave. Mais, somme toute, ces activités étaient bénignes par rapport à la catastrophe de 1631.

L'étude des dynamismes du passé, associée à l'évolution de la composition chimique des laves et à ce que nous savons du fonc-tionnement des chambres magmatiques, nous montre que l'on peut avoir trois types différents d'éruption du Vésuve. L'apparition de l'un ou l'autre de ces types est directement liée au temps de repos qui sépare les éruptions : les éruptions pliniennes de grande amplitude apparaissent après plusieurs siècles, voire un millénaire de repos ; les éruptions subpliniennes plus modérées prennent place après un ou quelques siècles d'inactivité ; les éruptions stromboliennes ou effusives se produisant à des intervalles de quelques années ou, au maximum, de dizaines d'années.

La dernière activité, qui remonte à 1944, semble avoir clos un cycle pour entrer dans une phase de repos. Combien d'années durera-t-elle ? Nul ne peut le dire aujourd'hui. Cependant, il y a tout lieu de croire que la prochaine éruption sera d'un type subplinien, et plus le temps passe, plus cette hypothèse devient vraisemblable. Dans tous les cas, le principe de précaution nous enjoint de fonder la prévention sur cette prévision et d'analyser les caractéristiques de l'éruption de 1631.

Depuis 450 ans, la baie de Naples a connu bien des changements. Naples, les villes et villages connexes forment aujourd'hui une énorme agglomération. Trois millions de personnes vivent dans un rayon de 30 kilomètres autour du volcan, un million de personnes vivent à moins de 7 kilomètres du cratère. La région est également devenue un très important nœud ferroviaire et

FUTURE ÉRUPTION DU VÉSUVE : Modélisation du développement dans le temps et dans l'espace de la nuée plinienne et des coulées pyroclastiques. (D'après Dobran et Macedonio.)

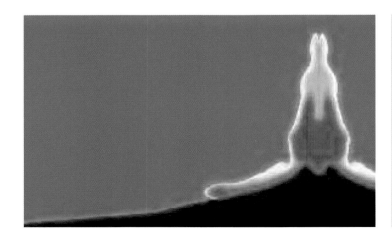
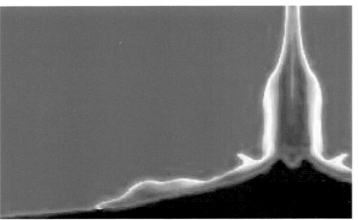

autoroutier, par lequel passent tous les échanges entre le sud et le nord de l'Italie. Toutes ces voies d'échanges sont coincées entre les pentes du volcan et la mer, soit à moins de 10 kilomètres du cratère.

On a donc modélisé l'éruption de 1631 et la reconstitution de son dynamisme montre que des coulées pyroclastiques atteindraient la mer Tyrrhénienne en moins de 300 secondes. Si l'on applique ce modèle sur le complexe urbain actuel, on décrit un scénario vraiment catastrophique. En cinq minutes, près de 400 000 personnes seraient tuées par des coulées pyroclastiques. Les routes, les autoroutes et les voies de chemin de fer seraient détruites. Le port et l'aéroport seraient immobilisés par les chutes de cendres. On ne pourrait plus se déplacer dans la région et les secours ne pourraient pas arriver sur place.

Il convient de remarquer que l'éruption atteindrait son maximum d'intensité en quelques minutes. Par conséquent, il est illusoire de penser qu'il suffirait de quitter la zone à l'instant où le volcan se manifesterait. Face à une telle force, seule une évacuation préalable de plus de 800 000 personnes pourrait éviter une catastrophe sans précédent. Mais elle ne peut se faire qu'à deux conditions. Anticiper l'éruption est une chose, encore faut-il obtenir une collaboration totale de la population pour mener efficacement l'évacuation.

Aujourd'hui, le Vésuve est sous haute surveillance et les scientifiques qui s'y intéressent croient pouvoir dire que des signes précurseurs de la future éruption apparaîtront au moins deux à trois semaines avant celle-ci. Cet intervalle est théoriquement suffisant pour organiser une évacuation.

Si la population n'était pas convaincue du bien-fondé des décisions prises, si elle n'avait pas une confiance totale dans les scientifiques et les autorités, la situation deviendrait vite chaotique. Il serait impossible de gérer la panique, les rumeurs, les refus de partir, le pillage, etc. Un gros effort de communication et d'éducation est donc fait en direction des populations menacées. Néanmoins, pour les Napolitains, le Vésuve demeure un volcan « gentil ». Ne l'ont-ils pas peint et chanté depuis si longtemps ? N'ont-ils pas accompagné des milliers de touristes à son sommet ? Il n'est pas facile alors, pour les scientifiques, de faire comprendre qu'un tel volcan puisse changer de comportement et devenir brusquement extrêmement dangereux. Il reste aux Napolitains San Gennaro, vers lequel ils se tournent lorsque la menace est trop grande !

Prévision juste et claire, bonne gestion de l'évacuation, communication et éducation efficace des populations, autant de défis à relever autour du Vésuve. Tout doit être fait pour que le XXIᵉ siècle ne connaisse pas la plus grande catastrophe volcanique de tous les temps.

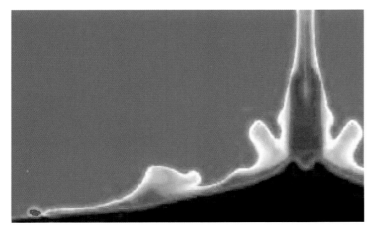
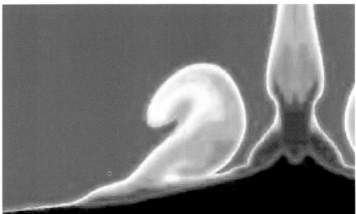

Pages 257. Statue du Christ partiellement recouverte de cendres lors de l'éruption du Pinatubo. Philippines.

Page 258. Procession de San Gennaro, ou saint Janvier, dans les rues de Naples. Italie.

Page 259. En Italie, la religion catholique n'est pas exempte de pratiques superstitieuses. Les reliques de San Gennaro sont portées en procession par les prêtres dans la ville pour conjurer les menaces du Vésuve. Italie.

Pages 260-261. Dans le Duomo de Naples, le trésor le plus précieux a la forme de deux ampoules contenant le sang de San Gennaro, protecteur de la cité. Quand le sang se liquéfie, toute la ville est convaincue d'être protégée pour les mois à venir des colères du Vésuve. Italie.

Pages 262-263. En l'an 1002, le temple bouddhiste de Borobudur a été recouvert par une éruption très violente du volcan Merapi. Dégagé en 1965 et remis en état par l'UNESCO, cet édifice entièrement taillé dans des blocs de lave présente aux visiteurs 3,4 kilomètres de fresques racontant la vie de Bouddha. Indonésie.

Pages 264-265. Dans les familles, on prépare les offrandes de la fête du Kesodo en cuisinant de façon traditionnelle les produits des champs. Indonésie.

Pages 266-267. Lors de la fête du Kesodo, une procession composée des prêtres est organisée afin d'acheminer l'eau sacrée jusqu'au temple. Volcan Bromo. Indonésie.

Pages 268-269. Au coucher du soleil, les pèlerins commencent à se rassembler sur les crêtes du volcan Bromo. Indonésie.

Pages 270-271. Le Tengger est un massif volcanique du centre-est de Java. Il regroupe deux volcans actifs : le Bromo et le Semeru. Le volcan Bromo est le site annuel de la cérémonie du Kesodo. Indonésie.

Pages 272-273. Les offrandes jetées par les pèlerins sont récupérées par des musulmans qui s'accrochent aux parois internes du cratère. Le tout se déroule de façon pacifique. En effet, pour les hindouistes, c'est le geste d'offrir qui est important, et non pas le devenir de l'offrande. Volcan Bromo. Indonésie.

Pages 274-275. Sommet du volcan Merapi, le dôme actif (partie sombre) est visible sur la partie gauche de l'image. Indonésie.

Page 276. Les Abdidallem sont les gardes du sultan qui représente le lien direct avec le volcan Merapi. Les croyances populaires attribuent au sultan le pouvoir de stopper toutes les colères du volcan, ce qui ne facilite pas le travail des volcanologues pour une éventuelle évacuation des populations. Indonésie.

Page 277. Tous les Abdidallem portent le keris, dague magique chargée de pouvoirs. Les gens les saluent et les prient. Une fois par an, ils sont lavés dans de l'eau bénite puis frottés avec des pétales de fleurs pour enfin être enduits d'huile parfumée. Indonésie.

Pages 278-279. Tous les dix ans, sur l'île de Bali, a lieu la cérémonie hindouiste du Panca Wali Krama. C'est une cérémonie de prières et d'offrandes qui va se déplacer de la mer jusqu'au volcan Agung (64 kilomètres). Indonésie.

Pages 280-281. La procession transporte à travers les rizières les dieux qui ont été « convoqués » par les prêtres dans des maisons symboliques. Indonésie.

Pages 282-283. Trois jours après avoir quitté la mer, la procession atteint le temple de Besakih au pied du volcan Agung et les grandes cérémonies commencent. Indonésie.

Pages 284-285. Des prières se tiennent dans différents petits temples éparpillés dans l'enceinte du temple de Besakih. Indonésie.

Pages 286-287. C'est pour accueillir les dieux que des danses sont organisées en permanence. Indonésie.

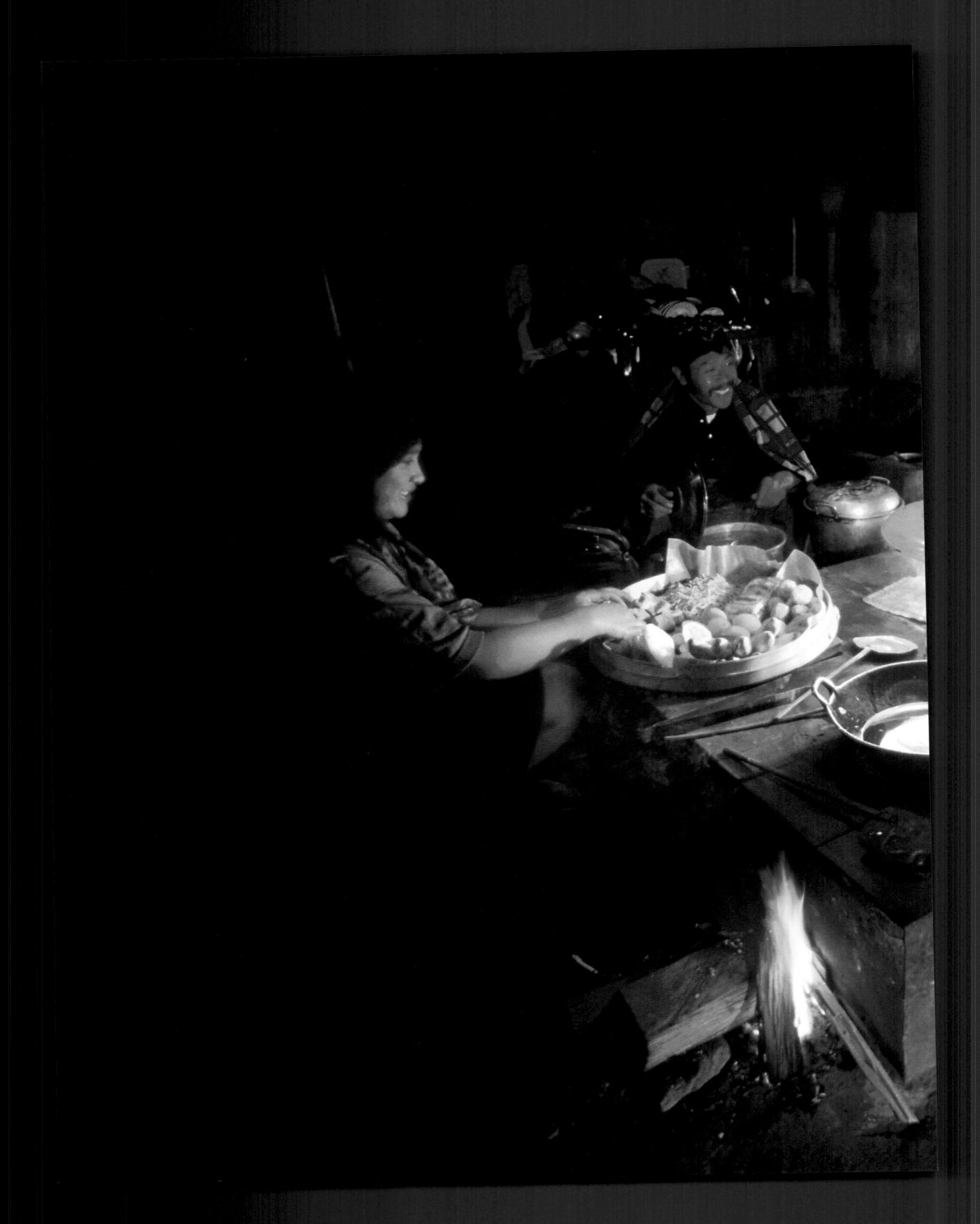

ÉRUPTIONS

CHRONIQUE D'UNE ÉRUPTION EN ISLANDE

1er octobre 1996

Les premières nouvelles sont arrivées par téléphone. Il y a quelques jours, un violent séisme a secoué le socle rocheux couvert par le grand glacier Vatnajökull. Pas d'interprétation précise encore, mais dès que la terre tremble en Islande, l'éventualité d'une éruption est toujours envisagée. D'autres informations sont transmises le 30 septembre. Les séismes se multiplient et sont suivis par ce que l'on appelle un tremor, c'est-à-dire par une vibration continue du sol caractéristique d'une émission de lave. Plus de doute maintenant, une éruption volcanique a lieu sous le glacier ! Nouvelle d'une importance capitale pour qui s'intéresse aux volcans et essaie d'en suivre les activités. Cependant, la situation n'est pas simple. Une éruption sous-glaciaire ne se manifeste pas nécessairement en surface. Souvent, lorsque l'activité est faible ou le glacier très épais, rien ne transparaît de l'incident, si ce n'est des enregistrements sismiques faits à distance et, à plus ou moins longue échéance, des crues dans les rivières qui descendent du glacier. Ces débordements sont évidemment alimentés par la fonte de la glace sous l'action de l'activité éruptive. Alors, la question se pose très vite : que faire ? Attendre est certainement la réponse.

Dans l'après-midi, d'autres nouvelles parviennent jusqu'ici : les volcanologues islandais ont survolé le glacier. Ils y ont observé l'apparition de plusieurs subsidences rondes dans le glacier. Ces dépressions sont alignées sur plus de 5 kilomètres. Elles marquent en surface la zone éruptive active sous la glace. L'information est intéressante à deux niveaux. Tout d'abord, il semble que nous ayons affaire à une éruption fissurale, c'est-à-dire que l'activité éruptive se répartit tout le long d'une fracture. Ensuite, si l'activité en cours déforme le glacier, on peut espérer qu'elle le perce et atteigne la surface.

J'apprends que les autorités islandaises ont averti les instances aériennes concernées du danger potentiel que pouvait représenter cette éruption. Ce message précise que l'on pourrait connaître dans les heures ou les jours qui viennent une activité explosive en surface, activité pouvant émettre un panache de vapeur, de cendres et de gaz dangereux pour les avions. Parallèlement, on prévoit que la circulation routière risque d'être perturbée par d'éventuelles crues.

2 octobre 1996

Tôt le matin, on apprend, grâce à un survol aérien du volcan qui a été effectué, qu'il vient de percer le glacier. Visibilité et pilotage sont extrêmement délicats à cause de conditions climatiques difficiles. Mais les observateurs ont pu apercevoir des nuages de cendres noires au cœur d'un grand panache de vapeur blanche.

Ces mauvaises conditions climatiques, rendant, d'après les scientifiques islandais, l'approche du volcan impossible pour le moment, je décide de ne pas partir dans l'immédiat, mais plutôt de rester attentif à l'évolution de la situation et de préparer un départ plus réfléchi. Mon impatience grandit de jour en jour.

4 au 11 octobre 1996

Le mauvais temps s'installe sur l'Islande. Quelques survols ont toutefois lieu. La fissure s'est encore allongée, il est maintenant prouvé que l'on assiste à une éruption sous-glaciaire de type fissural. En surface, des nuées noires de cendres sont éjectées d'un lac formé par l'eau de fusion de la glace. Un véritable fleuve d'eau chaude coule sous le glacier et remplit peu à peu la caldeira sous-glaciaire de Grimsvötn. Les glaciologues essaient de surveiller le niveau de la glace qui monte au fur et à mesure de ce remplissage. Dès que les conditions météorologiques le permettront, ils poseront sur la surface un GPS automatique de précision qui indiquera en permanence les variations d'altitude de la surface du glacier.

S'il faut aller sur le terrain, il convient de ne rien oublier. Les conditions peuvent être extrêmement rudes en cette saison : pluie à la base, gel intense en altitude... il faut être prêt pour toutes les situations possibles... Maintenant, la décision est prise et c'est le départ pour Reykjavik. Plus qu'une idée en tête, aller là-haut, là où personne n'est encore jamais allé. Je suis sûr que c'est faisable.

12 octobre 1996

La journée de toutes les frustrations... Une concentration extraordinaire de journalistes se bat pour essayer de négocier une place à bord d'un des avions légers qui survolent le glacier. Le seul hélicoptère disponible est encore plus convoité. De surcroît, en raison du mauvais temps, il n'existe aucune garantie d'apercevoir quoi que ce soit une fois sur place. La nervosité monte sensiblement. Les signaux sismiques faiblissent et il semble que l'on s'achemine vers la fin de l'activité éruptive. Chacun voudrait profiter d'une éclaircie pour aller voir ce qui se passe du côté du volcan...

Lorsque le beau temps revient, le seul Cessna disponible est à Reykjavik et l'hélicoptère est en panne ! La déception, voire la colère, fait partir la plupart des journalistes. Restent sur place des scientifiques islandais et un cinéaste de Reykjavik. Après les premiers jours d'euphorie qui ont vu des correspondants étrangers affluer de toutes parts, nous voici bien seuls à Freysnes.

14 octobre 1996

Freysnes, au pied des grandes langues glaciaires du Vatnajökull, abrite au mieux quelques fermes cachées contre la falaise qui les protège des vents les plus violents. Ici la nature domine. Les parois de palagonite sombre encadrent les chutes de sérac des glaciers. Les moraines viennent mourir dans les *sandur*, vastes étendues plates de cendres noires où serpentent les rivières qui errent jusqu'à la mer. Sur les pentes battues par les vents et la pluie, la végétation n'est qu'un manteau d'herbe et de mousse. Pas de place ici pour l'homme. Pourtant, des maisons s'accrochent et une famille nous accueille dans le petit hôtel qui a remplacé la ferme ancestrale érigée ici en l'an 1200...

Après le remue-ménage de la semaine dernière, tout s'apaise, à commencer par le volcan. L'éruption se calme, mais l'intérêt ne faiblit pas. Il faut aller là-haut, approcher enfin ce nouveau volcan, voir ce qui se passe au niveau du glacier, sonder cette fracture ouverte au cœur du Vatnajökull. Et puis, surtout, essayer d'échantillonner cette nouvelle lave. Par téléphone, depuis Reykjavik, on me communique les résultats des premières analyses faites à partir d'une poignée de cendres recueillie sur le glacier au début de l'éruption. Un magma bien particulier, très évolué et peu commun dans ce genre d'activité en Islande, est responsable de l'éruption. On aimerait en savoir plus, mais pour cela il faut d'autres échantillons. Ce qui implique de s'approcher encore une fois du volcan, de descendre dans la fracture pour arracher quelques cailloux au nouveau cône.

À gauche : **Fracture du front du glacier, qui permet d'apercevoir au sein de la glace les dépôts de cendres laissés par les éruptions précédentes du Vatnajökull.**

Glacier effondré et fracturé à proximité de la fissure éruptive.

15 octobre 1996

Ciel à moitié couvert... L'hélicoptère est toujours à Reykjavik : Jòn Björnsson, son pilote, dit que les prévisions météorologiques ne sont pas optimistes pour les jours à venir. Il préfère donc rester à Reykjavik, ne voulant pas être pris au piège du mauvais temps. Dans l'après-midi, un petit avion Cessna rejoint la piste en gravier ouverte au bulldozer dans le *sandar* de Freysnes. Quelques déchirures dans le brouillard laissent penser que cela pourrait se dégager en haut du glacier. Nous partons.

Dès le décollage, l'avion se dirige vers la langue glaciaire du Skeidararjökull. C'est ici que doit se glisser le flot de boue que l'on attend en contrebas. Pour l'instant, le glacier, lisse en surface, n'impressionne que par sa taille. Plus on s'approche, plus les lieux prennent leur véritable ampleur. Le Skeidararjökull se franchit en plus de 20 minutes de vol, s'étend sur près de 40 kilomètres. À son sommet, le vide... tout est blanc, uniforme, apparemment sans relief. C'est seulement ici que je prends conscience des chiffres que je connais pourtant depuis plusieurs années. La calotte glaciaire du Vatnajökull couvre près de 8 300 kilomètres carrés. Véritable calotte continentale, elle semble plane. Illusion d'optique qui n'est due qu'à sa taille puisque je connais plusieurs volcans qui la déforment. Fébrilement, je cherche des repères. Mais nous sommes encore loin, paraît-il, et le GPS va nous mener droit vers l'éruption.

Arrivés près de la caldeira de Grimsvötn, nous apercevons son rebord rocheux qui émerge toujours de l'océan de glace. À ses pieds, le « creux » habituel est maintenant comblé ; des crevasses ouvertes tout autour dans une zone de 10 kilomètres de diamètre montrent que tout le couvercle de glace de la caldeira se surélève, poussé par l'eau de fusion qui s'accumule dans cette vaste cuvette. Posé sur la glace, le GPS du Nordic Volcanological Institute, relayé par radio, enregistre en permanence les variations d'altitude. Aujourd'hui, l'altitude mesurée est de 1 500 mètres. D'après les glaciologues, ce chiffre correspond à la cote d'alerte. Ce qui signifie que la crue devrait maintenant se produire.

Après deux larges virages autour de Grimsvötn, l'avion repart vers le nord, vers l'éruption. Au début, on ne voit pas grand-chose. Seul un panache de vapeur blanche semble provenir du glacier. Bientôt une crevasse, puis deux, puis trois... Un véritable chaos. Une zone de subsidence de plusieurs kilomètres a déformé le glacier, les crevasses sont presque toutes orientées selon un axe nord-sud et s'effondrent vers le centre de la zone en creux, comme d'énormes dominos penchés... Au centre de ce creux, la fissure éruptive. Entre deux voiles de brouillard, elle se découvre dans son ensemble. Elle n'est pas parfaitement rectiligne, mais serpente un peu, avec une forme en baïonnette assez typique. Plusieurs panaches de vapeur s'en échappent, le plus impor-

tant situé dans la partie nord. Il s'élève d'une île noire. Le cône volcanique a finalement émergé du lac d'eau de fusion, un nouveau volcan est né ! Tout autour de l'île, un large fleuve d'eau noire, épaisse, visqueuse, chargé de cendres, qui charrie des blocs de glace effondrés des parois. Le courant qui draine l'eau vers le sud, vers la caldeira de Grimsvötn, semble violent. Puis nous revenons vers le cône, qui attire immanquablement nos regards. C'est là qu'il faut aller.

Il semble bien sûr tout à fait impossible de le rejoindre par voie terrestre. Non seulement il faudrait deux longs jours de marche pour l'atteindre, mais la zone de crevasses me semble aussi infranchissable. À condition d'y parvenir, encore faudrait-il pouvoir descendre les murs verticaux et instables de la fissure éruptive... Non, la seule solution envisageable est d'y accéder par hélicoptère.

Au dernier instant, je perçois du coin de l'œil comme un point coloré qui bouge à la surface du glacier... Quelqu'un ? Pas le moins du monde, ce n'est qu'un autre avion, volant bas au-dessus des crevasses. Jusqu'à présent, j'étais fasciné par la fracture éruptive, par sa beauté et son étrangeté, mais soudain, je mesure l'ampleur du phénomène. J'étais jusqu'alors dans un monde sans repère, sans échelle. Ce petit avion entr'aperçu plus bas vient de tout bouleverser. Je réalise enfin l'immensité de ce que j'ai sous les yeux. Les chiffres donnés, à savoir 5 kilomètres de long, entre 200 et 500 mètres de large, 400 mètres de profondeur, prennent sens. À présent, je regarde le nouveau cône volcanique convoité avec beaucoup plus de respect. N'empêche, j'irai !

De retour à Freysnes, je me rue sur le téléphone pour contacter Jòn à Reykjavik. Placide, il réitère que les prévisions météorologiques sont mauvaises et qu'il lui semble indispensable d'attendre, ajoutant : « Ne t'inquiète pas, je t'y conduis dès que possible. » L'impatience me taraude, je sens que l'attente va être longue...

16 au 27 octobre 1996

Depuis que Freysnes a ralenti ses activités agricoles, les propriétaires y ont construit un petit hôtel typiquement islandais. Très simple, extrêmement propre, fonctionnel plus que chaleureux, pas très grand et surchauffé. C'est là qu'il a fallu attendre 12 jours...

Dehors, un ciel plombé en permanence, du gris, du noir, du vent, de la pluie glaciale, de la neige fondue parfois, et cela en continu, du lever du soleil vers 9 h jusqu'à son coucher à 16 h. Au début tout s'annonçait bien. Un jour ou deux de mauvais temps au maximum étaient à craindre, délai idéal qui permettrait d'être « fin prêt ». Alors les journées s'organisaient logiquement. 7 h 30, petit déjeuner ; 8 h 30, mesure du niveau et de la composition de l'eau dans les rivières. Normalement, la variation de ces paramètres devrait annoncer l'imminence de la crue. Le GPS de Grimsvötn montre une ascension continue de près d'un mètre par jour. Les estimations sont révisées, la cote limite serait maintenant 1 505 mètres. Le grand moment de la journée, c'est le bulletin météorologique de 19 h 45. Heureusement que les cartes sont parlantes car on ne comprend pas l'islandais. Une dépression se situe sur le Groenland, une autre sur la Scandinavie, une en dessous de l'Islande, et nous, nous sommes juste au milieu. Coucher à 20 h 30. Demain est un autre jour, on peut encore y croire...

Les jours se succèdent... le temps passe lentement. Les cartes météorologiques semblent promettre une amélioration pour les jours suivants. Jòn décide de ramener l'hélicoptère de Reykjavik à Freysnes. Il arrive en fin de journée. Nous mettons au point un programme et un minutage précis. On ne disposera que de 40 ou 45 minutes sur le site de l'éruption. Le sac est refait pour la énième fois, plus que jamais je suis prêt à partir.

Le lendemain matin, le soleil n'est pas encore levé. Allongé, je passe en revue tous les gestes qui vont suivre, l'enchaînement des actions qui mèneront enfin vers le volcan. La combinaison en Goretex, les grosses fourrures sont pliées dans le bas de l'armoire, dans l'ordre exact où il faudra les enfiler. Au pied du lit, les chaussures à coques en plastique et les guêtres, une paire de gants et un bonnet avec la combinaison. Chaque geste est vu et revu, répété mentalement pour le pousser à sa plus grande efficacité.

Je m'approche de la fenêtre pour m'assurer que le temps est aussi dégagé que celui que l'on nous a promis. Mais il pleut... et le brouillard couvre le glacier. Et l'attente se prolonge jour après jour. Toujours la même routine, les dix mètres carrés de la chambre, l'accompagnement des scientifiques qui sondent la rivière immuable, les repas, la météo et les informations à la télé, les encouragements que nous nous prodiguons. Il faut tenir, un jour le beau temps reviendra... L'ennui pousse à des actes surprenants : marcher tout un après-midi et revenir entièrement trempé, aller faire le plein d'essence à 60 kilomètres alors qu'il y a une pompe à l'hôtel, faire la vaisselle de l'hôtel avec Jòn qui, lui aussi, trouve le temps bien long.

28 octobre 1996

Le beau temps était prévu pour la fin de semaine. Aujourd'hui lundi, il doit faire encore plus mauvais. Or, à 7 h, le ciel est totalement dégagé. Je réveille Jòn qui est quelque peu surpris de cette heure matinale, vu que nous ne pouvons normalement pas décoller avant 10 h.

On fait le plein de l'hélicoptère, puis il faut dégivrer les pales avec de l'eau tiède, effectuer plusieurs vérifications et, enfin, embarquer. Contact, la turbine commence à ronfler, les pales atteignent leur vitesse de rotation normale. Enfin, nous décollons.

La partie inférieure du Skeidararjökull, zone d'accélération du glacier, est fortement crevassée. Plus haut, sa surface est plus uniforme, elle commence aussi à être couverte par la neige, conséquence de ces derniers jours de mauvais temps. Curieuse impression que de naviguer dans l'air clair et pur de cette matinée en pensant que plus bas, juste en dessous de nous, sous la glace immaculée et étincelante, des tonnes d'eau chaude boueuse se fraient lentement un chemin vers le *sandar*.

1 500 mètres d'altitude. Nous atteignons Grimsvatnfjall, la falaise rocheuse émergeant de la glace qui marque le rebord sud de la grande caldeira de Grimsvötn. Nous nous posons rapidement pour démonter les portes de l'hélicoptère, ce qui donnera plus de liberté pour la suite des opérations. Le changement de température est brutal. Par les ouvertures béantes de l'appareil un vent glacial s'engouffre, nous fermons toutes les écoutilles. Gants, bonnet, combinaison bouclée jusqu'en haut...

Dès le décollage, nous nous trouvons au-dessus de la caldeira. La surface du glacier, qui s'élève toujours au rythme actuel de 50 centimètres par jour, atteint aujourd'hui 1 507 mètres, soit deux mètres de plus que la prétendue cote d'alerte maximale. Comme nous disent les glaciologues islandais depuis deux semaines : « Ce n'est plus qu'une question de jours pour que survienne la crue... » La surface du glacier est parsemée de crevasses qui s'arrondissent au sud, à l'ouest et à l'est. Elles marquent grossièrement la forme de la caldeira qui se remplit d'eau. D'après les estimations, plus de 3 kilomètres cubes d'eau et de boue sont stockés ici, faisant peser une menace importante sur la route n° 1, 40 kilomètres plus loin. Rien dans le paysage hivernal qui se déroule sous mes yeux ne laisse présumer une telle menace. Cette « innocence » ne la rend que plus impressionnante.

Droit devant nous, nous distinguons à nouveau le panache de vapeur qui s'élève de la fracture éruptive. La rivière d'eau chaude coule toujours, minant lentement les parois du canyon de glace. Quoique l'activité éruptive soit terminée aujourd'hui, la glace fond encore sous l'action de la chaleur rémanente de la lave émise. La zone de crevasses qui entoure la fracture est toujours aussi imposante. Le sommet de chaque sérac, de chaque colonne de glace en équilibre instable, tous penchés vers le centre de la fissure, arbore un double capuchon : une couche de cendres noires surmontée d'une couche de neige fraîche parfaitement blanche. À l'intérieur de la crevasse, le cône volcanique a changé de morphologie et les parois qui l'enserrent sont maculées de cendres noires. Vraisemblablement, des explosions phréatiques ont eu lieu, explosions dues à la détente violente de la vapeur formée par le contact entre l'eau de fusion et la lave encore chaude du cône.

Nous faisons une approche prudente sur le fond de la crevasse, juste au-dessus de la rivière, en direction du cône. Une partie de celui-ci émet toujours de la vapeur d'eau, la partie ouest est déjà couverte d'une fine couche de givre ou de neige. De gros blocs de glace, effondrés de la paroi surplombante, le couvrent en partie. Nous voici enfin face au nouveau volcan responsable de ces phénomènes.

L'hélicoptère descend lentement, en oblique pour se protéger des parois de glace, le nez vers la plage où le pilote a accepté d'essayer de se stabiliser pour me permettre de sauter à terre. Un mètre nous sépare encore du sol, j'ai déjà un pied en dehors de l'hélicoptère quand un klaxon retentit brusquement dans les écouteurs de mon casque, suivi de la voix de Jòn : « Regarde l'écran de contrôle ! » L'aiguille est dans le rouge, nous manquons de puissance. Toujours calme, Jòn remet les gaz et, lentement, très lente-

Fissure éruptive avec plusieurs panaches de vapeur indiquant sa longueur.

ment, trop lentement, l'hélicoptère s'élève entre les parois de la fracture du glacier. Impossible de monter tout de suite, le pilote trace alors une large spirale d'un flanc à l'autre. Brusquement, le soleil nous éclaire : nous voilà hors du trou...

Malgré la peur, Jòn tente de m'expliquer que ce manque de puissance est sans doute dû à la conjugaison de l'altitude, de la chaleur de l'air au-dessus du cône et de la concentration en gaz dans le fond de la crevasse. Il nous faut pourtant réussir à échantillonner la lave émise par le volcan. Reste donc une autre possibilité, celle de recueillir les cendres émises par les phases explosives.

Sans aucun problème cette fois-ci, l'hélicoptère arrive au sommet de la falaise de glace qui est située juste à la verticale du cône. On me débarque et l'hélicoptère redécolle. Étrange impression. Je me retrouve seul dans ce monde démesuré. À seulement quelques pas devant moi, la falaise de glacier taillée à la verticale plonge vers la rivière d'eau chaude qui coule quelques centaines de mètres plus bas. Derrière moi, une longue pente de glace entaillée, effondrée, crevassée de toute part. Aucune issue possible, si ce n'est par les airs. Moment très bref de contemplation et de plaisir, moment trop court mais qui crée des souvenirs forts et durables. Le temps est compté.

Premier atterrissage sur le cône dans la fracture pour effectuer des prélèvements.

Il convient d'abord de creuser la neige tombée ces derniers jours, il y en a déjà plus de 30 centimètres d'épaisseur. Quand l'hiver viendra, il cachera toute trace de cette éruption. Sous la neige, voici les cendres. Elles proviennent de la fragmentation de la lave chaude au contact de l'eau de fusion du glacier, elles se sont élevées dans ces grandes gerbes verticales que nous appelons des nuées cypressoïdes, puis elles se sont abattues sur le sol et, gorgées d'eau, elles ont été directement prises par le gel. Aujourd'hui, elles forment une masse solide. De vigoureux coups de piolet en détachent des blocs compacts. Juste le temps de récupérer des échantillons de la partie supérieure du dépôt, puis de la partie inférieure. Nous avons ainsi de la lave du début et de la fin de l'éruption, ce qui permettra de suivre une évolution éventuelle de la composition du magma au cours de l'activité.

Voilà l'hélicoptère qui se rapproche. Nous redécollons et survolons la fissure sur toute sa longueur. La rivière coule et fume, le soleil est plus haut maintenant et dessine des contre-jours dorés dans la vapeur qui s'élève. Mais la curiosité est trop forte. Une seule envie y retourner.

Jòn essaie un nouvel axe d'approche. Lentement, avec une grande délicatesse, il atteint un énorme glaçon, planté comme un porte-avions dans la cendre noire, il coince un patin, se stabilise et réduit un peu les gaz. « Tu disposes d'une minute, pas une seconde de plus... », ajoute-t-il. Je décroche le casque et saute à terre.

Dès que je quitte le glaçon, mes deux pieds s'enfoncent dans la cendre. Premier contact avec cette terre toute neuve... Voici un sol qui n'existait pas encore il y a deux semaines. Devant moi, la rivière d'eau chaude qui, d'ici, semble large comme un lac. Étrange contraste que cette eau noire, épaisse, avec les parois de glace blanche. Étrange impression aussi que de se retrouver ici. Aucun sentiment de conquête ni de victoire, mais plutôt une grande humilité. Ce volcan que nous venons de toucher et où je ne serai admis à séjourner qu'un moment extrêmement court n'a pas encore de nom : il appartiendra aux Islandais de le faire exister réellement en le nommant.

Les réflexes professionnels prennent vite le dessus. Difficile d'aller au bord de l'eau pour en prendre des échantillons et en mesurer la température, cela serait trop long. À mes pieds, de la cendre mais aussi des blocs de lave. Ce sont des fragments de ce qu'on appelle des bombes en chou-fleur, fragments de lave incandescente projetés par les explosions au travers de l'eau. Je récupère quelques cailloux que j'empile dans la carlingue de l'hélicoptère.

Manque de carburant : nous devons redescendre vers la base. La tension nerveuse accumulée au cours des deux semaines d'attente et durant les moments intenses que nous venons de vivre se relâche. Un bien-être nous envahit alors que l'hélicoptère se dirige vers Freysnes, face au soleil.

Le soir même, par habitude, nous regardons cependant les prévisions météorologiques. Une nouvelle dépression arrive sur l'Islande, les prévisions sont plus que pessimistes pour la semaine qui suit. Qu'importe... Nous avons eu ce que nous voulions. Jòn décide de ramener l'hélicoptère à Reykjavik le lendemain. Le temps de donner les échantillons à faire analyser, et je rentre en France.

5 novembre 1996

Depuis mon retour, je ne considérais pas cette éruption comme « finie ». Certes, l'activité s'était arrêtée, mais restait encore le raz-de-marée, conséquence immédiate de l'éruption. Nul ne faisait plus de pronostic à son sujet. De niveau limite en niveau limite, l'altitude du couvercle de glace de Grimsvötn avait atteint les 1 509 mètres d'altitude, mais rien ne s'était passé.

La nouvelle tombe : des séismes avaient ébranlé le glacier toute la nuit. Le *jökulhlaup*, la coulée de boue tant attendue, était imminente. Jòn me le confirme. Pas de doute, il faut partir. La route a été emportée dès les premières minutes de la coulée. Il reste alors deux solutions, soit faire le tour par le nord de l'Islande, mais cela représente un détour de 1 000 kilomètres, soit trouver un moyen aérien pour passer sur la côte est et surtout trouver un véhicule tout-terrain disponible là-bas. Deux heures plus tard, tout est résolu.

7 novembre 1996

Après un long voyage, j'arrive enfin à Freysnes. Le paysage a bien changé. Il a neigé, tout est blanc, le sol est dur, profondément gelé. Et il y a du soleil. La météo prévoit même deux jours de beau temps.

Jòn pose son hélicoptère au même instant. Il apporte les dernières nouvelles. La route est emportée sur plusieurs kilomètres, plusieurs dizaines de mètres des ports géants qui enjambaient le *sandar* sont arrachés, la ligne électrique a disparu à plusieurs endroits... Le débit du *hlaup* a atteint des valeurs jamais connues en Islande. 50 000 mètres cubes par seconde, soit près de 20 fois le débit du Rhône à son embouchure.

Il me tarde de voir tout cela sur le terrain : il est cependant absolument impossible d'approcher par voie terrestre et l'hélicoptère est réquisitionné par l'office des routes et par la protection civile. Jòn garantit cependant que la machine sera disponible dès qu'il aura fini sa mission « officielle » À 15 h. l'hélicoptère se pose. Pendant que nous faisons le plein, Jòn explique ce qu'il vient de voir. Le flot d'eau boueuse s'est tari. Plus de 3 kilomètres cubes ont été émis, tout le front du glacier a été brisé sous la pression de l'eau et des icebergs sont éparpillés sur plusieurs dizaines de kilomètres carrés. Il a aperçu de loin la caldeira de Grimsvötn. Il semblerait qu'après le soutirage de l'eau qu'elle contenait, son couvercle de glace se soit effondré. Mais cela, nous irons le voir demain, aujourd'hui nous n'avons plus le temps.

Après le décollage, nous suivons la route qui traverse le *sandar* face au glacier. Le ruban d'asphalte avance, bien sage et bien propre entre ses deux lignes jaunes, puis, brusquement, il est comme coupé au couteau. Derrière, il n'y a plus rien, si ce n'est comme un delta de sable noir parcouru de petits bras d'eau. Le flot de boue a tout emporté, la route comme la digue-talus sur laquelle elle reposait. Il n'y a plus que l'étendue toute plate du *sandar* qui va du glacier jusqu'à la mer. Tout a disparu. Un ou deux kilomètres plus loin, un tronçon de route de 200 mètres de long émerge comme une île : il est tout entier couvert de glaçons, petits icebergs transportés par le *hlaup*.

Nous arrivons au premier pont : les premiers et les derniers piliers ainsi que le tablier qu'ils supportaient ont complètement disparu... Il a une allure incongrue, comme une passerelle lancée en plein vide. Impraticable.

Tout autour, le paysage est entièrement parsemé de blocs de glace. Des milliers s'en distinguent jusqu'à l'horizon. Certains doivent bien avoir plus de 10 mètres de haut... Finalement, nous arrivons au front du glacier. Toute la partie avant a été fracturée et emportée, laissant de profondes découpes en cirque de plus de 100 mètres de haut.

Encore une fois, l'ampleur du phénomène surprend, ainsi que sa violence. Il s'avère difficile d'imaginer que tout cela a pu se produire en deux jours... La lumière baisse déjà, les jours raccourcissent de plus en plus, il nous faut retourner à Freysnes.

8 novembre 1996

La nuit a été très froide et, ce matin, il gèle encore. Décidément, l'hiver est là. Nous ne décollons que dans l'après-midi, l'inspection des dégâts ayant la priorité. Nous retraversons l'incroyable champ d'icebergs puis remontons le glacier ; passé le chaos du bas, sa surface semble toujours aussi innocente. À 10 kilomètres à peine de Grimsvötn, un changement s'est produit dans la ligne du glacier, comme un affaissement léger, une mollesse dans le paysage, qui laisse pressentir que quelque chose se produit là-haut.

Cela se précise de façon dramatique. Toute la masse du glacier qui servait de voûte au réservoir où se rassemblait l'eau de fonte venant de l'éruption, toute la voûte aussi de la partie supérieure du tunnel qui l'a conduite vers le bas se sont effondrées après le soutirage de la masse liquide. Mais ce n'est pas un petit effondrement. Le « creux » doit faire plus de 100 mètres de profondeur. Toute la zone est bouleversée, fracturée, crevassée. Des piliers de glace hauts et étroits se penchent en équilibre instable vers l'abîme qui les appelle. Encore une fois, nous sommes complètement dépassés par les dimensions et les aspects surprenants et inhabituels de cette éruption. Notre curiosité nous pousse vers le haut, vers la fissure éruptive.

Tout est calme dorénavant. Quelques filets de vapeur montent encore de-ci, de-là, mais, dans la partie sud, toute l'eau a été soutirée, laissant une profonde tranchée vide qui indique son lit au fond de la fracture. Peu à peu, le glacier panse ses plaies, les blessures se referment, tout se comble : le nouveau volcan sera certainement bientôt caché. Il va disparaître du paysage des hommes, mais restera certainement dans les mémoires comme souvenir d'une des éruptions les plus surprenantes que nous ayons eu le privilège de voir.

Dernière nuit en Islande. Ce soir, je m'endors sans angoisse, mais quelque peu rêveur après une courte discussion avec le directeur de l'office des routes. Il me disait : « Vous croyez que l'on pourrait avoir une autre éruption ? Parce que nous, d'ici six semaines, nous aurons réparé la route et la circulation reprendra au pied du glacier... »

ÎLE DE LA RÉUNION : LE PITON DE LA FOURNAISE

Un matin...

La tente est montée face au volcan. Celui-ci souffle et gronde en animant de manière continue trois grandes fontaines de lave. Leur lueur colore tout le paysage de rouge et d'orange.

À 4 h, un souffle chaud envahit le mince abri de toile, une lumière plus forte perce la paroi. Depuis quelques heures, j'essaie de dormir, d'un côté, épuisé par trois jours et presque trois nuits de travail intense, mais, d'un autre côté, totalement excité par le spectacle du cône en éruption, spectacle dont je ne me lasse jamais...

La route et les ponts ont subi des dégâts, dus à la coulée de boue et aux blocs de glace qu'elle charrie.

Sommeil léger, donc, d'où je surgis brusquement, alerté par la lumière et la chaleur. Au pied du cône qui nous fait face, la coulée de lave fait un large coude devant l'emplacement de notre camp. Une berge vient de se rompre, offrant une nouvelle issue à la lave. Elle semble se diriger droit vers le camp ! Je m'équipe rapidement et essaie de me rendre compte de la situation. Il ne s'agit pas d'un simple débordement, la coulée est bien alimentée et elle avance rapidement. Pas de panique cependant. Je réveille d'abord mes deux collègues de l'observatoire volcanologique. Ensemble nous organisons l'évacuation du camp. Il n'y a que quelques centaines de mètres à franchir pour nous mettre à l'abri sur une petite élévation du terrain, avec près de 600 kilogrammes de matériel à transporter.

Début d'une éruption

Le samedi 7 mars 1998, la routine de l'observatoire volcanologique du Piton de la Fournaise (Institut de Physique du Globe de Paris) est brusquement bousculée par une nouvelle alarme. Des essaims de séismes sont enregistrés par les différents sismographes répartis sur le volcan. Ils font suite à différents chocs ressentis depuis la fin de l'année 1997. Mais, cette fois-ci, le nombre de séismes augmente régulièrement, pouvant atteindre jusqu'à plusieurs centaines par jour. L'analyse de ce phénomène montre une montée de magma depuis une chambre superficielle située à environ 2 000 mètres sous le niveau de la mer, soit plus de 4 500 mètres sous le sommet du volcan. Sous la poussée du magma, des fractures s'ouvrent en profondeur d'abord, puis, à compter du lundi 9 mars à 15 h 05, en surface, sur le flanc nord du volcan. L'éruption commence.

Ces fissures éruptives ont chacune plusieurs centaines de mètres de longueur, elles émettent des fontaines de lave de 30 à 50 mètres de haut. Très rapidement, l'activité éruptive se concentre sur les deux fissures situées vers 2 150 mètres d'altitude. Des coulées de lave descendent vers les pentes inférieures tandis que les lambeaux de lave projetés par les fontaines s'accumulent en rempart autour de celles-ci, créant ainsi de nouveaux cônes volcaniques sur le flanc du volcan. Cette éruption n'a rien d'exceptionnel pour la Fournaise ; cependant, elle était attendue avec impatience. Si l'on connaissait ici, en moyenne, une éruption tous les ans, depuis plus de cinq ans et demi, le volcan était calme. Aujourd'hui, l'activité reprend, les conditions météorologiques sont idéales, le site éruptif est assez facilement accessible. Toutes les conditions sont réunies pour que les volcanologues puissent en tirer le maximum d'informations. Au Piton de la Fournaise, il n'y

a pas de menaces directes dues au volcan. L'éruption est pour l'instant confinée dans une partie reculée et déserte du massif et l'on n'a pas à craindre des destructions à court terme. Le travail des volcanologues ne sera pas de protéger des populations, mais bien de suivre au plus près l'éruption en cours, de la mesurer, de l'analyser afin de mieux comprendre le phénomène et d'acquérir plus de données sur le « fonctionnement » du Piton de la Fournaise. Ces informations seront peut-être plus tard extrapolables à d'autres volcans et feront progresser d'autant la science volcanologique.

Retour au travail

En observant un de mes collègues, Nicolas Villeneuve, je me revois au même âge, voulant tout faire, voulant tout savoir, sacrifiant les repas et les nuits pour aller plus loin... Pour lui, cette éruption est inespérée. Il prépare une thèse sur les coulées de lave du Piton de la Fournaise et voilà que le volcan, objet de son étude, vient lui délivrer des données et des échantillons inédits.

La marche est malaisée, nous traversons ce que nous appelons une coulée en « grattons », accumulation de blocs brisés, aigus et coupants en équilibre instable. À chaque enjambée, il faut assurer le pied, s'efforcer de garder son équilibre. La chute n'est pas autorisée sur ces roches tranchantes et chaudes. Pliés sous le poids des sacs, ruisselants, desséchés par la proximité de la lave en fusion, nous ne pouvons cependant pas ignorer le décor dans lequel nous évoluons.

Un volcan en éruption n'est pas qu'une curiosité géologique, un sujet d'intérêt pour scientifique têtu et farfelu, c'est aussi un des plus beaux spectacles de la nature. Nous sommes immergés dans un monde de bruits, d'odeurs, de lumières et de chaleur.

Face à nous, le cratère gronde. Au fond, un lac de lave est brassé par de gigantesques bulles de gaz à haute température. Lorsqu'elles explosent, elles arrachent des lambeaux incandescents or et pourpres qui s'élèvent en se déformant dans l'air puis s'écrasent violemment sur le sol. Il n'y a pas d'explosions marquées, mais bien un jaillissement continu qui a quelque chose de nécessaire et d'irrémédiable. Ce spectacle ne semble jamais répétitif, il a quelque chose de fascinant qui donne envie de l'observer des heures durant... Au pied du cratère, la coulée avance régulièrement, comme un fleuve chaud et rouge orangé ; elle est presque silencieuse, ne laissant entendre qu'un léger son de papier froissé. Son chuintement continu nous rappelle cependant que ce n'est pas de l'eau mais bien de la roche en fusion qui s'épanche. Nicolas en sait quelque chose : pour s'en être approché sans le matériel adéquat, il s'est brûlé la pommette au troisième degré.

C'est cette coulée qui est l'objet de notre étude. Pour faire ce travail, on se doit de recueillir à intervalles réguliers des échantillons de lave. C'est plus vite dit que fait... La lave en fusion qui coule devant nous atteint une température de plus de 1 000 °C et son approche est loin d'être facile.

Si nos sacs sont si lourds aujourd'hui, c'est que nous avons les bons scaphandres. Vestes et pantalons sont en Nomex aluminisé, matière ininflammable, mais qui surtout réfléchit le rayonnement thermique comme un miroir réfléchit la lumière. Par-dessus, nous portons un heaume, sorte de très large cagoule percée d'une fenêtre. Celle-ci est faite de deux plaques de verre tenant en sandwich une feuille d'or poli. Ici aussi, la chaleur est réfléchie comme par un miroir. Ces scaphandres ne sont pas toujours nécessaires sur les volcans. On peut approcher la lave en fusion jusqu'à quelques mètres avec de simples vêtements à manches longues.

Échantillonnage d'une coulée de lave par les volcanologues. Les échantillons prélevés sont refroidis dans de l'eau distillée.

Mais, bien vite, on atteint un « mur de la chaleur » qui empêche d'avancer, ne serait-ce que 10 centimètres de plus. Là, c'est 4 ou 5 mètres supplémentaires que nous avons à faire. Nos habits de cosmonautes sont donc indispensables.

Lourdement harnachés, nous nous approchons de la lave côte à côte. De cette manière, chacun peut surveiller son voisin et veiller à ce qu'il ne soit pas surpris par un débordement intempestif de la coulée ou par des projections arrivant du cratère. Mon collègue manipule une espèce de longue pelle, il en trempe la palette dans la lave en fusion, arrache un lambeau de matière incandescente et se retourne vers moi. J'ai à la main un seau métallique empli d'eau distillée. Nous y précipitons l'échantillon pour le refroidir rapidement afin de bloquer son évolution cristalline. Plus tard, le fragment de lave sera scié en tranches, examiné au microscope, analysé. Il livrera de précieux renseignements sur la nature du magma profond responsable de l'activité du Piton de la Fournaise. La chaleur passe à travers nos grosses bottes et commence à nous brûler les pieds ; sous le heaume et la veste, nous ruisselons de transpiration. Il est temps de reculer, mais il nous faut encore faire une mesure de température. Un thermocouple est trempé dans la lave et branché sur le thermomètre électronique. 30 à 40 secondes sont nécessaires pour stabiliser la mesure. La température monte à 1 053 °C.

Ces prélèvements seront faits trois fois par jour sur trois sites différents : les sacs d'échantillons s'accumulent vite et l'hélicoptère les emporte quotidiennement vers l'observatoire volcanologique.

Jusqu'au fond du cratère

Lundi 16 mars, cela fait plus d'une semaine que le volcan est en activité. Par l'accumulation des projections de lambeaux de lave, les cônes s'élèvent continuellement. Les deux édifices principaux, situés sur le flanc nord, ont déjà plus de 50 mètres de haut. L'activité se poursuit toujours avec la même intensité. Les coulées de lave ont déjà parcouru plus de 5 kilomètres et, aujourd'hui, après avoir dévalé la pente du Piton de la Fournaise, elles s'étalent dans une dépression au sol horizontal, la Plaine des Osmondes. Elles s'y empilent les unes sur les autres, créant un front de plus de 300 mètres de large et d'une épaisseur de 50 mètres environ. Les volcanologues viennent de baptiser les nouveaux cratères. Celui que nous trouvons le plus beau s'appellera cratère « Maurice et Katia Krafft », en souvenir de ces deux volcanologues disparus voilà sept ans.

Ce cratère, je l'observe depuis près de deux jours, car il présente une morphologie bien particulière. Sa large forme est classiquement circulaire, formée d'un rempart aux pentes raides. Une brèche étroite entaille son flanc est, brèche par laquelle sort une coulée issue d'un lac de lave très actif qui bouillonne en son fond. Les gerbes de lambeaux de lave sont projetées à des hauteurs variant de 20 à 50 mètres. Il s'agit d'un jaillissement continu, véritable fontaine de matière en fusion. Suite à l'approfondissement de la brèche de sortie, le niveau du lac et de la coulée est descendu dans le cratère, laissant à son ancien niveau comme un trottoir collé aux parois intérieures du cône. Ce trottoir, de deux à trois mètres de large, s'avance vers l'intérieur du cratère et se termine au fond, sur la berge du lac de lave brassé par les gaz magmatiques et soulevé par la fontaine ardente. Depuis deux jours, je surveille cet étroit balcon. Il a l'air stable et, pour l'instant, ne semble pas vouloir s'effondrer dans la lave en fusion qui l'entoure. Aujourd'hui, le vent souffle de l'est et rabat les vagues de chaleur et de gaz vers le fond du cratère... Les conditions semblent les

Sous la pression des gaz, des lambeaux de lave sont projetés à l'aplomb de la bouche éruptive.

meilleures possibles. Pourquoi ne pas profiter de cet étroit passage pour entrer à l'intérieur du cône et aller à la source, là où jaillit la fontaine de lave au cœur du cratère ?

Approcher un volcan actif est comme se promener à pied au bord d'une autoroute : tant que l'on reste en deçà de la ligne blanche, le passage des véhicules peut être très impressionnant mais reste relativement inoffensif. Si l'on franchit la ligne, on se fait écraser. Le seul problème avec les volcans est qu'il n'y a pas de ligne tracée au sol... Seule votre expérience et parfois un flair inexplicable peuvent dire jusqu'où l'on peut aller. Dans ce cas, j'entends comme une petite voix qui m'encourage à y entrer.

Rarement, je me suis préparé avec autant de soin. Non pas tant grâce au matériel qui me protège, mais bien plus grâce à la concentration que je parviens à réunir avant l'action. Bientôt, tout est prêt. Sous mon scaphandre, une radio grésille, elle me relie à mes camarades qui restent 10 mètres en arrière. Avec le scaphandre et le casque que je porte, la visibilité est relativement limitée, surtout vers le haut ; je compte donc sur eux pour me signaler d'éventuelles projections plus violentes dont les retombées pourraient m'atteindre.

Lentement, j'avance, un pas après l'autre, inspectant chaque point de ce nouvel espace que j'essaie d'investir. À ma gauche, la coulée de lave s'écoule dans un chenal ; à ma droite, la paroi du cône, formée par l'accumulation des lambeaux de lave projetés par la fontaine. Droit devant, la fontaine de lave m'envoie d'intenses vagues de chaleur.

Quelques mètres encore, le sol est brûlant et tremble sous les vagues de lave qui le heurtent. Bientôt, je me retrouve face à face avec la fontaine qui, comme un mur de feu, me barre toute visibilité vers le fond du cratère. La chaleur est partout, je la sens au travers des semelles, je la sens lentement transpercer le scaphandre. Une mesure s'impose : le thermocouple indique 1 164 °C, c'est le maximum que nous atteindrons. Nous sommes ici vraiment à la source. C'est ici, à 2 ou 3 mètres devant moi, que le magma, après sa remontée le long des fractures qui entaillent le socle du volcan, jaillit pour la première fois à l'extérieur. Impossible d'aller plus loin ou plus près...

Extraordinaire sensation que de toucher à l'origine des choses. Pendant quelques courtes secondes, la chaleur, l'inconfort, le risque s'oublient pour ne laisser place qu'à la fascination. Et je repense aux Hawaiiens qui, dans les fontaines, voient danser Pelé, la déesse du feu. Écrasé de chaleur sous le scaphandre, je suis bien près de croire que je danse avec elle... Mais il faut reculer, ces quelques minutes ont duré des heures. Je me sens complètement épuisé, physiquement et nerveusement. Cependant, je sens poindre un étrange sourire lorsque je me dis : « J'ai vu naître la Terre et j'ai marché sur des roches qui sont plus jeunes que moi ».

Page 297. Les tunnels de lave sont fréquents sur les volcans basaltiques comme le Kilauea. Bien isolés thermiquement, la lave y maintient une température et une fluidité élevées qui lui permettent de parcourir plusieurs kilomètres sous terre, jusqu'à ressurgir ici et là sur les pentes inférieures du volcan. Hawaii.

Pages 298-299. Au fond du rift, le lac Assal s'étend à 160 mètres en dessous du niveau de la mer. Il est alimenté par des sources salines profondes. Djibouti.

Pages 300-301. Montagne de rhyolite de Landmannalaugar. Islande.

Pages 302-303. Les volcans du groupe Klyuchevsky se sont formés sur un ancien bouclier occupant une aire de 90 kilomètres de diamètre. Le Mont Klyuchevsky a la particularité d'être le plus haut sommet de la presqu'île du Kamchatka. Régulièrement en activité, il offre des éruptions spectaculaires. Russie.

Pages 304-305. L'éruption du volcan Pinatubo a balayé les forêts qui le recouvraient et façonné de nouveaux paysages. Des dépôts de cendres d'une épaisseur moyenne de 300 mètres ont créé de gigantesques canyons, très vite érodés par les pluies tropicales. Philippines.

Pages 306-307. Effondrements de laves incandescentes sous le dôme actif du volcan Merapi, qui entraînent parfois des nuées ardentes mortelles pour les habitants demeurant à proximité du volcan. Indonésie.

Pages 308-309. Aujourd'hui, l'érosion résultant des effets conjugués du vent et de la pluie a mis en place de nouveaux paysages aux alentours du Mont Saint Helens. États-Unis.

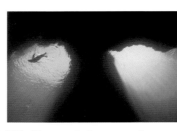

Pages 310-311. Une otarie joue avec les rayons de soleil dans un tunnel de lave sous-marin. Galapagos.

Pages 312-313. L'archipel des Galapagos est né des éruptions successives d'un volcan sous-marin toujours en activité. Île Bartolomé et la baie Sullivan, Galapagos.

Pages 314-315. Les tortues géantes vivent sur les hauteurs du cratère du volcan Alcedo où elles trouvent de l'herbe et de l'eau grâce à l'humidité provenant des nombreux nuages qui encerclent en permanence le sommet. Galapagos.

Pages 316-317. Protégé du rayonnement thermique par son vêtement ignifugé, un volcanologue observe depuis le sommet du cône le mouvement de la fontaine de lave. Volcan du Piton de la Fournaise. Île de La Réunion.

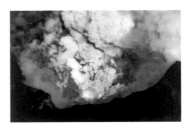

Pages 318-319. Le cratère du volcan Tungurahua commence à se réveiller, après 81 années de sommeil, et se met à cracher des nuages de cendres. Équateur.

Pages 320-321. Après une violente explosion du volcan Guagua Pichincha, un immense nuage de cendres se répand sur la ville de Quito et obscurcit progressivement le ciel. Équateur.

Page 322. Explosion majeure du volcan Guagua Pichincha : le panache de cendres se développe au-dessus de la ville de Quito. Il s'élève à une hauteur de 14 000 mètres d'altitude. Six heures plus tard, les images satellite le signalent au-dessus de la Colombie. Équateur.
Page 323. Procession de la Vierge miraculeuse destinée à protéger la ville de Baños du réveil du volcan Tungurahua. Depuis plusieurs siècles, la statue de la Vierge est promenée dans Baños en cas de catastrophe (éruptions, incendies…). Cette croyance populaire est très fortement ancrée dans l'esprit de la population. Équateur.

Pages 324-325. Après avoir extrait à mains nues le soufre du cratère du volcan Kawah Ijen, les mineurs doivent transporter à dos d'homme des charges supérieures à 100 kilogrammes sur une distance de près de 40 kilomètres à travers le massif volcanique, pour rejoindre l'usine de traitement. Île de Java. Indonésie.

Pages 326-327. Au sud de la mer Rouge, le volcan Gini Koma, né d'une éruption sous-marine, est situé dans le fond du golfe du Goubbet envahi par la mer, à l'entrée d'un futur chenal océanique. Djibouti.

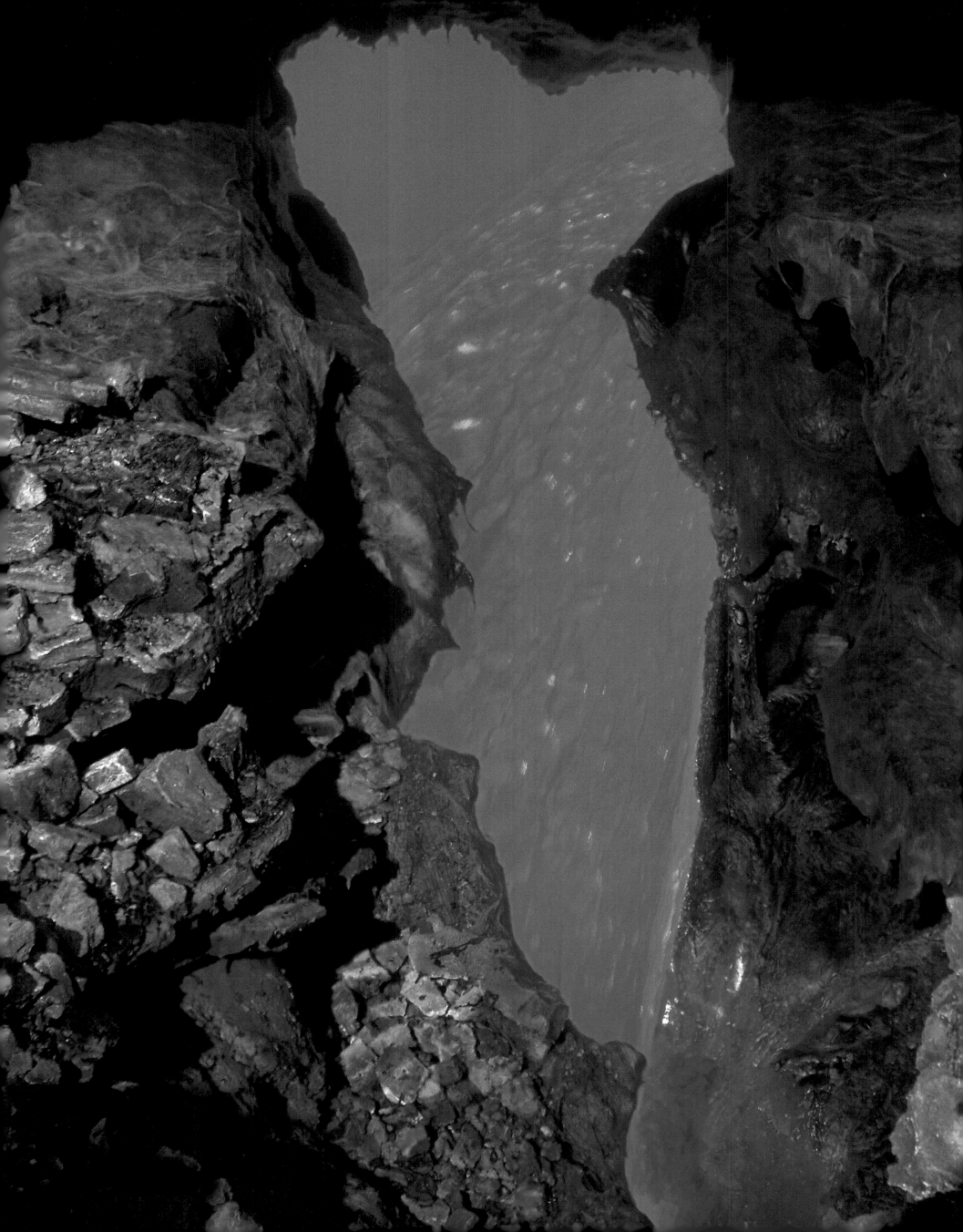

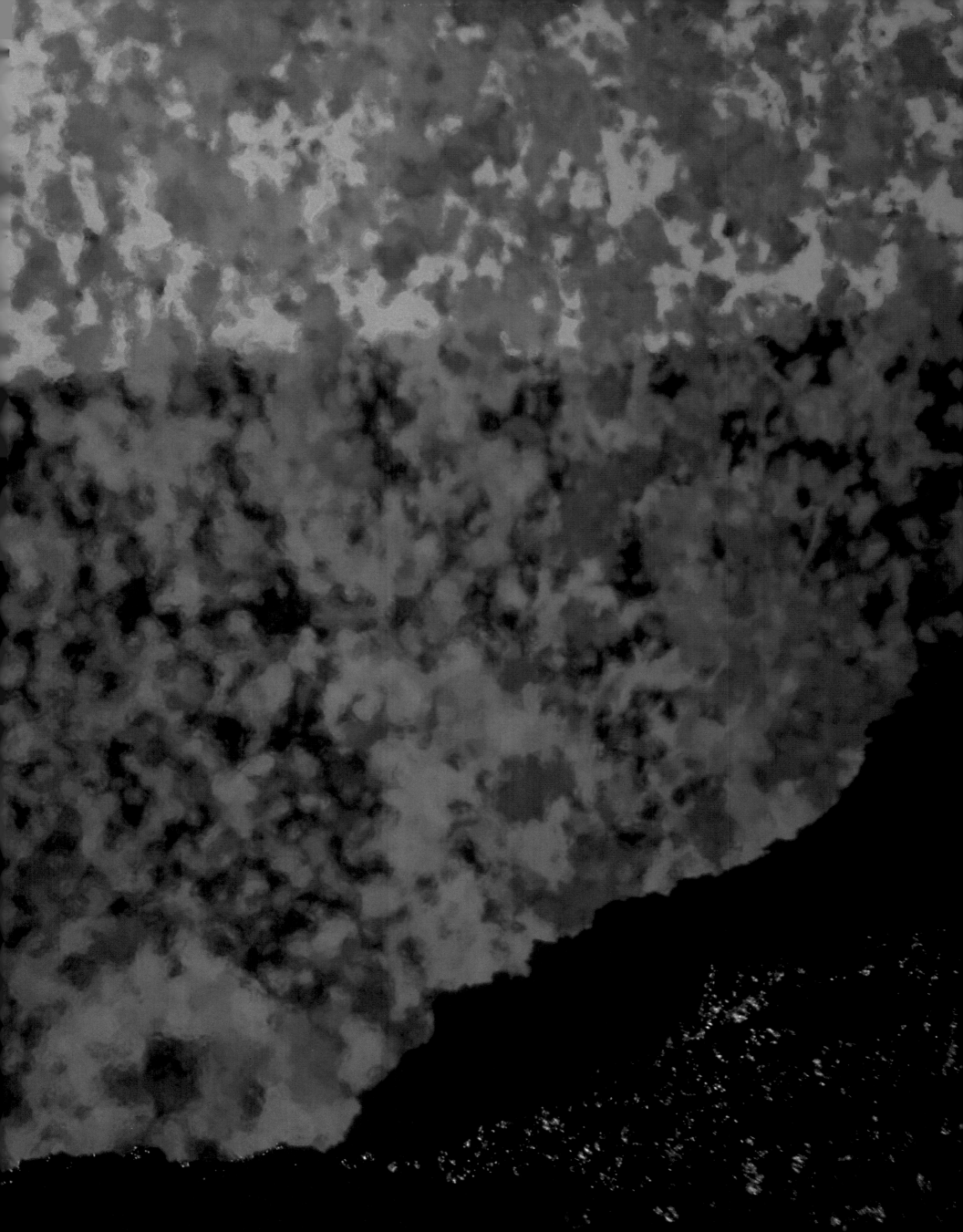

ÉRUPTIONS

VANUATU : UNE EXPÉDITION AU CRATÈRE BENBOW (CALDEIRA D'AMBRYM)

Samedi

Départ de Port-Vila, capitale du Vanuatu. L'avion paraît bien petit par rapport au matériel que nous voulons emporter... Les employés de l'aéroport regardent, perplexes, les douze gros sacs que nous venons de ranger face à la soute du petit Twin Otter. Les premiers entrent sans trop de peine mais, devant l'impossibilité de transporter tout ce chargement, on « sacrifie » quelques passagers pour embarquer les sacs. Seules six personnes montent finalement à bord.

Craig-Cove, île d'Ambrym. On est loin de l'aéroport moderne de Port-Vila, une bande de gazon bosselé entre cocotiers et forêt tropicale, une case en béton avec une manche à air, trois ou quatre voitures aux alentours. Un vrai départ pour l'aventure....

Dans la benne d'une camionnette brinquebalante, nous longeons par une piste défoncée la côte sud de l'île jusqu'à notre destination, le village de Lalinda. Suivant la coutume immuable du Vanuatu, nous devons d'abord trouver le chef du village. Nous avions bien pensé le prévenir par téléphone. Cependant, le détail de l'opération m'avait laissé rêveur : il convenait de téléphoner la veille dans un autre village, de là quelqu'un partirait à bicyclette à Lalinda pour prévenir le chef que nous voulions lui téléphoner, ce dernier rejoindrait ensuite le premier village le lendemain et ne manquerait pas d'attendre la communication que nous voudrions alors lui passer...

Préférant les liens concrets, nous avions donc choisi de venir directement à Lalinda. Une dizaine de cases aux murs et aux toits de palmes séchées, deux tuyaux d'eau... il ne faudra pas chercher loin pour trouver le chef.

Une fois le premier contact pris, nous lui expliquons que nous aimerions monter au volcan et sollicitons de sa part l'autorisation nécessaire. Nous lui demandons aussi un hébergement pour la nuit et une douzaine de porteurs pour le lendemain matin. La gentillesse des ni-Vanuatu n'est pas une vaine légende. En quelques minutes, nous obtenons tout ce que nous voulons.

Dimanche

Bien avant le lever du jour, les porteurs pressentis, encadrés de dizaines de parents et d'enfants, entourent notre case. La piste qui mène au volcan est en fait le lit d'une rivière qui en descend. Tout le fond de cette vallée est ennoyé par une large coulée de lave, lave et rivière empruntant les mêmes logiques d'écoulement dans les mêmes creux topographiques. Autour de nous, tout atteste la violence des éléments naturels : la lave s'est déversée en volumes énormes, la rivière a déplacé d'impressionnantes quantités de blocs et de cendres volcaniques lors de crues qui devaient être phénoménales. À certains endroits, les dépôts atteignent plus de 10 mètres de large... Plus haut sur le volcan, un système d'arêtes nous mène vers le bord de la caldeira, où nous débouchons rapidement.

Quelle surprise ! À la raideur des pentes succède brusquement l'horizontalité parfaite d'une véritable mer de sable noir. Une toute petite couronne de végétation borde une dépression de 12 kilomètres de diamètre qui est entièrement comblée par des dépôts de cendres volcaniques d'un noir parfait. Un vent violent soulève la cendre, formant de longues volutes qui nous cinglent le visage. Plus loin, il draine des nappes de brouillard humide et épais qui masquent l'horizon. Sur notre gauche, nous devinons une pente qui se perd dans la brume. Il ne peut s'agir que du cône volcanique qui nous appelle ici.

Le vent froid et humide, la cendre qui vole, la lumière grise sur le paysage noir : l'environnement est particulièrement hostile. Cependant, il règne dans ce paysage comme une promesse qui nous pousse à le découvrir.

Si nos pas auraient vite eu tendance à nous mener droit vers le cratère, nos porteurs nous font comprendre qu'il est très malaisé de monter un camp à sa proximité. Le sol de cendres meuble qui ne permet pas d'amarrer les tentes s'accompagne d'un vent violent et de possibilités de crues soudaines. Tout ce que nous voyons aux alentours nous pousse à les croire et nous les suivons sans rechigner jusque dans la frange de végétation qui borde la caldeira. Une légère dépression encombrée d'arbres et de roseaux constitue un bon abri. Au cours d'un voyage précédent, les porteurs y ont édifié une hutte qui sera un espace à vivre agréable à côté de nos petites tentes de montagne. Le camp s'installe rapidement et nos amis de Lalinda nous pressent de les libérer. C'est dimanche ! Je crois plutôt qu'ils veulent fuir au plus vite les conditions météorologiques qui empirent de minute en minute.

Ciré, pantalon étanche, parapluie quand on réussit à l'ouvrir. Tout est bon pour nous protéger. Malgré la petite pluie nordique ramenée par les vents violents, notre objectif demeure le cratère.

Le Benbow a eu dans le passé de très importantes éruptions explosives. Celles-ci ont rejeté les cendres qui encombrent le fond de la caldeira. À proximité du cratère, ces dépôts atteignent plusieurs dizaines de mètres d'épaisseur. L'érosion intense due aux pluies tropicales – il tombe ici plus de 7 mètres d'eau par an – a profondément entaillé le massif. Les alentours du Benbow ne sont qu'un fouillis de ravines, de canyons, d'arêtes raides et effilées. Pas facile de trouver un itinéraire mais, finalement, une ligne idéale se dégage dans le brouillard. Une longue série d'arêtes semble mener de bosse en bosse vers le flanc supérieur du cratère. Près du sommet, nous gravissons quelques passages raides suivis par une dernière pente de cendres où il nous faut faire des efforts inimaginables pour avancer. Puis la tête arrive en plein ciel, le vent frappe de face, et l'équilibre est difficile à maintenir sous les rafales qui nous font osciller entre deux vides : celui de la pente gravie et celui du cratère. C'est le sommet...

Le bord du cratère se perd à gauche et à droite dans le brouillard. Face à nous, un énorme enclos de près d'un kilomètre de diamètre qu'il va nous falloir apprivoiser. Mais pas facile d'appréhender ce cratère lorsqu'on ne le voit pas... Un brouillard dense, blanc et épais, chargé de gaz volcaniques, monte du vide. Nous sommes comme au bord d'une gigantesque cheminée. Nous avons sous nos pieds une première paroi de 180 mètres de haut, que nous allons devoir équiper de cordes pour la franchir, mais nous n'en apercevons que les 10 premiers mètres. La pente encombrée de cendres noires se perd dans le brouillard blanc qui remonte en grosses bouffées irrégulières. On ne peut foncièrement pas dire que l'amorce de cette descente soit très attirante, pourtant, c'est le chemin à suivre. Pour l'instant, retour au camp.

À gauche :
L'expédition atteint le bord du cratère du Benbow, noyé dans le brouillard. Le Benbow est un volcan actif de l'île d'Ambrym, dans l'archipel du Vanuatu.

Pour atteindre le puits central du Benbow, il faut longer le rebord d'un vaste cratère. Cette cheminée aux parois jaunies par le soufre laisse échapper des gaz brûlants et extrêmement corrosifs, rendant le port du masque à gaz indispensable.

Lundi

Ce matin, il est encore plus tôt que d'habitude, 5 h ; le soleil ne se lèvera que d'ici une heure et demie. Toute la nuit, un véritable déluge d'eau s'est abattu sur le camp. Dans ma tente, mon espace vital, de minute en minute et de fuite en fuite, s'est réduit au rythme de la marée qui montait. Pendant près de la moitié de la nuit, il a fallu emballer sous de multiples sacs en plastique ce qui pouvait encore être préservé de l'eau. Finalement, j'ai abandonné, laissant mon matelas voguer tout seul au milieu de la tente inondée... Je me suis donc rabattu sur la hutte construite autrefois par les porteurs. Elle s'est avérée bien plus étanche que nos matériels sophistiqués.

Pour le Vanuatu, nous pensions pourtant avoir tout prévu : nous y avons débarqué suréquipés et surinformés. Il faut dire que nous avons en ces lieux des confrères, travaillant en coopération avec les chercheurs locaux depuis de nombreuses années. Ils nous ont transmis généreusement des pages de notes, d'itinéraires, de recommandations et d'observations précises et judicieuses. Nous sommes donc partis, l'esprit en paix, sans le moindre doute quant à la réussite de notre entreprise. Nous avions tout anticipé... sauf que nous aurions les éléments contre nous !

Ce que nous avions vu hier de la première paroi que nous aurions à franchir ne nous semblait pas des plus attirants. Le souvenir de cette vision l'est encore moins ce matin. La pluie continue de tomber et le vent balaie toujours le fond de la caldeira. Espérant une éclaircie, nous tournons autour de notre camp, repoussant le plus possible le moment où nous nous retrouverons sur l'arête sommitale. Croyant connaître une accalmie, nous décidons de partir.

Trois porteurs sont encore là pour nous aider à monter le matériel au sommet. Nous réussissons à monter toutes les charges de matériel en un seul voyage. Une heure plus tard, la petite plate-forme taillée dans la crête sommitale est encombrée de sacs aux contenus divers : plus de 300 mètres de corde et des pieux d'acier pour les amarrages, réserves de nourriture, tente et eau pour un camp que nous prévoyons d'installer au fond du cratère, masques à gaz, scaphandres. Tout est là, il n'y a plus qu'à y aller.

L'eau dégouline de partout et la visibilité n'est pas bien meilleure qu'hier, mais maintenant on ne se pose plus de questions. Deux amarrages sont posés en contrebas de la crête, un premier tronçon de 100 mètres de corde y est fixé, ainsi que le descendeur. L'habituel petit pincement au cœur en enjambant le bord du cratère se fait sentir.

La paroi n'est pas tout à fait verticale, mais sa composition n'est pas des plus stables et il convient de s'y déplacer avec prudence, en faisant surtout attention aux chutes de blocs qui pourraient endommager la corde. Un nouvel amarrage est placé à une soixantaine de mètres plus bas, puis l'extrémité de la corde est fixée à un autre pieu en acier 100 mètres sous le sommet.

Trempé et fâcheusement impressionné par le site, je reprends un tronçon de corde dans le sac et repars vers la paroi. Je me sens maintenant à l'aise, retrouvant des sensations et des réflexes connus des années durant sur d'autres volcans au profil similaire. Fixation de la nouvelle corde sur l'amarrage et nouveau départ vers le bas, un relais encore, puis la corde se termine sur une pente raide de cendres compactes. Une quarantaine de mètres à dévaler et voici la surface horizontale de la première plate-forme. C'est sur celle-ci que nous établirons un camp intermédiaire à partir duquel nous travaillerons dans la partie inférieure du cratère. Remontée vers la crête : il pleut toujours et les cordes dégoulinent et s'égouttent contre moi lorsque je les saisis pour me hisser. Mon ensemble en ciré me protège du ruissellement... mais ici, contre la paroi du cratère, on est à l'abri du vent et il fait chaud. Bien vite, je me retrouve complètement trempé par la condensation due à l'effort dans mon enveloppe étanche. Je me console en me disant que mouillé pour mouillé, autant être mouillé de chaleur... Au sommet, l'équipe a fondu sous la pluie. Après une concertation rapide, nous décidons de remettre la suite des opérations au lendemain.

Mardi

Il a plu encore toute la nuit. Le vent a soufflé en rafales. Un abri en bâches tendues sur des perches en branchage par-dessus la tente m'a permis cette fois d'éviter l'inondation. Un petit déjeuner pendant lequel nous gambergeons beaucoup pour finalement décider d'aller nous installer au fond du cratère. Nous serons ainsi à pied d'œuvre pour attendre des conditions meilleures. Cette position devrait aussi nous permettre d'équiper plus aisément la paroi menant à la seconde plate-forme. À nouveau, nous traversons la caldeira et montons sous les bourrasques vers le sommet. S'ensuivent des allers et retours vers la première plate-forme pour équiper notre camp. La tente est montée, à l'écart d'une zone inondable. La sévérité du lieu, l'ambiance un peu extrême de ce monde circulaire dont les parois ne s'ouvrent que sur le ciel, la présence obsédante du panache volcanique et des grondements montant du cratère central, tout cela, allié aux conditions météorologiques, a eu raison de la majorité de l'équipe et nous nous retrouvons seulement à deux.

La plate-forme où nous nous situons est occupée en son centre par un vaste cratère d'où monte une large colonne continue de gaz et de vapeur. Nous sommes au sud de ce cratère. À l'est, sa découpe vient effleurer la grande paroi nous séparant du sommet. Une série de ravines étroites entaillent les dépôts de cendres coincés entre les deux zones : c'est par là qu'il convient de trouver un passage pour rejoindre la partie nord de la première plate-forme. Juste au moment du départ, le temps se lève quelque peu et nous permet de nous orienter. Nous prenons une série de repères à la boussole et sur le GPS. Volontairement, nous laissons aussi de larges traces dans la cendre pour retrouver notre chemin. Bien vite, nous errons dans un dense réseau de canyons étroits mais trouvons enfin un passage qui nous ramène vers la bordure du cratère central, que nous suivons jusqu'à ce qu'elle soit découpée par un énorme évent actif de plusieurs dizaines de mètres de diamètre. Cette énorme cheminée ouverte au ras du sol a les parois intérieures tapissées de soufre jaune et semble animée comme par une respiration infernale : des souffles réguliers de gaz brûlants montent de l'abîme. À chaque expiration, une bouffée de chaleur nous fait reculer, nous qui voudrions bien voir ce qu'il y a là-dessous. Les gaz rejetés sont des plus irritants et le masque à gaz est indispensable pour la suite de la progression. Je retrouve l'odeur et l'attaque caractéristique du dioxyde de soufre, mais il y a quelque chose en plus. Un tube colorimétrique monté sur la pompe à main nous donne une approximation. De l'acide fluorhydrique est présent dans l'atmosphère. C'est l'acide le plus agressif, capable de ronger même le verre en quelques heures.

Heureusement, quelques bonnes rafales de vent ventilent assez bien tout cela pendant que nous contournons cette cheminée active. Nous voilà sur la partie nord de la première plate-forme. À partir de là, il est possible de remonter sur le bord du cratère central qui dévoile alors tous ses secrets. Une première paroi descend droit devant nous. Cent mètres plus bas environ, elle mène à la seconde plate-forme, qui ressemble plutôt à une pente de cendres accrochée au bas de la paroi. Cette pente mène vers un ressaut d'une soixantaine de mètres, qui domine enfin le lac de lave, but de tous nos efforts.

De notre perchoir, nous l'apercevons pour la première fois. Bien étrange lac de lave en vérité. J'ai eu la chance de pouvoir travailler sur beaucoup de lacs de lave et chacun d'eux était bien différent des autres. Mais celui-ci est sans aucun doute le plus particulier, et le plus discret aussi en un sens, puisqu'il se cache bien loin au fond du cratère, presque 400 mètres sous le sommet du volcan. En fait de lac de lave, il s'agit plutôt d'une lucarne d'environ 60 à 80 mètres de diamètre, lucarne ouverte en sur-

plomb au-dessus d'un fleuve rapide de lave en fusion qui semble couler de manière continue au fond du volcan. La lave est brassée violemment et, de temps à autre, de grosses bulles de gaz viennent éclore à la surface, provoquant des éclaboussures qui jaillissent de la bouche. Cette lucarne me fait vraiment penser aux voûtes effondrées que l'on trouve parfois au-dessus des grands tunnels de lave, que cela soit à Hawaii ou à la Réunion. De ce soupirail peu commun monte un panache de gaz chauds entraînant avec eux des petits fragments de projections de lave, cendres qui retombent de manière continue jusqu'ici, sur la première plate-forme. Lorsque les bulles de gaz explosent à la surface de la lave, la matière s'étire et ces mêmes fragments deviennent des fils de verre volcanique, emportés parfois très loin par le panache du volcan. Ce sont ces fils, semblables à de vrais cheveux, que l'on nomme « cheveux de Pelé » en hommage à la déesse du feu. Nous restons une bonne heure en observation au bord du puits, repérant le cheminement que nous aurons à suivre dans les différentes parois pendant les prochains jours.

Au cours de la dernière descente, nous découvrons un nouveau danger jusque-là inconnu : les cordes sont imbibées d'eau et les cendres retombant du panache du volcan s'y agglomèrent. Lorsque la corde passe dans le descendeur en métal léger, les cendres en question, qui sont essentiellement composées de silice très dure, se comportent comme un parfait abrasif et le descendeur se voit très nettement coupé, comme par une large lame de scie. Une seule descente voit ainsi mon descendeur perdre près de la moitié de son épaisseur ! Pas question de rééditer l'exploit une seconde fois, au risque de se retrouver détaché de la corde et ce, en plein vide... Il nous faudra donc inventer un autre bricolage pour les prochaines descentes.

Mercredi

Le lendemain, nous nous fixons comme objectif de retourner vers la partie nord du cratère. La visibilité est meilleure ce matin, le ciel est toujours gris et plombé, mais il ne pleut pas. Quel luxe de pouvoir marcher sans les cirés étanches.

Pour la première fois, nous apercevons l'ensemble des parois qui nous entourent, toutes resserrées autour du panache de gaz et de vapeur qui s'élève du centre du volcan. Un nouveau descendeur est placé sur la corde solidement fixée aux amarrages et c'est le départ vers le vide. 200 mètres plus bas, le lac de lave ronfle et grommelle : la lucarne par laquelle on aperçoit le débit fou de la lave est comme un œil amical qui me guette du fond du cratère.

Quelques instants plus tard, l'ambiance change du tout au tout... Le mauvais temps est de retour. Situation étrange où je me retrouve pendu au bout de mon fil sur une paroi instable dont aussi bien le sommet que la base se perd dans une épaisse purée de pois. Les gaz se rabattent par ici et, depuis un moment déjà, j'ai mis le masque à gaz. Toute la figure et spécialement les yeux me démangent : les gaz émis par le volcan se dissolvent dans l'eau de pluie et forment de l'acide. Les particules de lave en forme d'aiguilles et les cheveux de Pelé emportés par le vent s'y ajoutent et sont loin d'arranger la situation.

Remontée, retour vers le camp, attente, longue attente dans la tente dont les piquets se décrochent à chaque grosse rafale de vent. Attente, longue attente qui se prolonge plusieurs jours. Pluie, vents, brouillards, nappes de gaz, pluies acides qui rongent aussi bien le matériel que notre patience et notre résolution.

Camp sur la première plate-forme du Benbow.

Finalement, une descente « à l'arraché » nous permet de nous rapprocher du lac. L'accès direct en était interdit par l'instabilité des bords surplombants ébranlés à chaque soubresaut de la lave sous-jacente, à chaque souffle des gaz qui en étaient issus. Sur ce sol mouvant et agité, formant une voûte en équilibre instable au-dessus du courant de lave, pas question de franchir les derniers mètres pour atteindre le bord du trou. Mais cela n'est plus nécessaire. Si nous ne pouvons aller chercher les précieux échantillons de lave dont il serait des plus importants de connaître la composition exacte, les échantillons viennent naturellement à nous. Les projections de lave giclent jusqu'à nos pieds et la récolte en est facile...

Et puis, il faut déséquiper, retirer les cordes et le matériel des parois successives, sous le vent, dans les gaz, avec les masques qui semblent filtrer de moins en moins l'air corrosif, en se jouant des essoufflements dont nous souffrons au milieu de la paroi, quand ils n'ont plus le débit nécessaire pour assurer la respiration en plein effort, avec l'acide qui coule sur les cirés et la figure qui brûle, avec le matériel qui se corrode et rouille en un jour au contact de gaz agressifs, avec les sacs de plus en plus lourds et de plus en plus nombreux au fur et à mesure que l'on remonte... Et les parois semblent de plus en plus hautes, que l'on grignote centimètre après centimètre. Bref, ce fut tout cela et plus encore... jusqu'à la première bouffée d'air frais dans le vent du sommet du volcan. Quelques jours d'une expédition au Benbow, un beau volcan dans un paradis tropical...

CRISE VOLCANIQUE EN ÉQUATEUR

Immédiatement, Pete s'exclame : « Jacques, nous avons un problème... Il y a deux volcans maintenant, et nous ne savons pas lequel des deux va entrer en éruption le premier ! » Pete, c'est le surnom de Minard Hall, volcanologue américain qui travaille en Équateur depuis plus de 25 ans. Nous sommes au dernier étage de l'Instituto Polytecnico de Quito, siège du service volcanologique. Nous avons tous les yeux rivés sur une longue rangée de sismographes. À intervalles réguliers, les aiguilles frémissent, puis accélèrent et tracent un ensemble de courbes très resserrées.

Descente en rappel vers le fond du cratère du Benbow, où gît un lac de lave.

Un nouveau choc vient d'ébranler un volcan. Sous les appareils les plus actifs, les noms des volcans qu'ils enregistrent : Pichincha, Tungurahua.

Je connais le Pichincha depuis longtemps. Il y a plus de 15 ans, j'avais passé quelques jours au bord de son cratère. C'est un volcan qui domine la ville de Quito, capitale de l'Équateur. Une quinzaine de kilomètres séparent la ville du cratère. Toutes les rues en pente de la vieille cité coloniale semblent venir buter sur le flanc du massif volcanique. Le chemin pour accéder au volcan commence d'ailleurs au détour d'une rue qui monte depuis la cathédrale...

La dernière fois que j'avais vu le volcan, il était profondément endormi. Un vieux dôme occupait le fond du cratère, qui, entouré de fumerolles, se recouvrait lentement de soufre. Il y a quelques années, on a commencé à enregistrer des petits essaims de séismes sous le volcan et on a compris que le magma remontait lentement vers la surface. Dès lors, la surveillance s'est accrue et les volcanologues équatoriens ont renforcé le réseau de stations de mesures. Le 12 mars 1993, une violente explosion secoue le volcan. Deux volcanologues équatoriens qui travaillaient dans le cratère sont tués. Depuis, ce type d'explosion est devenu de plus en plus fréquent, signe évident de la remontée du magma. Lorsque celui-ci arrivera en surface, il sera à l'origine d'une éruption plus classique. L'étude géologique des éruptions précédentes a montré qu'il s'agit d'activités toujours explosives, qu'elles projettent de grandes quantités de cendres et qu'elles peuvent engendrer des coulées pyroclastiques. Donc des éruptions dangereuses, qui, d'après ce que l'on voit maintenant, devraient se produire dans un délai relativement court.

Situé au-dessus de la ville très touristique de Baños, haut de 5 025 mètres, d'un accès aisé, le Tungurahua représentait un véritable challenge pour de nombreux randonneurs. Je l'avais moi-même gravi en guise d'entraînement avant d'aller étudier des volcans plus hauts comme le Sangay ou le Cotopaxi. En revanche, je me dois de reconnaître que j'avais quelque peu ignoré les fumerolles proches du sommet et que je n'avais jamais considéré le Tungurahua comme un volcan potentiellement dangereux ou, du moins, plus dangereux que de nombreux autres.

Aidés des conseils de Pete et des volcanologues équatoriens, nous essayons rapidement de nous construire un programme pour les jours à venir. Comme le Pichincha se situe juste aux portes de Quito, nous décidons d'y mener une première reconnaissance.

Pichincha, la première ascension

Les derniers quartiers de la ville viennent mourir sur les pentes du massif volcanique. Une route caillouteuse mène au col. Depuis ce col, on prend véritablement conscience de la menace qui pèse sur Quito. À ses pieds, s'étend la ville, ville ancienne qui regorge de palais et d'églises baroques datant de la conquête espagnole, ville moderne avec des gratte-ciel et de larges avenues embouteillées par une circulation effrénée. Tout cet ensemble urbain s'inscrit dans une vaste cuvette, dont le massif du Pichincha constitue l'un des rebords. De l'autre côté du col, la piste redescend dans une large caldeira verdoyante. Les cendres volcaniques accumulées ici ont créé un sol extrêmement fertile. Toute la caldeira est une importante zone d'élevage, et ce bétail vient nourrir la capitale voisine. Des *estancias* de belle allure ponctuent le paysage tandis que dans

Depuis le bord du cratère, nous voyons enfin ce qui se trame dans le fond du volcan. L'ancien dôme se déforme sous la pression du magma qui remonte. Une longue fracture parsemée de fumerolles importantes se dessine. Un grondement continu accompagne ces sorties de gaz et de vapeur à très haute pression : l'image est certes usée, mais une fois de plus nous avons l'impression de nous trouver sur le couvercle d'un autocuiseur. Il serait intéressant de faire des analyses détaillées des gaz qui se dégagent, mais, dans l'état actuel d'instabilité du volcan, la descente dans le fond du cratère semble trop risquée.

Soit l'un soit l'autre

Les deux volcans se montrent « nerveux » et des mesures urgentes sont à prendre. Un recensement complet du bétail est décidé aux alentours de Lloa au pied du Pichincha, des conférences de presse quotidiennes sont tenues, les informations sont relayées par la presse, la radio et la télévision.

Un exercice d'évacuation est planifié tout autour du volcan Tungurahua. Plus de 30 000 personnes sont sous sa menace directe et, en cas d'éruption importante, il conviendra de les évacuer rapidement. L'état d'alerte « jaune » est décidé à Quito et à Baños, l'alerte « orange » est décrétée dans les fermes et les villages autour du Pichincha.

Tous deux se montrant menaçants, il n'est pas facile de décider où il est le plus important d'être présent. À Baños, la population s'inquiète et l'on entend beaucoup de rumeurs à propos de déménagements en hâte, de reventes de maisons, etc. Pete décide donc d'aller à Baños, de travailler sur le volcan par lui-même et surtout de vivre dans la ville. La présence de volcanologues dans la population ne peut que la rassurer sur le sérieux des diagnostics. De même, le départ des volcanologues en cas d'évacuation ne peut être qu'un exemple à suivre pour cette même population.

Le réveil du Pichincha

Pour ma part, je décide de retourner au pied du Pichincha. À Lloa, tout le monde semble calme : les militaires présents ont un PC bien organisé et aident les fermiers locaux et les experts agricoles à recenser et à marquer le bétail. Certains propriétaires ont déjà trouvé des pâtures à distance du volcan, et de nombreux camions chargés de moutons ou de vaches quittent la caldeira.

Nous devisions calmement avec le colonel Aguas devant l'église du village lorsqu'un grondement sourd nous surprend. Instinctivement, tout le monde se tourne vers le volcan. Un énorme nuage noir s'élève du cratère. Grimpant rapidement dans le ciel, il bourgeonne et grossit immanquablement. Ici, tout s'est figé dans le silence le plus absolu. Cela annonce le début d'une éruption et nous sommes près, beaucoup trop près du volcan. Bientôt, des détonations sourdes ébranlent l'atmosphère ; ce ne sont pas des explosions du volcan mais des éclairs dus à des décharges d'électricité statique qui traversent tout le panache. J'essaie de distinguer si s'avance vers nous un nuage gris-noir : cela serait le signe de coulées pyroclastiques... mais à la vitesse où celles-ci progressent d'habitude (plusieurs centaines de kilomètres à l'heure), il n'y aurait pas grand-chose à faire ! Heureusement, il ne semble y avoir d'extensions latérales que vers le rio Cristal, là où le cratère est égueulé, loin de nous. Brusquement, l'immobilité qui nous avait saisis se brise et chacun essaie de faire

Au sommet du volcan Pichincha (4 784 mètres d'altitude), le cratère, habituellement inactif, montre des fumerolles importantes, signes d'une nouvelle remontée magmatique.

la partie la plus ouverte s'élève la petite ville de Lloa qui regroupe des bâtiments administratifs, l'école et l'église, les maisons de quelques milliers de travailleurs agricoles. Au centre de la caldeira, un important cône volcanique, le Guagua Pichincha ou « petit Pichincha », objet de toute notre attention. Les pentes du cône sont verdoyantes, couvertes de prés et de champs cultivés. Plus haut, proche du sommet, une pente plus raide mène vers le bord du cratère : la partie supérieure du volcan est légèrement saupoudrée de neige et, au-delà de la lèvre du cratère, un modeste panache blanc de gaz et de vapeur d'eau s'élève dans le ciel. Ce « petit » volcan semble innocent, mais le risque est bien réel...

On pense immédiatement à la proximité de Quito. La capitale du pays est indiscutablement menacée par une éruption volcanique. Cependant, un examen attentif du site permet de modérer ces craintes. Le volcan actif, le Guagua Pichincha, est situé au milieu de la caldeira et son rebord, paroi de plusieurs centaines de mètres de haut, représente une barrière topographique qui protège la ville de risques directs. En effet, si des coulées pyroclastiques sont émises, elles seront détournées par cet obstacle et suivront la pente naturelle qui les fera sortir de la caldeira par le lit du rio Cristal, à l'opposé de la ville. En revanche, d'autres menaces pèsent sur Quito : lorsque le magma frais arrivera en surface, il sera à l'origine d'explosions, plus ou moins nombreuses ou fortes. Ces explosions dégageront des cendres qui, elles, transportées par le vent, pourront retomber sur la ville. Ce danger n'est pas létal, mais peut cependant sérieusement perturber la vie et l'économie d'une cité moderne... Plus critique est la situation de la ville de Lloa, directement sous le cratère. Devant le risque très réel de coulées pyroclastiques, une première évacuation vient d'être décidée. Tous les habitants qui ne sont pas directement concernés par l'élevage du bétail ont été déplacés. Ceux qui restent ne viennent que pour travailler durant la journée et ressortent de la caldeira le soir venu. Toute la zone est contrôlée par les militaires, qui se portent garants des risques de pillage éventuels.

efficacement ce qu'il a à faire. Les militaires actionnent les sirènes d'alerte, le PC essaie de contacter le service volcanologique par radio : en vain, nous n'avons plus aucune communication, les éclairs qui zèbrent le panache en sont vraisemblablement responsables...

Après une rapide concertation, nous décidons avec le colonel d'évacuer tous ceux qui demeurent encore dans les environs. Aussitôt, des camions et des Jeep militaires partent dans différentes directions et ramènent rapidement la population restante. Sans panique, mais avec célérité et détermination, les gens embarquent dans des autobus qui attendaient à la sortie du village. En moins d'une heure, tous ont rejoint les centres d'accueil organisés tout autour de Quito.

Au-dessus du volcan, le nuage s'enfle toujours et des cendres commencent à retomber sur les alentours. Ayant évacué tous les civils, les militaires s'apprêtent à partir à leur tour : il est décidé qu'ils remonteraient jusqu'au col qui domine la caldeira et, à partir de là, qu'ils contrôleraient tous les accès et surveilleraient le volcan en même temps. Sur le volcan, l'intensité des explosions semble diminuer, mais le nuage de cendres bouche tout le ciel. Nous décidons aussi de quitter les lieux pour l'instant.

Une ville sous les cendres

Deux heures après le début de l'éruption, le nuage de cendres, poussé par le vent, retombe sur Quito. En cette fin d'après-midi, une double nuit tombe sur la ville... La lumière s'obscurcit fortement et il n'y a plus que l'éclairage public et les phares des voitures qui circulent encore pour trouer cette obs-

curité étrange, palpable, comme solide. Dans une lumière gris-rouge, des passants se hâtent, se protégeant comme ils peuvent avec des parapluies, des journaux, des vêtements, pour se couvrir la tête et le visage. La plupart d'entre eux portent des masques anti-poussière qui avaient été distribués préventivement. Et tout se passe dans le calme : la plupart des bruits sont assourdis par la cendre qui tombe comme de la neige. Les rues se vident lentement et la population se regroupe autour des postes de radio ou de télévision puisque le maire de Quito, qui vient d'obtenir les pleins pouvoirs pour gérer la crise, parle en direct. Discours clair, vrai, honnête, sans fausse promesse. Il explique que ce que nous vivons en ce moment n'est que le début, que cela pourrait être pire, que cela sera pire... Mais il dit aussi clairement qu'il n'y a pas de risque mortel, qu'il va peut-être falloir s'habituer à vivre sous les cendres pendant quelques semaines, quelques mois, voire quelques années. Il dit que cette vie sera pénible, mais pas impossible... Et les premières mesures tombent : fermeture de tous les établissements scolaires pour les jours suivants, renforcement de toutes les consignes de sécurité, fermeture de l'aéroport pour au moins 48 heures. Quelques heures plus tard, un calme plat règne en ville, les enregistrements nous disent que le volcan se calme, que les explosions cessent, mais pour combien de temps ?

Le lendemain matin, une atmosphère gris-blanc règne sur la ville, tout mouvement, tout passage de véhicule soulevant un nuage de poussière. Contournant les balayeuses qui s'affairent à un premier nettoyage, nous prenons la route vers le volcan Tungurahua.

Équipée de masques à gaz, la police patrouille dans les rues pour éviter les actes de pillage lors de l'évacuation des habitants du village de Lloa, situé directement sous le cratère du volcan Guagua Pichincha.

Évacuation

Le volcan Tungurahua s'élève sur la bordure de la chaîne centrale d'Équateur, sur le versant amazonien de celle-ci. Il domine une profonde vallée qui descend vers la cuvette de l'Amazone. Au fur et à mesure que l'on s'enfonce dans la vallée, la température augmente, l'humidité aussi et la végétation se fait de plus en plus luxuriante. À mi-chemin entre la montagne et la forêt, la ville de Baños : ici, 30 000 personnes vivent juste au pied de la pente qui descend du volcan.

Un bureau provisoire du service volcanologique y a été établi. Dès notre arrivée, Pete décide de renforcer le réseau sismique et de nouveaux appareils sont disposés autour du volcan. Ensuite, nous nous efforçons de faire des mesures de quantité de gaz dans le panache émis par le volcan. On utilise pour cela un appareil appelé Cospec, qui peut mesurer à distance et en continu les quantités de dioxyde de soufre rejeté. On équipe donc un véhicule, et l'objectif de l'appareil étant dressé vers le ciel, on prend une route qui contourne le volcan. Avant la crise, ces taux étaient de quelques centaines de tonnes par jour. Cet après-midi, après quelques heures de mesure, nous arrivons à une moyenne de 4 500 tonnes… Chiffre impressionnant, qui confirme bien la présence de magma frais sous le volcan. Lorsque celui-ci arrivera en surface, une éruption majeure pourrait avoir lieu. De retour en ville, nous cherchons des affleurements, c'est-à-dire des sites où l'on pourrait voir une coupe dans le sol. Nous distinguerions alors les couches géologiques les plus récentes qui pourraient nous renseigner sur la dernière activité du volcan, datant de quelques centaines d'années. Finalement, dans la partie haute de la ville, près du lieu dit « le Vascùn », nous trouvons un chantier de construction. Les tranchées ouvertes pour les fondations vont nous donner ce que nous cherchons.

Nous nous rendons vite compte que les divers dépôts de cendres ont une épaisseur qui varie entre 20 et 40 centimètres. Ce qui est déjà considérable. Mais plus encore, entre ces dépôts provenant des chutes de cendres, nous trouvons des traces importantes d'anciennes coulées pyroclastiques, certaines épaisses de plusieurs dizaines de centimètres. Cette découverte corrobore divers témoignages que nous avons recueillis auprès de la population au sujet de la dernière éruption, qui date de 1916. Pas de doute, nous sommes face à un volcan qui peut avoir – et qui a eu dans le passé – un comportement très dangereux.

Le lendemain matin, les autorités municipales, aidées de la police, de l'armée, de la protection civile et de la Croix-Rouge, réalisent l'exercice d'évacuation prévu. Je suis très impressionné par l'état de préparation des gens. Il est vrai qu'ils ont été largement prévenus et instruits : de nombreux articles très détaillés sont publiés chaque jour dans tous les quotidiens, des placards sont affichés dans les rues et dans les magasins, de nombreuses réunions d'information ont eu lieu.

Il n'empêche que l'exercice, pris très au sérieux par tout le monde, est un franc succès et sera certainement très utile dans un avenir proche. Quelques jours après cet entraînement, on fait également une grande procession pour sortir la statue miraculeuse de la Vierge qui a la réputation de protéger la ville du volcan. Deux précautions valent mieux qu'une ! Et le doyen de la cathédrale, tout convaincu qu'il est du pouvoir de la statue miraculeuse, me précise que la Vierge évacuera également car on ne saurait faire courir de risques à une telle relique…

Le lendemain matin, on enregistre des explosions phréatiques au cratère. En fin d'après-midi, lorsque la couverture nuageuse se lève enfin, on observe pour la première fois un panache de cendres qui s'élève au-dessus du Tungurahua….

Huit jours plus tard, des explosions de plus en plus fortes ébranlent le volcan et l'émission de cendres est quasiment continue. Devant le risque qui ne cesse de s'accroître, il est décidé d'évacuer Baños : tous les habitants quittent la vallée pour trouver refuge à Riobamba pour la plupart, à Quito pour d'autres. Ont-ils conscience qu'ils fuient un volcan pour se rapprocher d'un autre volcan ?

Retour à Quito

Quito est calme, mais tous les regards sont tournés vers le Pichincha. La presse, la radio et la télévision ne parlent que de volcans et les Équatoriens apprennent à vivre avec les risques éruptifs.

Notre opinion est que, pour les deux volcans qui nous occupent, la situation n'est que pré-éruptive. S'il se produit aujourd'hui des explosions parfois impressionnantes, elles sont cependant bénignes face à ce qui pourrait se passer durant le climax d'une grande éruption. La vigilance, plus que jamais, est de mise. Souhaitons cependant que l'on puisse la conserver durant les semaines, voire les mois qui suivent. L'instabilité actuelle risque de se maintenir longtemps.

Un an plus tard

Un an plus tard, la même situation perdure. Les volcans sont dans un grand état d'instabilité, ils sont tous les deux secoués par de nombreux séismes, tous les deux ont rejeté des cendres qui sont retombées sur Quito et sur Baños… Quelques coulées pyroclastiques issues du Pichincha se sont engouffrées dans le lit du rio Cristal, mais elles étaient de faible volume. Des coulées de boue sont descendues du Tungurahua, mais, peu volumineuses, elles n'ont rien détruit. La ou les grandes éruptions attendues ne se sont pas encore produites. Les zones proches des deux volcans sont toujours classées en échelle de risque « orange ».

À Baños cependant, devant la modicité des phénomènes explosifs actuels et face aux innombrables problèmes sociaux et économiques que cause une longue évacuation, et malgré tous les avis officiels, la population a décidé de retourner en ville… L'armée est toujours sur place, prête à encadrer une nouvelle évacuation. Souhaitons que le volcan envoie suffisamment de signaux clairs et interprétables afin que cette évacuation se fasse à temps avant la catastrophe.

Exercice d'évacuation de la population de la ville de Baños, menacée par le réveil du Tungurahua, l'un des plus hauts volcans actifs des Andes.

Page 337. Les volumes de cendres rejetés lors d'une éruption volcanique sont très nocifs pour les animaux. De nombreux bovins vont mourir en tentant de s'alimenter car l'ingestion de cendres provoque chez ces ruminants des perforations de l'estomac. Volcan Pinatubo. Philippines.

Pages 338-339. C'est après un sommeil de plus de 600 ans que le Pinatubo explose le 12 juin 1991, alors qu'il ne figure même pas sur la liste des volcans actifs du globe. Pendant cette éruption, le volcan crache des panaches de cendres à 30 kilomètres d'altitude au plus fort de la crise, des nuées ardentes engloutissent les pentes de la montagne, des fleuves de boue déferlent dans les vallées détruisant tout sur leur passage jusqu'à plus de 40 kilomètres du cratère. Si la majorité des populations a pu être évacuée à temps, le bilan fut tout de même de 300 victimes. Philippines.

Pages 340-341. L'éruption du Pinatubo a été la plus importante du XXᵉ siècle. Elle a jeté sur les routes un demi-million de Philippins qui ont fui la zone devenue provisoirement inhabitable. Philippines.

Pages 342-343. Les paysans tentent de sauver leur bétail qui ne peut plus se nourrir, étant donné qu'une épaisse couche de cendres recouvre les prairies. Volcan Pinatubo. Philippines.

Pages 344-345. Un habitant évacue ses biens les plus précieux de la zone touchée par l'éruption du volcan Pinatubo. Philippines.

Pages 346-347. Un épais tapis de cendres recouvre les rizières et les champs de cannes à sucre dans un rayon de plusieurs dizaines de kilomètres autour du volcan Pinatubo. Philippines.

Pages 348-349. Un paysan tente de récolter la canne à sucre de son champ malgré les retombées de cendres du volcan Pinatubo. Philippines.

Pages 350-351. Les cendres émises lors des éruptions volcaniques ont la particularité d'être extrêmement fertiles et ainsi d'enrichir considérablement les sols, ce qui explique les concentrations importantes de population élisant domicile à proximité des volcans. Volcan Pinatubo. Philippines.

Pages 352-353. Pendant l'éruption du Pinatubo, les habitants d'un village situé à une vingtaine de kilomètres du volcan profitent d'une accalmie – les retombées de cendres diminuant – pour sortir de chez eux. Cette photo a été prise en plein jour. Philippines.

Pages 354-355. Au pied du volcan Pinatubo, le village des Masquisquis a été touché par le passage à proximité d'une coulée pyroclastique. Tous ses habitants avaient heureusement été évacués avant le cataclysme. Philippines.

Pages 356-357. Les retombées de cendres sont telles que même en plein jour la lumière disparaît. Les habitants des villages fuient la région, évacuant leurs familles et leurs biens avec les moyens du bord. Volcan Pinatubo. Philippines.

Pages 358-359. Dans la partie orientale de l'île de Java en Indonésie, le volcan Kawah Ijen produit chaque jour 4 tonnes de soufre. Sur les berges du lac d'acide qui stagne dans son cratère, le soufre s'accumule en abondance. Il est exploité par une poignée de mineurs qui n'hésitent pas à travailler dans des conditions extrêmement dures pour extraire ce précieux métalloïde. Indonésie.

Pages 360-361. Chaque jour, sans aucune protection contre les gaz très corrosifs, les mineurs montent sur la « colline » de soufre pour briser les nouvelles concrétions produites pendant la nuit. Pour accélérer la formation du soufre, les Indonésiens canalisent les fumerolles dans de gros tuyaux en fer. Les vapeurs d'acide s'y condensent et le précieux minéral passe de l'état gazeux à l'état liquide, coulant sur le sol en longues traînées rouges avant de cristalliser en virant au jaune citron. C'est ce moment que choisissent les mineurs pour débiter à la barre à mine les plaques de soufre tout juste solidifié. Volcan Kawah Ijen. Indonésie.

Pages 362-363. Les porteurs équilibrent soigneusement les blocs de soufre dans des paniers en osier fixés aux extrémités d'une palanche. Ils remontent ainsi du cratère des charges dépassant les 80 kilogrammes qu'il leur faudra transporter vers l'usine de traitement située à 40 kilomètres. Volcan Kawah Ijen. Indonésie.

Pages 364-365. Malgré des charges de soufre de plus de 80 kilogrammes sur leurs épaules, les mineurs attaquent la lente ascension de la paroi interne du cratère du volcan Kawah Ijen. Indonésie.

Pages 366-367. Les porteurs atteignent les bordures du cratère du volcan Kawah Ijen. Ils croulent sous le poids du soufre. Si cet épuisant labeur les paie considérablement mieux qu'un Indonésien moyen, il ne leur donne guère l'espérance de vivre plus d'une quarantaine d'années… Indonésie.

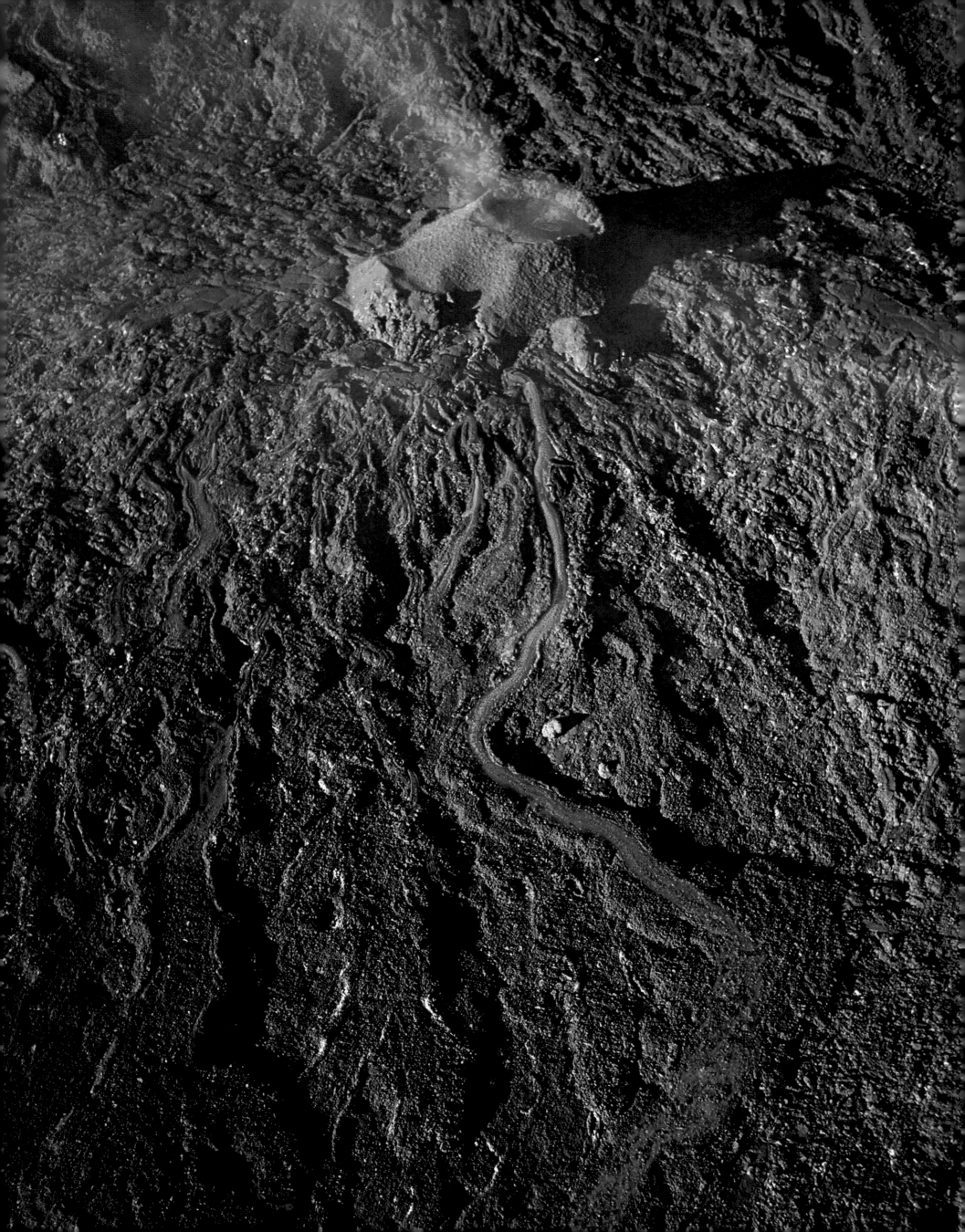

SCIENCES

STRUCTURE DE LA TERRE

Nous n'avons pas, ou très peu, d'accès aux structures internes du globe terrestre. Leur étude ne peut donc se faire que par des moyens indirects : parmi ceux-ci, l'analyse des tremblements de terre est le plus important. Chaque année, notre planète est secouée par des milliers de tremblements de terre, pour la plupart insensibles à l'homme mais bien enregistrés par des réseaux de sismographes qui couvrent le monde entier. Chaque tremblement de terre, ou séisme, engendre des ondes sismiques qui rayonnent à partir de leur point d'émission, c'est-à-dire l'endroit où le choc s'est produit. Cette propagation se fait dans tous les sens, un peu comme, en deux dimensions cette fois-ci, un train d'ondes concentriques est provoqué tout autour du point d'impact d'un caillou jeté à la surface de l'eau.

Il existe deux types d'ondes sismiques : les ondes P (primaires), ondes de compression qui se déplacent longitudinalement ; les ondes S (secondaires), ondes de cisaillement qui se déplacent transversalement. Dans un milieu homogène, les ondes P se propagent à une vitesse bien supérieure à celle des ondes S (approximativement 1,7 fois plus rapidement). Comme les rayons lumineux, les ondes sismiques peuvent être réfléchies ou réfractées lors de la traversée de milieux différents. Leur vitesse de propagation peut également être affectée par la densité du milieu traversé. Les ondes générées par un séisme se produisant en un point quelconque de l'enveloppe terrestre vont donc traverser le globe selon des chemins particuliers, affectés par l'hétérogénéité des zones parcourues. À leur arrivée en surface, ces ondes seront « lues » par un grand nombre de sismographes répartis en différents points du globe, sismographes qui sont tous coordonnés. Les différents temps d'arrivée des ondes, les modifications de leurs trajectoires nous renseigneront alors sur les diverses zones traversées depuis le point d'émission : leur analyse produira une sorte de « radiographie » de l'intérieur de la terre.

Depuis plus d'une centaine d'années, l'accumulation de données sismiques multiples, la finesse de leur analyse, la construction de modèles théoriques fondés sur les lois de la physique ont permis de définir assez clairement la structure interne du globe terrestre. Celle-ci est formée, de manière assez uniforme, par une série d'enveloppes concentriques, très localement perturbées par d'autres éléments comme les plans de subduction ou les panaches de point chaud. Ces enveloppes sont presque toutes constituées de matériaux solides : il est donc faux de croire que l'intérieur du globe est liquide… Des liquides peuvent certes apparaître dans certaines enveloppes, mais de manière très limitée, ne représentant jamais qu'un faible pourcentage de la zone solide considérée.

La croûte

La croûte terrestre est la partie externe, solide, de notre planète, celle que nous connaissons pour la fouler aux pieds. L'épaisseur de la croûte varie de quelques kilomètres sous les océans (croûte océanique) à plusieurs dizaines de kilomètres sous les continents (croûte continentale). Remarquons que l'épaisseur de la croûte est très faible, comparée au rayon terrestre (6 370 kilomètres en moyenne). La croûte superficielle a pu être étudiée par des observations directes, par des coupes naturelles (vallées, flancs de montagnes, nappes de charriage étendues sur la surface…) ainsi que par divers forages, certains très profonds. La croûte océanique, créée au fond des océans par les rides d'accrétion, est composée essentiellement de laves basaltiques et de gabbros, leur équivalent profond. La croûte continentale est composée surtout de granit, et de gneiss dans une moindre proportion. On y trouve également des roches sédimentaires, calcaires par exemple. La croûte continentale est très riche en silice (Si) et présente les densités les plus faibles du globe terrestre : entre 2,7 et 3.

La partie externe de la croûte est froide : c'est sur celle-là que nous vivons. En revanche, la température augmente lorsqu'on se déplace en profondeur au sein de la croûte (situation expérimentée dans les puits de mine ou dans les forages) : c'est ce que l'on appelle le gradient géothermique. Dans la croûte continentale, le gradient moyen est de 20 °C par kilomètre de profondeur. Différents calculs théoriques fondés sur des analyses de roche montrent que la température moyenne à la base de la croûte continentale, soit entre 60 et 70 kilomètres de profondeur, est d'environ 1 000 °C.

Le manteau

Situé juste sous la croûte, le manteau s'étend jusqu'à 2 900 kilomètres de profondeur. Il représente le plus gros volume terrestre, près de 81 % de la masse totale de notre globe. Une discontinuité franche, repérée par la sismologie à 670 kilomètres de profondeur, sépare le manteau supérieur du manteau inférieur, discontinuité qui marque un changement brusque de densité.

Le manteau supérieur est composé essentiellement de péridotites, roches riches en fer et en magnésium. On connaît sa composition grâce aux fragments qui sont remontés par les magmas et rejetés en inclusion dans la lave de certaines éruptions. La densité du manteau supérieur varie de 3,4 à 4.

La partie externe du manteau supérieur, jusqu'à 200 kilomètres de profondeur, est entièrement solide. Elle s'associe à la croûte pour former un ensemble rigide et cassant que l'on appelle la lithosphère. Cette lithosphère peut se fragmenter en grands panneaux mobiles : ce sont les plaques lithosphériques. Toute la partie du manteau située sous la lithosphère s'appelle l'asthénosphère : elle présente des caractéristiques physiques bien particulières. Jusqu'à 400 kilomètres de profondeur, sa température est de 1 400 °C ; elle atteint 1 600 °C au niveau de la discontinuité à 670 kilomètres de profondeur. Si des laves de surface ont des températures de fusion bien inférieures à ces valeurs, ici, au sein du manteau, compte tenu des hautes pressions qui règnent à ces profondeurs, le point de fusion n'est pas atteint. On en est cependant assez proche, ce qui pourrait expliquer que l'on observe une certaine perte de rigidité dans le manteau, pourtant solide. L'asthénosphère se présente donc comme plastique et capable de fluage.

Après 670 kilomètres de profondeur et jusqu'à 2 900 kilomètres, on trouve le manteau inférieur. Plus dense que le manteau supérieur (de 4,5 à 6), il est solide. Sa composition globale est identique à celle du manteau supérieur, mais les très grandes pressions qui règnent à ces profondeurs font que les structures cristallines des roches se modifient fortement. Des modélisations théoriques montrent que sa température évolue pour atteindre environ 3 500 °C à 2 900 kilomètres de profondeur.

Culminant à 2 631 mètres d'altitude, le Piton de la Fournaise, volcan rouge de point chaud, est un volcan-bouclier vieux de 530 000 ans. Sa caldeira sommitale possède une dépression en fer à cheval de 9 kilomètres de diamètre dans laquelle des éruptions se produisent régulièrement.

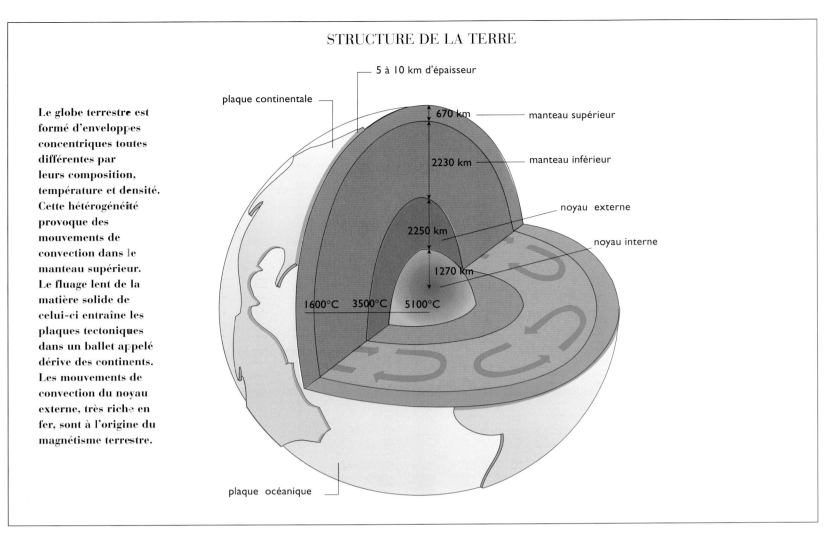

STRUCTURE DE LA TERRE

Le globe terrestre est formé d'enveloppes concentriques toutes différentes par leurs composition, température et densité. Cette hétérogénéité provoque des mouvements de convection dans le manteau supérieur. Le fluage lent de la matière solide de celui-ci entraîne les plaques tectoniques dans un ballet appelé dérive des continents. Les mouvements de convection du noyau externe, très riche en fer, sont à l'origine du magnétisme terrestre.

5 à 10 km d'épaisseur
plaque continentale
670 km — manteau supérieur
2230 km — manteau inférieur
2250 km — noyau externe
1270 km — noyau interne
1600°C 3500°C 5100°C
plaque océanique

Les grandes différences de température entre la partie supérieure et la partie inférieure du manteau, alliées à la plasticité relative de celui-ci, font que des cellules de convection thermique y apparaissent. Deux hypothèses, différentes mais pas incompatibles, peuvent l'expliquer : une convection à une couche intéressant l'ensemble du manteau, avec de grandes cellules convectives allant de la limite noyau-manteau jusqu'à la base de la lithosphère ; soit une convection à deux niveaux avec deux couches de cellules convectives au sein du manteau, couches réparties de part et d'autre de la discontinuité à 670 kilomètres. Quel que soit son type, la convection est responsable de mouvements de fluage de la matière, mouvements toutefois extrêmement lents car il semble que la vitesse des courants ascendants des cellules de convection ne dépasserait pas quelques dizaines de centimètres par an. Cependant, ce fluage de la matière par convection est responsable des mouvements de grands panneaux de lithosphère : c'est ce que l'on appelle la tectonique des plaques.

Le noyau

À 2 900 kilomètres de profondeur, une discontinuité très nette sépare le manteau inférieur du noyau. Elle correspond à un important saut quantitatif de la densité qui, dans le noyau, varie de 9,8 à 13. La composition chimique du noyau est encore mal connue, mais on y distingue deux éléments majeurs : le fer, qui en représente près de 80 %, et le nickel, qui doit approcher les 4 %. Les 16 % restants sont divers éléments plus légers, vraisemblablement en solution, comme le soufre, l'oxygène, le silicium, le carbone, etc.

De 2 900 kilomètres à 5 150 kilomètres, on trouve le noyau externe. Sa température doit atteindre les 4 700 °C et, malgré la pression à ce niveau, le fer, associé à d'autres éléments, est ici liquide. Le noyau interne, parfois appelé la graine, est composé de fer presque pur et présente les plus hautes densités du globe terrestre : de 12 à 13. Il est solide, le fer y ayant acquis une structure cristalline encore mal connue aujourd'hui. Les différences de

température et la présence d'une couche liquide font que dans le noyau externe, au contact de la partie inférieure du manteau, se développe aussi un système de cellules de convection.

La progression des mouvements de la matière peut ici atteindre quelques kilomètres par an, donc à une vitesse presque 100 000 fois plus grande que celle qui apparaît dans le manteau supérieur. Ces mouvements très rapides (à l'échelle de la Terre) de fer liquide provoquent des phénomènes électromagnétiques, à l'origine du champ magnétique qui baigne toute la sphère terrestre.

TECTONIQUE DES PLAQUES

Imaginée par Wegener, suite à l'observation de la découpe des bords des continents et de parentés géologiques et paléontologiques entre ceux-ci, l'actuelle tectonique des plaques était autrefois appelée « dérive des continents ». Proposée au début du XXᵉ siècle, cette théorie ne fut reconnue par tous qu'après 1970, et ce, suite à de nombreuses découvertes tant dans la dynamique du manteau que dans le magnétisme terrestre. Plusieurs grandes explorations, de l'Islande à l'Afar en passant par les fonds de l'océan Atlantique, montrèrent la réalité de ce phénomène, qui est cohérent avec toutes les connaissances actuelles des sciences de la Terre.

La lithosphère terrestre, c'est-à-dire l'ensemble de son enveloppe extérieure rigide, est fragmentée en plusieurs grands panneaux, les plaques lithosphériques. Celles-ci n'ont pas toujours eu, et n'auront pas toujours, les découpes que nous leur connaissons aujourd'hui. Les principales plaques actuelles, nées il y a 200 millions d'années d'un supercontinent, sont au nombre de neuf : plaque américaine, plaque caraïbe, plaque africaine, plaque eurasiatique, plaque arabique, plaque indo-australienne, plaque pacifique, plaque philippine et plaque antarctique.

On considère qu'il y a deux types de plaques : les plaques continentales, constituées de matériaux légers type granit, insubmersibles dans le manteau, et qui représentent des fragments de continents qui ont parfois, au cours des temps géologiques anciens, subi déjà plusieurs autres mouvements de dérive précédant les mouvements actuels ; et les plaques océaniques, d'une densité proche de celle du manteau, composées de laves basaltiques, pauvres en silice, mais riches en fer et en magnésium.

Les déplacements des plaques lithosphériques, tractées par les courants de convection qui brassent le manteau supérieur, sont la manifestation de surface des mouvements du manteau. Elles se déplacent donc avec une vitesse moyenne du même ordre de grandeur que celle du fluage de matière dans le manteau, soit quelques centimètres par an.

La Terre étant une sphère de diamètre constant, les plaques mobiles vont présenter entre elles trois types de frontières très différentes.

À la verticale de la partie ascendante des cellules de convection apparaîtront des frontières divergentes, où naissent les plaques océaniques : ce sont les zones d'accrétion. La partie descendante des cellules de convection est dominée par les frontières convergentes, là où les plaques se rapprochent l'une de l'autre. Certaines s'enfonceront et disparaîtront dans le manteau : ce phénomène s'appelle la subduction. D'autres plaques, insubmersibles, s'affronteront de plein fouet et se déformeront dans des zones de collision. Un troisième type de frontière voit deux plaques coulisser l'une en face de l'autre : ce sont les failles transformantes.

La plupart des volcans du globe terrestre se répartissent le long des frontières actives entre plaques lithosphériques : 82 % des laves émises sur terre le sont aux limites des plaques, avec cependant une répartition assez inégale. Les zones d'accrétion, où naissent des plaques océaniques, représentent 67 % du volcanisme terrestre mais sont presque entièrement cachées au fond des océans. Les zones de subduction alimentent 15 % des laves émises. Les 18 % restants sont des laves qui ne sont pas émises en bordure de plaques mais bien au milieu de celles-ci : il s'agit du volcanisme lié à l'activité de points chauds mantelliques.

VOLCANISME ET ACCRÉTION

Comme on l'a vu précédemment, les deux tiers environ de l'activité volcanique terrestre sont concentrés tout le long des frontières divergentes entre les plaques lithosphériques, frontières que l'on nomme également dorsales océaniques ou rides médio-océaniques. La somme de toutes ces dorsales formerait la plus longue chaîne volcanique connue sur terre. Elles marquent le milieu de tous les océans et leurs longueurs cumulées atteint quelque 70 000 kilomètres. La quasi-totalité de ce volcanisme très important passe presque inaperçue car il est situé sous des milliers de mètres d'eau de mer. Cependant, quelques segments de dorsales ont été exondés et il est possible d'étudier en détail et leur structure et leur fonctionnement (il s'agit essentiellement de l'Islande, courte portion émergée de la ride médio-atlantique, et de l'Afar, dorsale en devenir entre l'Arabie et l'Afrique).

Les études de surface, comme les observations sous-marines, montrent que ces dorsales sont constituées de longs reliefs formés par l'accumulation régulière et symétrique de très importants épanchements de lave. Ces reliefs, hauts d'un à deux kilomètres, sont couronnés par une longue et étroite vallée d'effondrement, bordée de failles normales : un rift.

La plus importante et la plus caractéristique des dorsales est sans conteste la ride médio-atlantique. S'étendant *grosso modo* du pôle Nord au pôle Sud, elle constitue une longue chaîne volcanique, qui marque tout le milieu de l'océan Atlantique. Deux plaques océaniques divergentes y naissent : la plaque américaine à l'ouest et la plaque eurasiatique à l'est. Cette ride est responsable de l'apparition de l'océan Atlantique au milieu d'un super-continent aujourd'hui morcelé entre l'Amérique du Nord et l'Amérique du Sud d'un côté, l'Europe et l'Afrique de l'autre. Active depuis plus de 140 millions d'années, elle ouvre toujours l'Atlantique, au rythme moyen de 3 à 4 centimètres par an.

Une ride marque donc très exactement l'endroit où s'écartent deux plaques océaniques divergentes. Cette zone est généralement située à la verticale d'une partie ascendante d'une cellule de

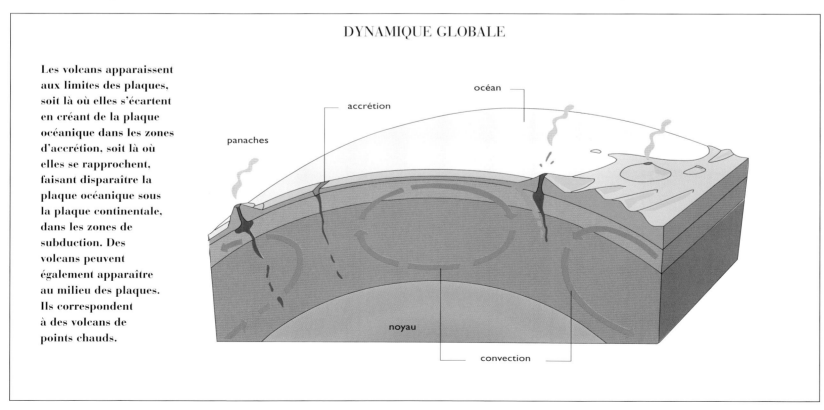

DYNAMIQUE GLOBALE

Les volcans apparaissent aux limites des plaques, soit là où elles s'écartent en créant de la plaque océanique dans les zones d'accrétion, soit là où elles se rapprochent, faisant disparaître la plaque océanique sous la plaque continentale, dans les zones de subduction. Des volcans peuvent également apparaître au milieu des plaques. Ils correspondent à des volcans de points chauds.

panaches

accrétion

océan

noyau

convection

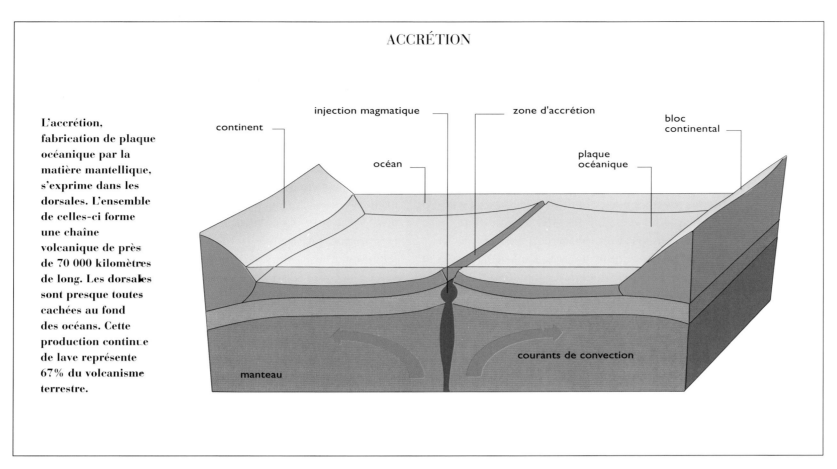

L'accrétion, fabrication de plaque océanique par la matière mantellique, s'exprime dans les dorsales. L'ensemble de celles-ci forme une chaîne volcanique de près de 70 000 kilomètres de long. Les dorsales sont presque toutes cachées au fond des océans. Cette production continue de lave représente 67% du volcanisme terrestre.

Labels in figure:
- continent
- océan
- injection magmatique
- zone d'accrétion
- bloc continental
- plaque océanique
- courants de convection
- manteau

convection du manteau. On y trouve une remontée de manteau asthénosphérique chaud et léger : c'est lui qui va contribuer à la création du nouveau plancher océanique. Les plaques lithosphériques s'écartant, les « vides » laissés entre elles vont être comblés par de nouvelles injections de matière mantellique : c'est ce que l'on nomme l'accrétion.

Remontée et écartement des plaques provoquent une décompression de l'asthénosphère, qui subit une fusion partielle. Elle cède alors environ 20 % de magma liquide qui, émis sous forme d'injections et de coulées de lave, constituent la partie crustale de la nouvelle plaque lithosphérique, tandis que les 80 % restants, solides et essentiellement composés de péridotites, en formeront la partie mantellique. Écartement des plaques, remontée d'asthénosphère et injections de magma ne se produisent pas de manière continue tout le long de l'ensemble des dorsales : toutes les rides du monde ne sont pas en éruption en même temps. Si les activités sont discontinues dans le temps et dans l'espace, leur accumulation dans la durée a pour résultante une création constante de plancher océanique et un écartement régulier des plaques. On a calculé que cette création de plaque océanique au niveau des dorsales représente un débit moyen de 21 kilomètres cubes par an.

Les processus éruptifs au niveau des rides sont bien particuliers. Lorsque le magma arrive en surface, il est soumis à la pression de la colonne d'eau qui le surplombe, souvent plus de 2 000 mètres. Les gaz restent alors en solution et il n'y a pas de phénomènes explosifs. De la même manière, il n'y a pas formation de vapeur d'eau due au contact de la lave avec l'eau de l'océan. Les éruptions sont alors uniquement effusives. Leurs épanchements mettent en place ce que l'on nomme des *pillow-lava*, ou laves en polochons. Il s'agit de boules de lave qui se forment sous une peau élastique provenant d'un refroidissement rapide de cette lave au contact de l'eau. Les épanchements de lave sont alors constitués de l'empilement d'un très grand nombre de ces polochons. Les *pillow-lava* ont été découverts au fond de l'Atlantique par les premières missions d'exploration en submersible. Par un simple hasard statistique, comme les dorsales océaniques sont très longues et que les plongées n'en touchent qu'un point, on n'a encore jamais assisté, jusqu'à aujourd'hui, à une éruption qui mettrait en place de tels *pillow-lava*. Le mécanisme est cependant connu grâce à l'observation de coulées de lave aériennes entrant dans l'océan.

Dans les rifts sous-océaniques, on a également découvert des structures qui correspondent à de grands épanchements de lave fluide ainsi qu'à des lacs de lave.

VOLCANISME ET SUBDUCTION

Le volcanisme qui apparaît dans les frontières convergentes entre plaques lithosphériques est, en termes de volume, beaucoup moins important que le volcanisme des zones d'accrétion. Le volcanisme des zones de subduction ne représente que 15 % du total des laves émises sur terre. Cependant, à l'opposé du volcanisme des zones d'accrétion, passant presque toujours inaperçu parce qu'effusif et essentiellement sous-marin, le volcanisme lié à la subduction est beaucoup plus spectaculaire. Ici, les volcans sont aériens et leurs éruptions sont presque toujours explosives. C'est également ce volcanisme qui est quasiment seul responsable des dégâts et des victimes de tous les volcans du monde.

Dans les frontières convergentes entre plaques tectoniques, trois types de rencontre entre les plaques océaniques et les plaques continentales peuvent se produire.

Les zones de collision apparaissent là où deux plaques continentales se heurtent et s'opposent : elles sont toutes deux insubmersibles dans le manteau, leur collision va donc les déformer. Cette déformation consiste autant dans des fluages latéraux de matière que dans un plissement intense des plaques. Ces plissements vont donner naissance à des surrections de chaînes de montagnes : un des exemples les plus frappants est la chaîne de l'Himalaya, issue du poinçonnement de la plaque continentale eurasiatique par la plaque continentale indienne. Il n'y a pas de volcanisme actif associé à de telles zones de collision.

Une autre frontière convergente peut être formée par la rencontre de deux plaques océaniques. Cette rencontre se passant en général sous l'océan, loin des continents, elle ne se voit pas directement. La plaque la plus ancienne, donc la plus dense, plongera sous l'autre et peu à peu s'enfoncera, sombrera dans le manteau sous l'effet de la gravité. La partie plongeante exercera ainsi une traction sur l'ensemble de la plaque, traction qui, associée aux courants de convection du manteau, est un des moteurs du mouvement des plaques lithosphériques.

Tout le long de la zone d'affrontement entre les deux plaques, le fléchissement de la plaque plongeante fait apparaître une fosse marine quelquefois très profonde. Les frottements induits par la pénétration de la plaque dans le manteau, associés à une perte d'eau de cette même plaque plongeant vers des pressions de plus en plus élevées, provoquent un réchauffement du manteau et sa fusion partielle. Des magmas chauds et légers sont donc émis et remontent vers la surface. Le plan de plongée de la plaque subduite étant oblique, ces magmas arriveront en surface à l'arrière de la zone de contact, sous la plaque surnageante. Celle-ci est également déformée par la subduction de son antagoniste et laisse apparaître une zone de distension. Par les fractures ainsi créées, le magma remonte vers la surface de la plaque et donne naissance à des volcans. Nés sous l'océan, ils émergent vite sous formes d'îles volcaniques qui s'alignent tout le long de l'axe de la subduction : c'est ce qu'on appelle un arc insulaire. Ces longs chapelets d'îles sont donc la manifestation de surface de la subduction se produisant entre deux plaques océaniques : on les rencontre surtout autour de l'océan Pacifique (« la ceinture de feu du Pacifique ») : Indonésie, Philippines, Japon, îles Kouriles, îles Aléoutiennes, etc.

Un autre type de subduction provient de la rencontre d'une plaque océanique avec une plaque continentale. Ici aussi, c'est la plaque océanique qui est subduite, cette fois sous la plaque continentale, plus légère bien que plus épaisse, et qui plonge dans le manteau. C'est ce qu'on appelle une marge continentale active.

L'affrontement des deux plaques les déforme fortement : la plaque océanique plongeante s'incurve et dessine une fosse océanique profonde parallèle à la bordure de la plaque continentale. Le continent lui-même se plisse et s'épaissit par surrection d'une chaîne de montagnes. Le passage de la plaque océanique dans le manteau produit un grand dégagement d'énergie dus aux frottements engendrés et provoque une fusion partielle. Mais la plaque libère aussi de l'eau qu'elle contenait : par différentes réactions magmatiques, une partie de la plaque continentale connaît également des phénomènes de fusion. L'ensemble conduit vers la surface des magmas très différents de ceux qui sont produits dans les zones d'accrétion. Ces magmas donneront un volcanisme de surface avec de grands volcans, très volumineux, présentant des dynamismes très explosifs. Le plus bel exemple de marge continentale active est la cordillère des Andes : la plaque océanique plonge sous le bloc continental américain. Il est bordé à l'ouest par une fosse profonde due à la flexion de la plaque. Il se surélève

en une importante chaîne de montagnes au bord de laquelle on trouve des alignements de grands volcans, dont les éruptions destructrices font régulièrement parler d'eux.

VOLCANISME ET POINTS CHAUDS

Comme on l'a vu précédemment, environ 18 % du volcanisme terrestre sont en domaine intraplaque, donc situés loin des frontières actives des plaques lithosphériques océaniques ou continentales. Il semble donc que ce volcanisme soit indépendant de la tectonique des plaques, à l'origine des phénomènes magmatiques des zones d'accrétion ou de subduction.

On appelle point chaud un panache thermique qui a une origine profonde, provenant soit de la limite manteau supérieur/manteau inférieur, soit de la limite manteau/noyau. L'origine des points chauds est encore sujette à de nombreuses spéculations et aucune hypothèse n'étant exclusive, on pourrait avoir une coexistence de points chauds avec des origines différentes. Diverses modélisations, tant théoriques qu'expérimentales, permettent de mettre en évidence la progression et l'évolution des panaches des points chauds. Une fois émis à la source, le point chaud remonte vers la surface : il est composé d'une large tête sphérique qui remonte un peu comme une montgolfière, par différence de température, au sein du manteau. La tête sphérique, suivie d'un conduit cylindrique, grossit au fur et à mesure de sa remontée. Parvenue sous la plaque lithosphérique qui la domine, son diamètre atteindrait les 1 000 kilomètres. Cette tête va s'écraser et s'étaler sous la lithosphère rigide ; sa température, supérieure à celle du manteau, amincit la plaque par fusion partielle de sa partie inférieure, tandis que la pression qu'elle exerce la déforme en un vaste bombement. Lorsque la plaque cède en de multiples fissures, la tête de panache expulse de phénoménales quantités de magma en de gigantesques éruptions. Celles-ci peuvent durer plusieurs centaines de milliers d'années et mettent en place de telles quantités de magma sous forme d'accumulation de coulées de lave qu'elles en viennent à former des provinces volcaniques couvrant parfois jusqu'à un million de kilomètres carrés, et ce sur des épaisseurs de plusieurs kilomètres. Par chance, ces éruptions gigantesques ne sont pas très fréquentes : on n'en compte qu'une dizaine lors des derniers 250 millions d'années. Lors des épanchements de lave, les quantités de gaz et de cendres émises sont d'un tel volume qu'elles peuvent modifier

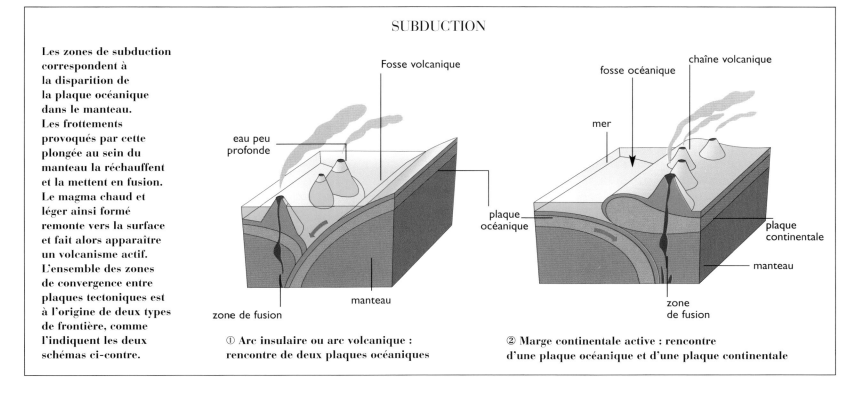

SUBDUCTION

Les zones de subduction correspondent à la disparition de la plaque océanique dans le manteau. Les frottements provoqués par cette plongée au sein du manteau la réchauffent et la mettent en fusion. Le magma chaud et léger ainsi formé remonte vers la surface et fait alors apparaître un volcanisme actif. L'ensemble des zones de convergence entre plaques tectoniques est à l'origine de deux types de frontière, comme l'indiquent les deux schémas ci-contre.

eau peu profonde

Fosse volcanique

zone de fusion

manteau

① Arc insulaire ou arc volcanique : rencontre de deux plaques océaniques

fosse océanique

chaîne volcanique

mer

plaque océanique

plaque continentale

manteau

zone de fusion

② Marge continentale active : rencontre d'une plaque océanique et d'une plaque continentale très profondément l'équilibre climatique du globe, allant parfois jusqu'à faire disparaître 80 % des espèces, tant animales que végétales, vivant à sa surface. C'est une de ces éruptions, datée de 65 millions d'années, qui est vraisemblablement à l'origine de la disparition des dinosaures.

La tête de panache ayant été épuisée durant les premières éruptions, le conduit cylindrique prend le relais et persiste à faire remonter du magma vers la surface : celui-ci va continuer à provoquer des éruptions volcaniques, et ce, parfois durant plusieurs dizaines de millions d'années. Toutefois, vu la taille beaucoup plus modeste de celui-ci, les volumes émis sont bien moindres. Ce conduit, issu de la source du point chaud, appartient entièrement au manteau. Il est donc fixe par rapport aux plaques lithosphériques qui se meuvent au-dessus de celui-ci. Ces plaques seront, au fur et à mesure de leur défilement, poinçonnées par ces remontées magmatiques qui formeront autant de volcans à leur surface. Les mouvements de dérive des plaques dessineront donc des alignements de volcans qui traceront très précisément le passage de ladite plaque au-dessus du point chaud fixe.

En mesurant la distance entre deux massifs volcaniques dont on connaît l'âge par datation des roches, on pourra calculer la vitesse de défilement de la plaque, donc la vitesse de la dérive. On a constaté avec intérêt que ces vitesses sont cohérentes avec celles mesurées au bord des plaques dans les zones d'accrétion.

Le plus célèbre de ces alignements de volcans nés de l'activité d'un point chaud est la chaîne des îles volcaniques d'Hawaii et de la chaîne de l'Empereur. Cet alignement de multiples volcans va de Big Island à Hawaii, où, dans les volcans actifs aujourd'hui (Mauna Loa et Kilauea), on trouve des roches d'âge récent, pour remonter jusqu'au sud du Kamchatka, où le dernier volcan encore visible – avant de disparaître dans la subduction de la plaque océanique qui le porte – date de 75 millions d'années.

Un autre point chaud célèbre a mis en place les énormes épanchements basaltiques connus sous le nom de trapps du Dekkan, lors de l'une des plus grandes crises éruptives que la Terre ait connues. Son activité persiste à un rythme beaucoup plus faible et on la retrouve aujourd'hui dans les éruptions du Piton de la Fournaise à la Réunion, île très exactement située là où se trouvait l'Inde il y a 65 millions d'années.

DIVERSITÉ DES MAGMAS

Comme on l'a vu précédemment, les magmas proviennent tous d'une fusion partielle du manteau. Celui-ci a une composition homogène et l'on devrait donc retrouver en surface des magmas de même composition. Il n'en est rien, et, dans les différents contextes géotectoniques, zones d'accrétion et de subduction, points chauds, on trouve une multitude de volcans tous différents par la composition de leurs laves ou par leur dynamisme.

Mais tout d'abord, qu'est-ce qu'un magma ? Il a été dit que c'est un liquide provenant de la fusion partielle de roches appartenant au manteau ou à une partie de la lithosphère. La genèse des magmas va dépendre essentiellement du contexte géotectonique qui les fait apparaître.

Dans les zones d'accrétion, le magma est issu directement de la fusion partielle de matière mantellique remontant à la verticale des dorsales, fusion due à la dépressurisation. Le magma ainsi produit aura une composition proche de celle du manteau. S'il

stationne dans des zones de stockage plus ou moins profondes, les chambres magmatiques, sa composition pourra évoluer en fonction du temps : il va se différencier.

Dans les zones de subduction, la plaque océanique plongeante fait apparaître du magma chaud et léger. Lors de sa remontée, celui-ci fond une partie de la plaque lithosphérique – océanique ou continentale – qui le surplombe. Le magma qui arrive en surface sera ainsi enrichi en divers éléments, dépendants directement de la composition de la plaque traversée : on peut ainsi obtenir en surface des magmas très différents de ceux produits à la source.

Dans les points chauds, c'est de la matière mantellique d'origine très profonde qui remonte vers la surface, ne subissant que peu de modifications de composition. On y trouve des familles de roches assez voisines de celles qui sont communes dans les zones d'accrétion.

Le magma est un liquide de composition bien particulière faite de trois phases différentes. Une phase liquide composée d'un mélange de différents silicates fondus, une phase gazeuse qui, sous les hautes pressions régnant en profondeur, est dissoute dans la phase liquide, et enfin une phase solide composée de cristaux en suspension dans le bain liquide.

Ce mélange à trois phases va subir diverses modifications lors de sa remontée vers la surface. Lors de cette ascension, la pression due au poids des roches (la pression lithostatique) diminue fortement. La dépressurisation du magma va d'abord faire entrer en fusion certains des éléments solides qu'il transportait : mais, surtout, elle va permettre aux gaz dissous de se séparer de la phase liquide sous forme de bulles. Celles-ci remontent avec le liquide : plus on monte vers la surface, plus la pression diminue et plus importantes sont les quantités de gaz dissous passant sous forme de bulles, elles-mêmes de plus en plus grandes. Il se produit exactement la même chose au sein d'une bouteille de champagne lorsqu'on abaisse la pression appliquée au liquide en retirant le bouchon. Dans la cheminée du volcan (comme dans le goulot de la bouteille), remonte une mousse, mélange de gaz et de liquide. Dans le cratère du volcan, on assiste à la séparation définitive de deux phases : la phase gazeuse se perd dans l'atmosphère tandis que la phase liquide s'écoule en dehors du volcan : c'est la lave. On peut donc résumer très brièvement en disant que le magma, c'est la lave plus les gaz, ou encore que toutes les laves que nous trouvons à la surface du globe correspondent à des magmas profonds qui se sont dégazés lors de l'éruption.

VOLCANS ET DYNAMISMES ÉRUPTIFS

Le phénomène volcanique peut prendre, à la surface de la Terre, de multiples expressions et l'on y observe une très grande variété de dynamismes éruptifs parfois fort différents les uns des autres. Ces dynamismes sont contrôlés principalement par la viscosité – donc la composition – du magma, et par sa teneur en gaz. Le contexte tectonique dans lequel les magmas sont produits puis ramenés vers la surface joue un rôle prépondérant dans leur composition.

Dans les zones d'accrétion, le magma est issu directement d'une fusion partielle du manteau supérieur, il est relativement pauvre en silice, riche en fer et en magnésium. Dans les zones de subduction, le magma provient de la fusion de la plaque plongeante et, en partie, de celle de la plaque qu'il traverse pour remonter en surface : il sera beaucoup plus riche en silice, en gaz et en vapeur d'eau. Les dynamismes éruptifs correspondant à ces deux contextes tectoniques seront donc différents et, par simplification rapide, on pourrait dire que les zones d'accrétion sont représentées par les volcans rouges, effusifs, tandis que les zones de subduction produisent des volcans gris, explosifs. Il existe bien sûr de multiples variantes et gradations entre ces deux pôles.

La silice est l'élément prédominant dans la composition de tous les magmas et la variation de sa concentration détermine très directement la viscosité du magma et donc le type de dynamisme que ce magma produira lors de son expulsion en surface. On n'est pas toujours témoin des éruptions volcaniques et certaines ont eu lieu dans un passé parfois très lointain. Pour essayer d'en définir les dynamismes, on s'appuie sur deux critères de terrain observables longtemps après l'éruption du volcan : la fragmentation et la dispersion du matériel émis. Ces deux caractéristiques physiques des éruptions varient en fonction de la viscosité du magma, donc de sa teneur en silice.

Zones d'accrétion, volcans rouges

Le magma qui apparaît dans les zones d'accrétion est relativement pauvre en silice (approximativement 50 %), il est fluide, très chaud (de 1 000 à 1 100 °C). Sa faible viscosité permet aux bulles de gaz de s'en libérer aisément, parfois de manière spectaculaire (fontaines de lave), mais les phénomènes explosifs sont faibles, voire inexistants. La fragmentation du matériel est très basse, voire nulle : la lave est émise sous forme de coulées (fragmentation négligeable car l'ensemble de la matière émise reste cohérente). Ces coulées de lave couvrent des surfaces qui, tout en étant parfois importantes (on connaît des coulées de lave de plusieurs dizaines de kilomètres de longueur), sont très faibles en comparaison de ce qui se passe dans d'autres dynamismes : on dira donc que la dispersion est faible.

Le dynamisme le plus caractéristique de ce type d'activité magmatique est le dynamisme hawaiien : il est bien sûr représenté par les volcans d'Hawaii, volcans aux pentes faibles suite à la faible viscosité des laves, qui mettent en place de grandes coulées de lave. Les éruptions de ce type sont peu dangereuses car le déplacement des coulées est relativement lent et le parcours prévisible par rapport à la topographie des lieux.

Dans certains cas particuliers, ce même magma peut être émis en présence d'eau (par exemple, éruption sous-marine de faible profondeur). La trempe de la lave chaude au contact de l'eau froide va très considérablement augmenter la fragmentation : en revanche, les explosions sont amorties par l'eau et la dispersion reste faible : on a alors un dynamisme surtseyen.

Ces magmas pauvres en silice donnent naissance en surface à des laves qui appartiennent presque toutes à la plus vaste des familles de roches volcaniques : les basaltes.

La composition du magma basaltique peut évoluer et s'enrichir quelque peu en silice. La viscosité augmente en conséquence, les phénomènes explosifs deviennent plus importants et fragmentent la lave en grands lambeaux (bombes volcaniques) qui sont parfois projetés à des distances respectables. Ces activités explosives coexistent avec des émissions de coulées de lave. Celles-ci sont également moins fluides : pour un volume équivalent, elles couvrent donc de plus petites surfaces que les coulées hawaiiennes, mais elles ont une plus grande épaisseur.

Il s'agit du dynamisme strombolien. C'est le type de dynamisme le plus fréquent au monde et on le retrouve aussi bien dans les zones d'accrétion que dans les zones de subduction.

Zones de subduction, volcans gris

Le magma qui apparaît dans les zones de subduction est relativement riche en silice (approximativement 70 %), il est visqueux et plus « froid » (750 °C). Il est également riche en vapeur d'eau et en gaz. Sa grande viscosité ne permet pas aux bulles de gaz de s'en libérer aisément et les phénomènes explosifs deviennent importants, parfois très violents. La fragmentation du matériel est très grande et, quelquefois, la lave ne se retrouve plus que sous forme de cendres très fines. La violence des explosions et l'intense fragmentation de la lave font que la dispersion peut être extrêmement importante.

On distingue ici deux dynamismes particuliers. Le dynamisme péléen, ainsi nommé d'après l'éruption de la Montagne Pelée en 1902, voit arriver en surface un magma très visqueux, riche en gaz et en vapeur d'eau. La lave est extrudée sous forme de gros cumulats qui surplombent directement la bouche du cratère : les dômes. De faibles variations de viscosité peuvent faire apparaître des dômes de morphologies très différentes : des dômes-coulées pour les plus plastiques aux aiguilles d'extrusion quasi solides. Dans cette lave très visqueuse, se trouvent piégées des micro-bulles de gaz en surpression. Le dégazage brutal et massif du dôme fait apparaître un des phénomènes les plus violents et destructeurs du volcanisme : les nuées ardentes, sorte d'avalanches très mobiles composées de gaz à haute température et de matériaux solides en suspension (depuis les cendres fines jusqu'à des blocs imposants) qui s'écoulent à grande vitesse sur les pentes du volcan. C'est de loin le dynamisme le plus dangereux connu.

Le dynamisme plinien, ainsi nommé d'après le récit de Pline le Jeune de l'éruption du Vésuve de l'an 79, est rare. Il est généralement cataclysmique et représente l'« extrême » des dynamismes éruptifs. Il provient de magmas très riches en silice et en gaz, qui arrivent très rapidement en surface. Le phénomène explosif est particulièrement intense et continu : il fragmente profondément la lave qui est alors émise en jet permanent, se transformant en un gigantesque panache aérien susceptible d'atteindre plusieurs dizaines de kilomètres d'altitude.

Il faut noter ici que, si l'on peut considérer divers types de dynamismes, il existe aussi toute une gradation d'activités différentes entre ces pôles caractéristiques, qui varie de volcan en volcan, ou plutôt d'activité en activité. D'un autre côté, si pendant longtemps on a proposé une classification des volcans en différents types bien distincts, on s'est aperçu qu'un même édifice volcanique pouvait, au cours de sa vie géologique, évoluer en fonction, entre autres, de variations dans la composition du magma. Aujourd'hui, on distinguera donc plutôt des types de dynasmismes éruptifs que des types de volcans, sachant que chaque volcan pourra présenter successivement divers dynamismes au cours de son histoire.

Page 377. Chaîne de cônes volcaniques créés par l'éruption du volcan Laki en 1783. Le 8 juin, il entre en activité et produit en 50 jours près de 12 kilomètres cubes de lave, dont les coulées s'étendent sur plus de 50 kilomètres. C'est la plus grande émission de lave des Temps modernes. Lakagigar, Islande.

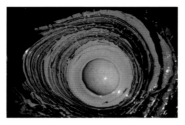

Pages 378-379. Bulle de boue dans un solfatare. La température moyenne y avoisine les 100 °C. La boue clapote continuellement, brassée par les gaz chauds et la vapeur d'eau. Zone de Namaskard, Islande.

Pages 380-381. Ancien cône volcanique coloré de rouge par les oxydes de fer, et dont les roches ont été érodées par les fumerolles. Bolivie.

Pages 382-383. Des précipités d'oxyde ferrique colorent en rouge cette bouche de sortie d'une source chaude. Islande.

Pages 384-385. Sommet du volcan Sangay dans les nuages (5 188 mètres d'altitude). Il est un des volcans les plus actifs. Sa dernière éruption a commencé en 1934 et se poursuit encore aujourd'hui. Elle a mis en place autour du volcan des plateaux de cendres, entaillés par des canyons de plus de 600 mètres de profondeur. Équateur.

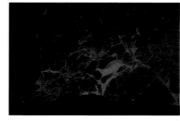

Pages 386-387. Déchirement d'une bulle de lave gonflée par les gaz et la vapeur d'eau. Volcan Kilauea. Hawaii.

Pages 388-389. Source chaude de Hveravellir. Ce bassin, appelé Blahver (source bleue), est coloré par la diffraction de la lumière dans la silice en suspension colloïdale. Les eaux du sous-sol sont réchauffées en profondeur par les roches encaissantes proches du magma. Ces eaux remontent pour former différentes sources chaudes. Elles sont aussi enrichies en divers sels minéraux. Islande.

Pages 390-391. Rivière colorée par les sels minéraux. Islande.

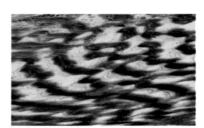

Pages 392-393. Dépôts de cendres sur les pentes enneigées de l'Etna. Sicile.

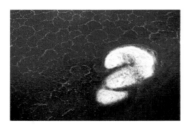

Pages 394-395. Vue aérienne du lac Natron. Les efflorescences blanches qui apparaissent dans la saumure rouge ou rose sont des résurgences de soude caustique. Les limites des polygones sont marquées par une crête blanche formée de soude séchée et durcie au contact de l'air. Tanzanie.

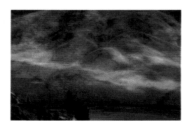

Pages 396-397. Chaque année, les pèlerins rejoignent le volcan Bromo, situé à plusieurs jours de marche pour certains, et doivent traverser l'immense caldeira avant d'atteindre son cratère où ils apporteront des offrandes. Indonésie.

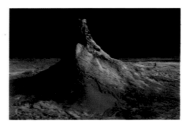

Pages 398-399. Une des cheminées recouvrant deux petits lacs de lave au milieu du cratère du volcan Ol Doinyo Lengaï. Tanzanie.

Pages 400-401. Dépôt de soufre sur l'arête du cratère du volcan Vulcano. Îles Éoliennes, Italie.

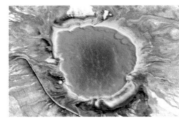

Pages 402-403. Le geyser du « Grand Prismatic », d'un diamètre de 112 mètres, est l'un des plus grands bassins thermaux du monde. Ses couleurs sont dues à la présence de bactéries et d'algues microscopiques qui se développent dans l'eau chaude. Yellowstone. États-Unis.

Pages 404-405. Rivière d'eau chaude minéralisée à Landmannalaugar, dans laquelle se développent des algues. Par photosynthèse et grâce aux apports nutritifs des sels minéraux présents dans l'eau, ces algues fabriquent de la matière organique. Islande.

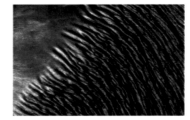

Pages 406-407. Détail de lave cordée. Volcan Kilauea. Hawaii.

Page 408. Lors des grandes éruptions de 1989, les coulées émises par le volcan Kilauea ont à plusieurs reprises coupé la route 130 en contrebas du volcan, provoquant la destruction d'équipements et de plusieurs habitations. Volcan Kilauea. Hawaii.

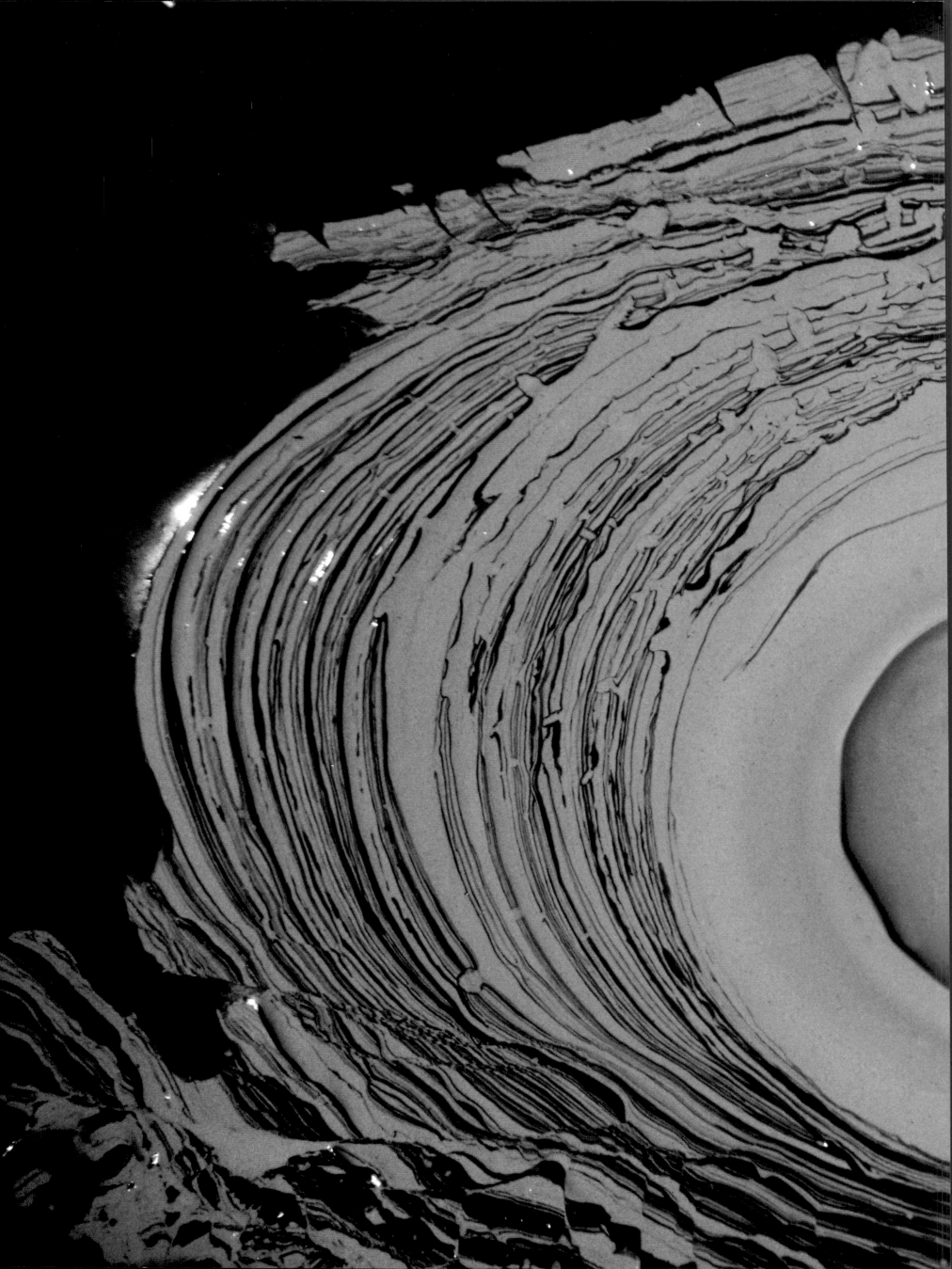

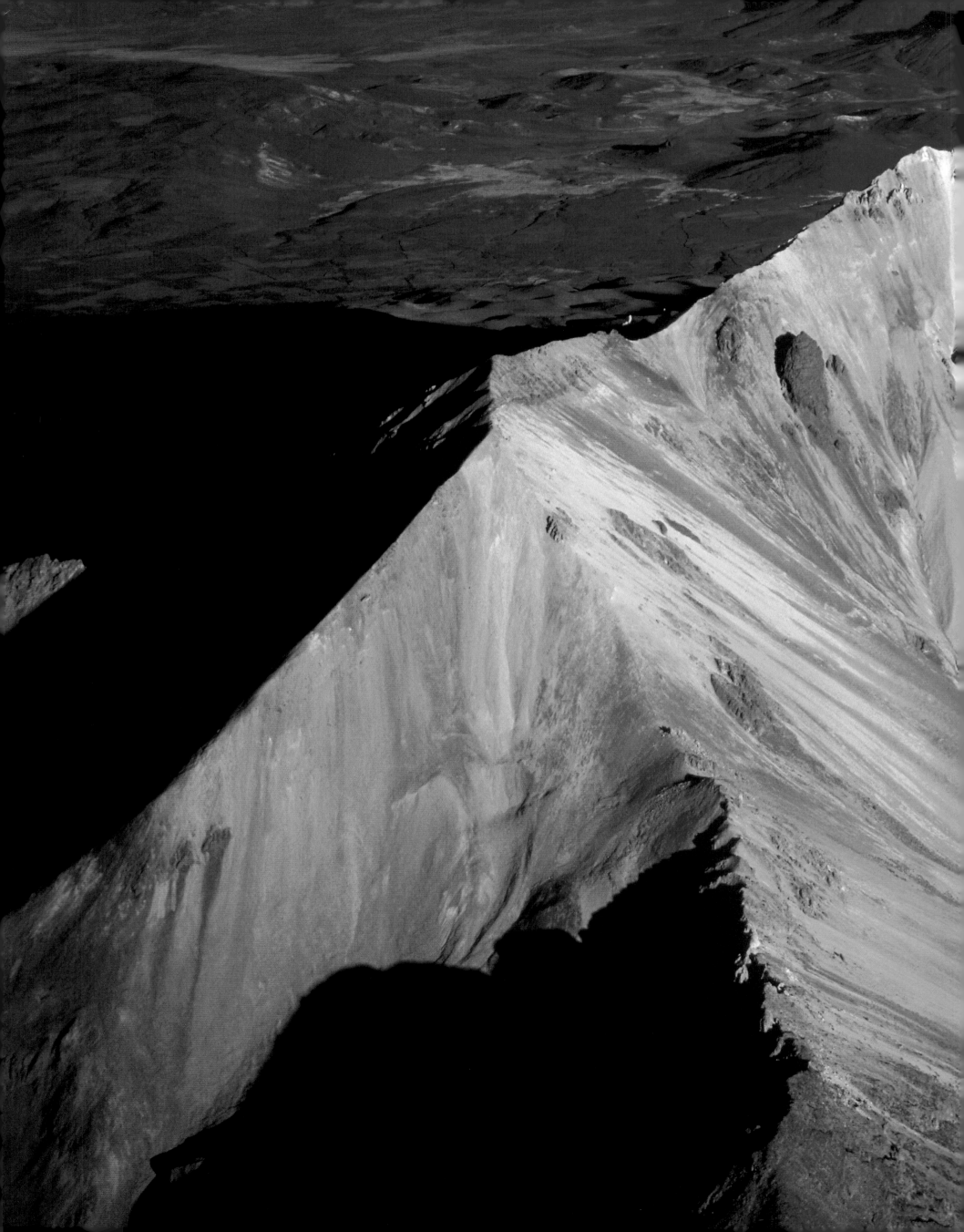

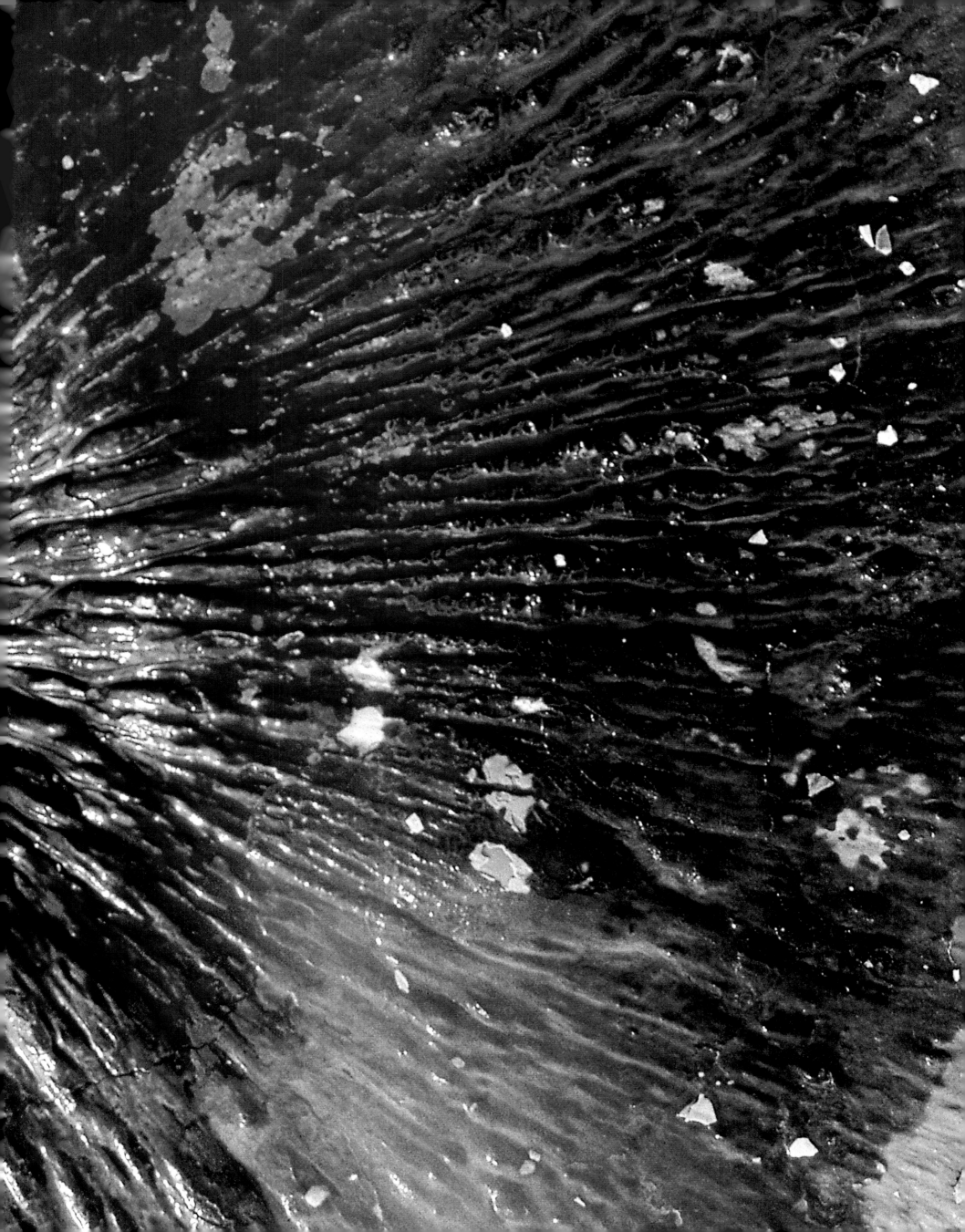

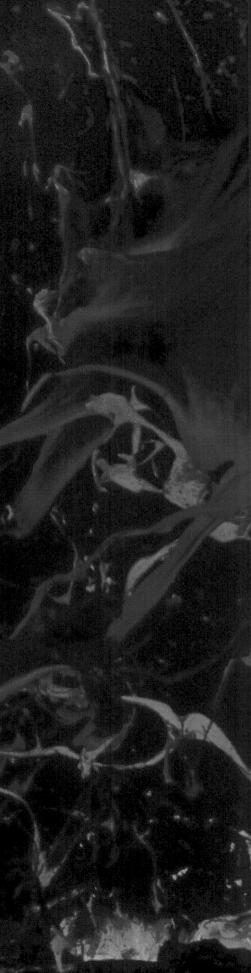

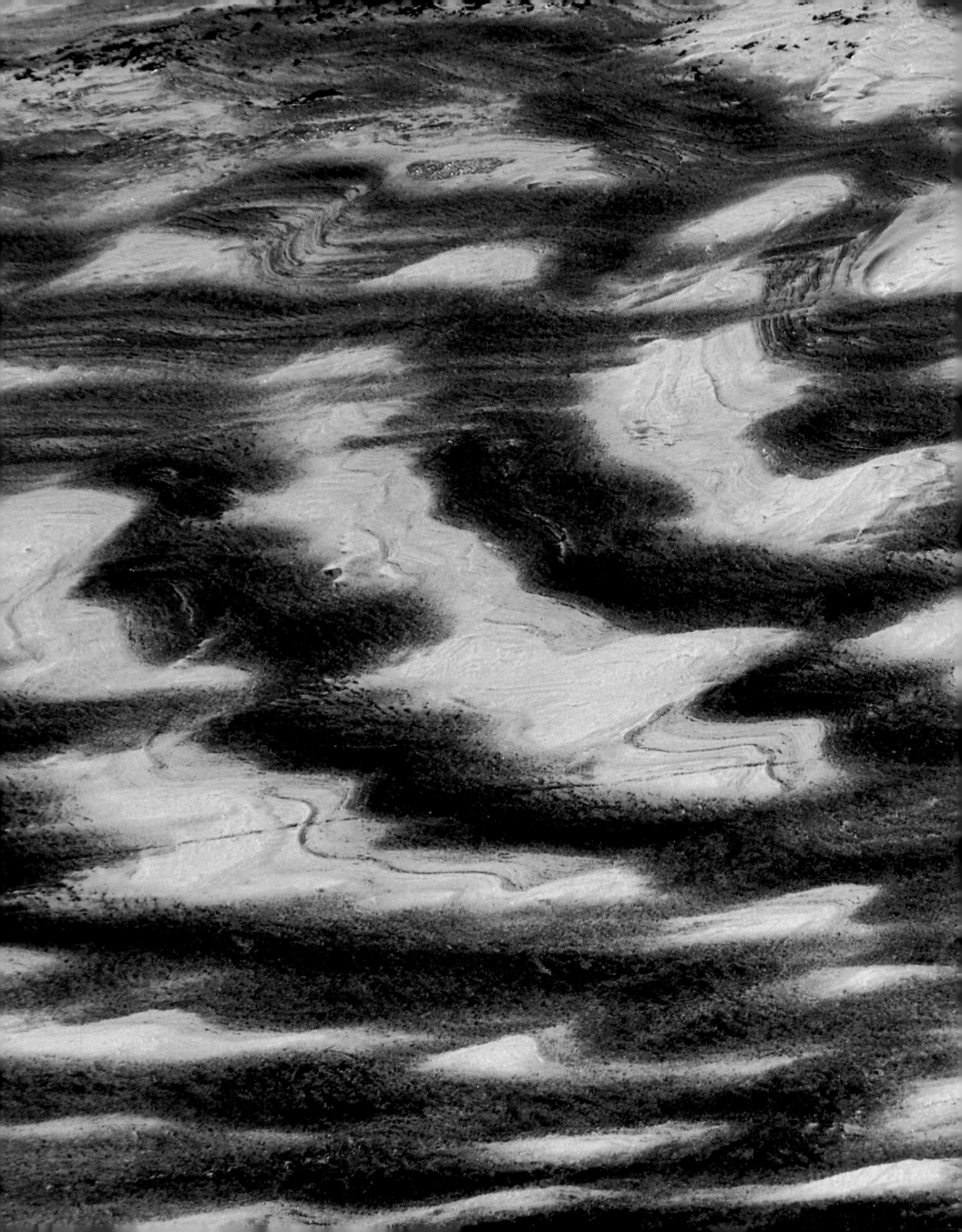

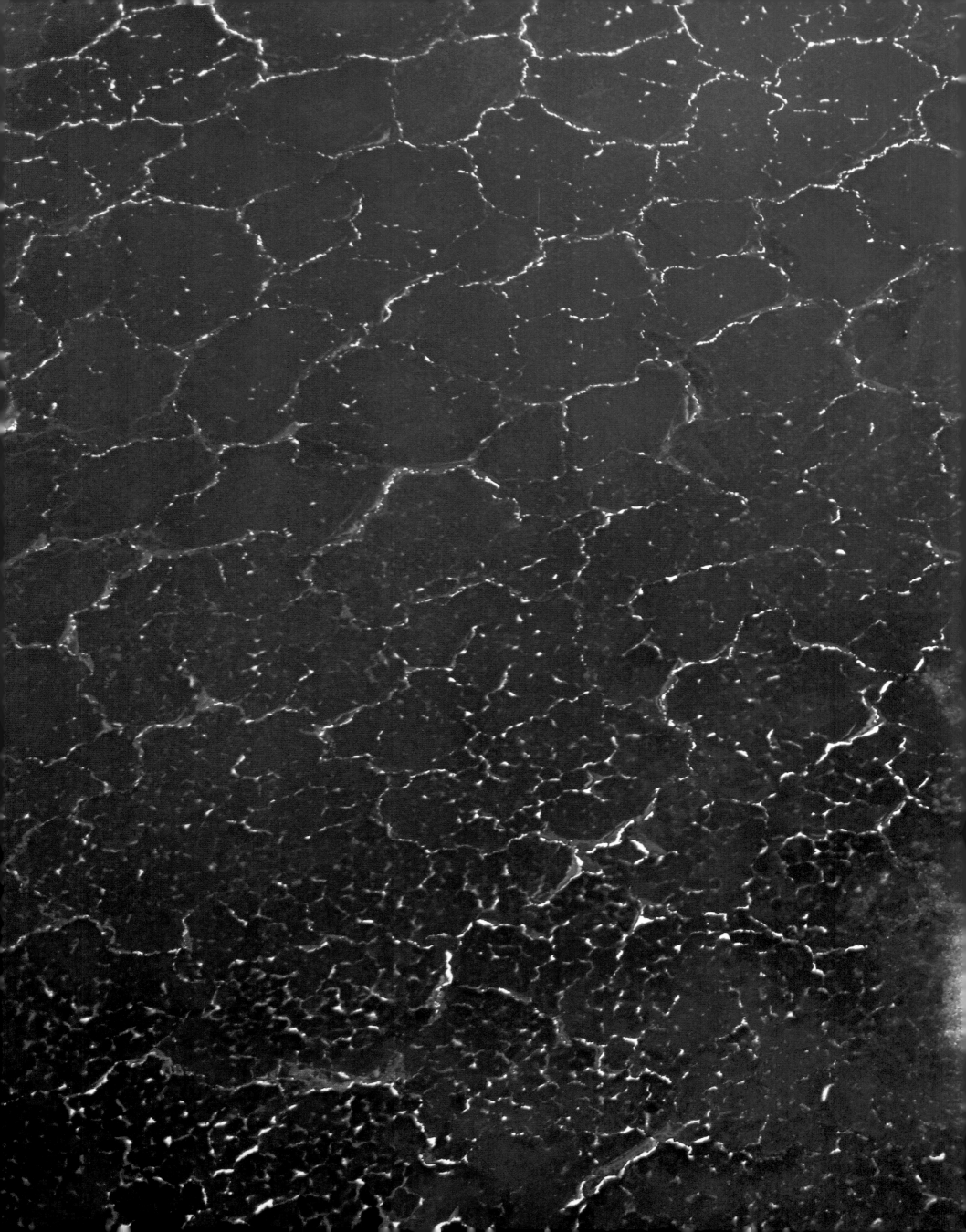

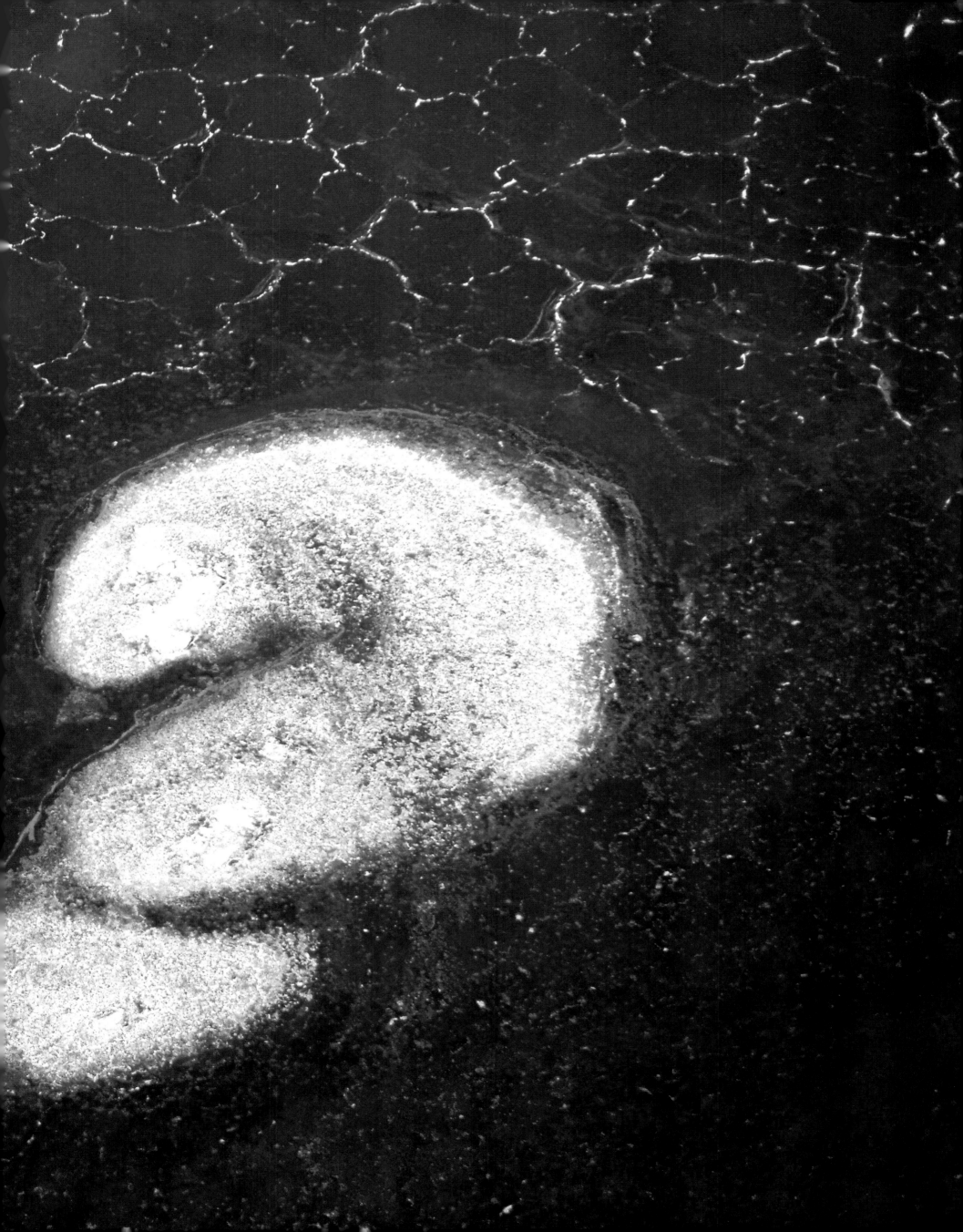

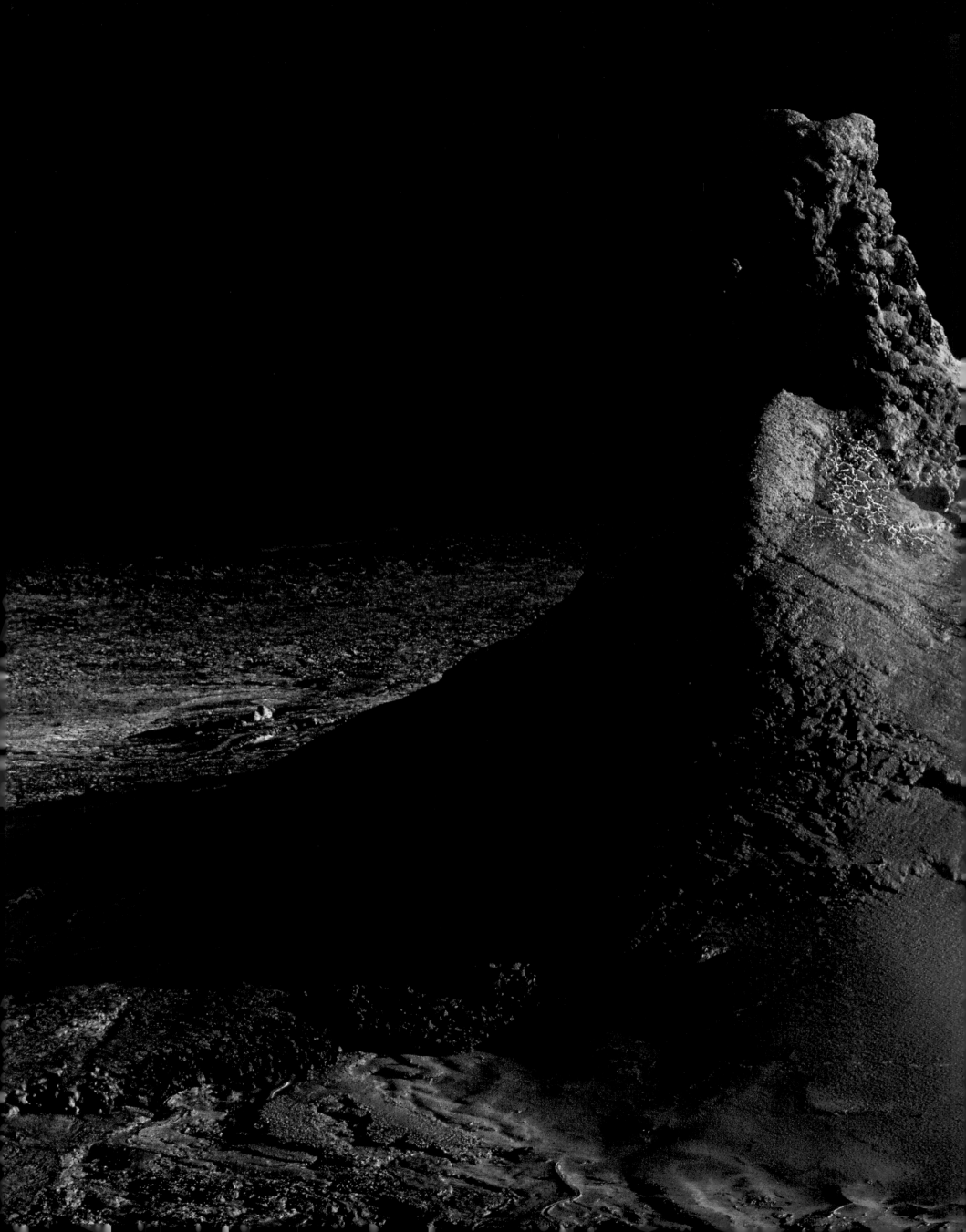

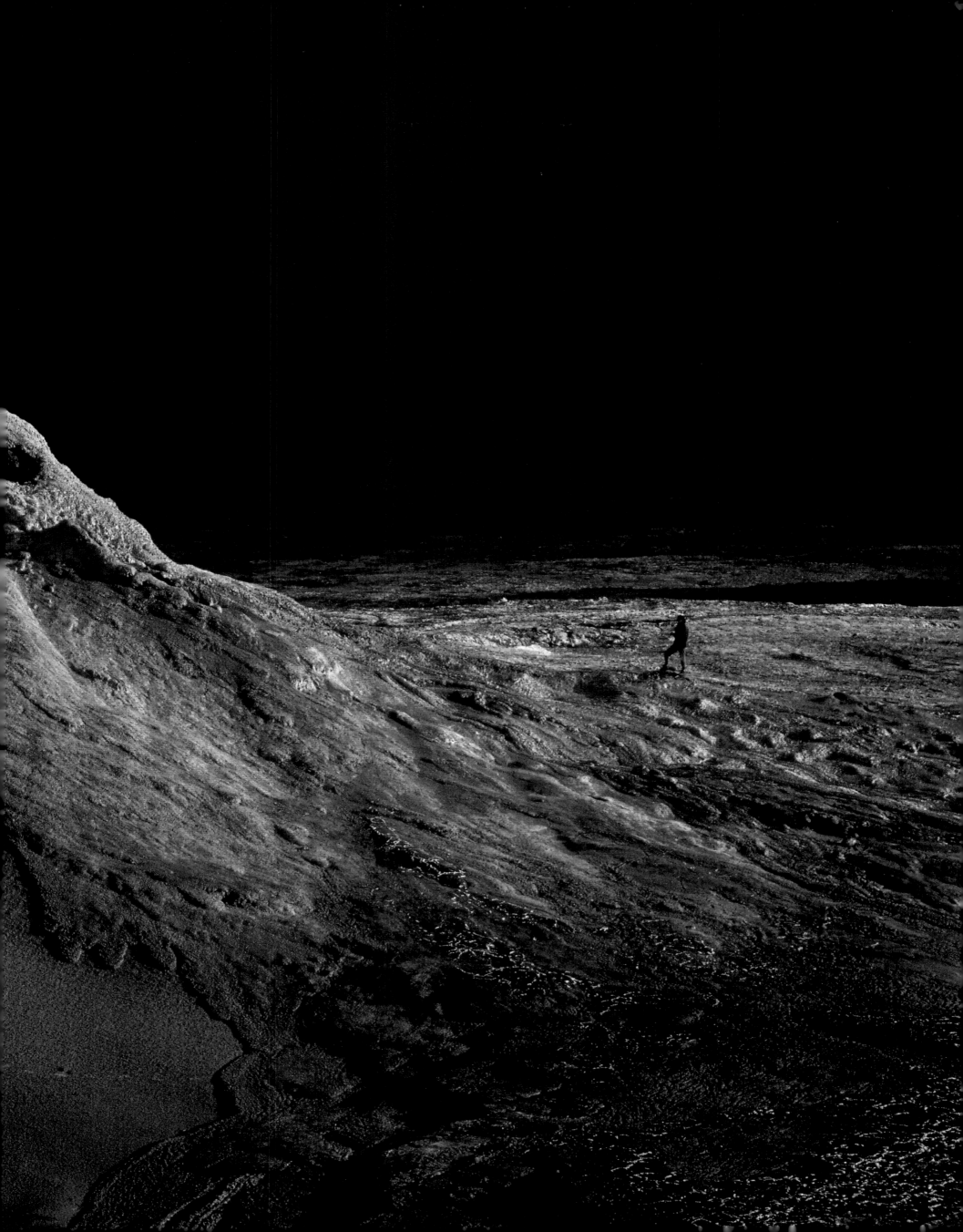

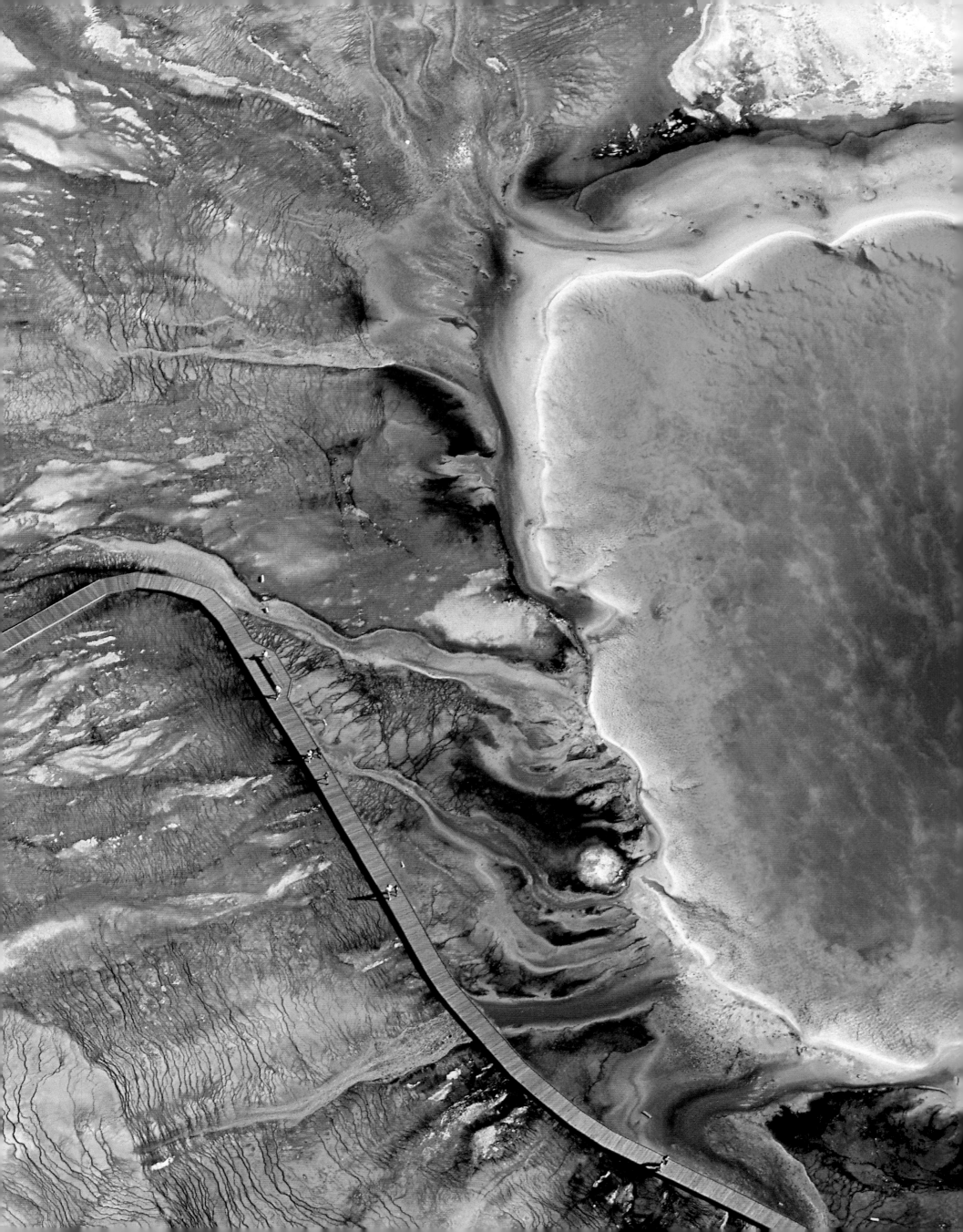

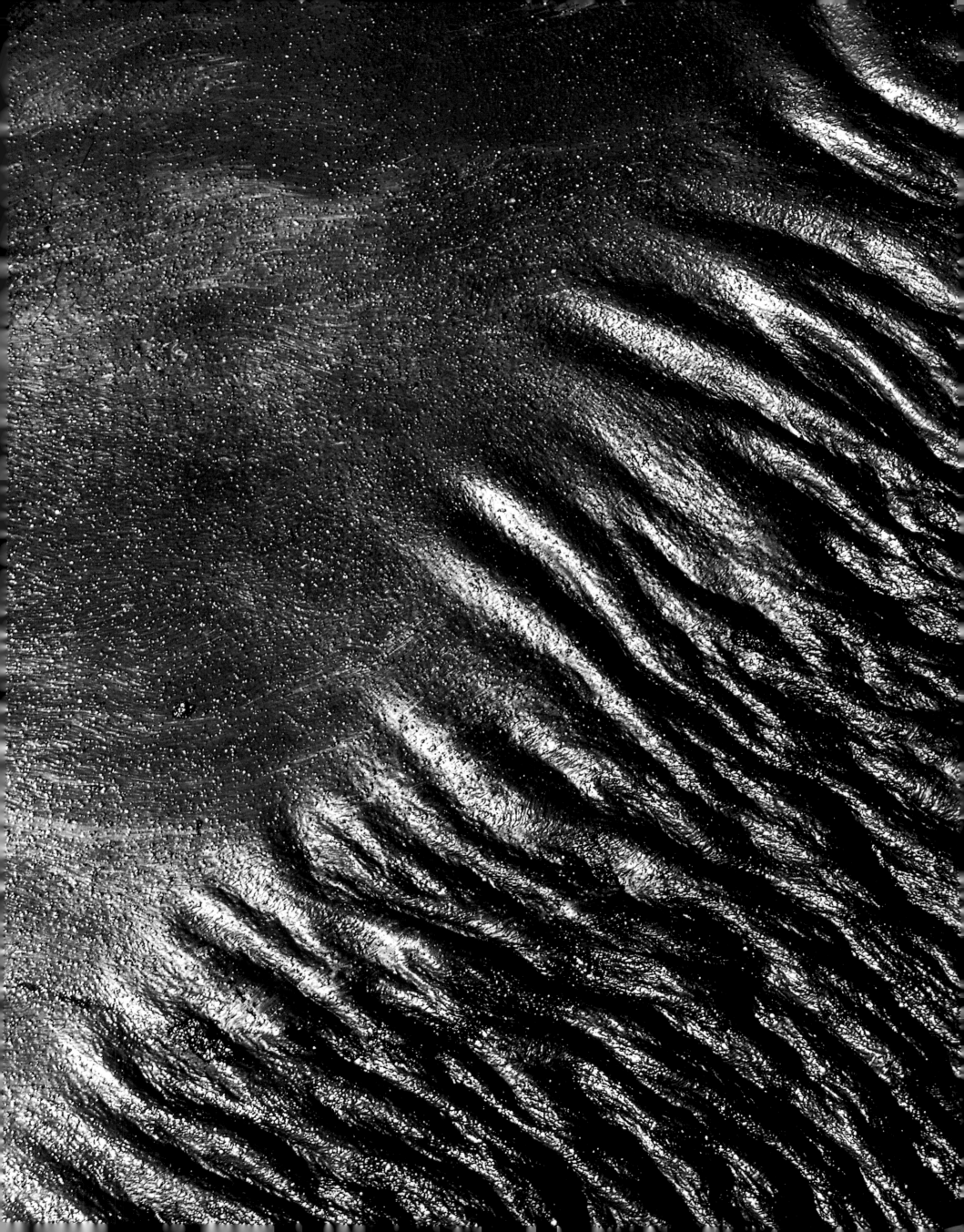

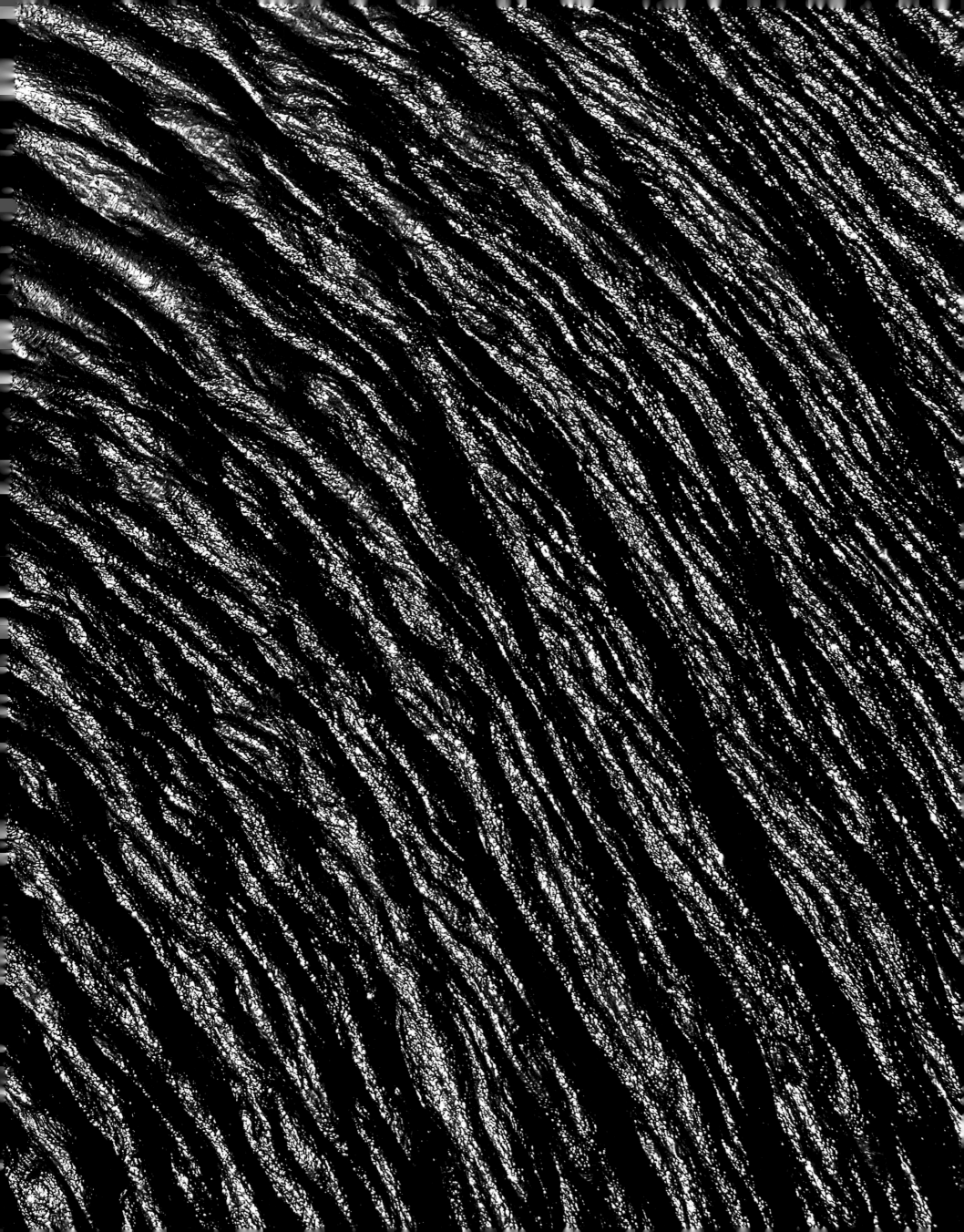

GLOSSAIRE

Accrétion :

Agrandissement des plaques océaniques dû à des ajouts de matière provenant du manteau, au niveau des dorsales. C'est par accrétion que se fabrique le fond des océans.

Affleurement :

Se dit d'un site où, à la suite de l'érosion ou d'une coupe de terrain naturelle ou artificielle, une roche affleure à la surface.

Basalte :

Roche volcanique la plus commune, elle constitue la plus grande famille de laves. Elle est relativement pauvre en silice (45 % à 54 %), mais riche en fer et en magnésium. Les magmas basaltiques donnent des coulées de lave assez fluides, qui s'étendent sur de grandes distances et couvrent de larges surfaces. Constituant essentiel des plaques océaniques, elle apparaît au niveau des dorsales. Elle est également présente dans le volcanisme de point chaud.

Blast :

Souffle qui provient d'une violente explosion dirigée souvent latéralement. Il expulse des gaz, des blocs et des cendres. Les blasts violents sont très destructeurs, jusqu'à une distance très éloignée du volcan.

Caldeira :

Dépression circulaire ou elliptique, d'un rayon supérieur à un kilomètre, formée par l'effondrement de la partie sommitale d'un volcan. Sa formation est très souvent la conséquence d'un soutirage massif de lave lors d'une éruption importante. La formation des caldeiras peut s'accompagner de phénomènes explosifs d'origine phréatique extrêmement violents.

Carbonatite :

Lave très rare, dans laquelle des minéraux carbonatés remplacent la silice. De couleur très claire, souvent blanche, elle peut prendre l'aspect du calcaire ou de la craie. Elle résulte de la différenciation du magma par divers fluides, principalement le CO_2.

Coulée pyroclastique :

Appelée aussi « nuée ardente », elle provient de l'épanchement latéral d'un mélange de gaz à haute température, de cendres, de blocs ou de débris divers. Elle se déplace comme une avalanche, à des vitesses élevées (jusqu'à 200 km/h). D'un dynamisme très destructeur, elle peut parcourir plus de 20 kilomètres.

Dyke :

Fracture, souvent verticale, qui entaille le socle, la partie profonde ou le flanc du volcan. Le magma s'injecte dans ces fissures. À l'abri des parois qui le contiennent, il se refroidit alors très lentement. La roche se cristallise en profondeur et devient souvent plus dure que son contenant. Plus tard, elle peut être dégagée par l'érosion. Le dyke apparaît alors comme un feuillet vertical ou une lame de longueur variable.

Éruption fissurale :

Se dit d'une éruption qui se développe tout le long d'une fissure. Une série de cônes volcaniques alignés peuvent s'y former. Les éruptions fissurales apparaissent au fond des rifts ou sur les flancs des larges volcans-boucliers.

Event :

Bouche ou petit cratère, qui ne rejette généralement que des gaz à haute température sous pression. Elle envoie parfois des lambeaux de lave en fusion entraînés par ces gaz.

GPS :

Technique de localisation précise d'un point de la surface du globe, par triangulations successives, faite à partir de satellites.

Hlaup :

Mot islandais désignant une coulée de boue constituée de fragments de lave plus ou moins gros en suspension dans l'eau. C'est, en Islande, un phénomène secondaire typique des éruptions volcaniques sous-glaciaires (*jokullhlaup*).

Hornito :

Petit cône apparaissant au point de sortie d'une coulée de lave ou sur la voûte d'un tunnel sous-lavique. Il est formé par l'accumulation de lambeaux projetés par les gaz au moment du dégazage de la lave. En général, il ne dépasse pas quelques mètres de hauteur.

Hummock :

Relief typique de petites collines qui se forment au pied d'un volcan. Ces collines résultent de l'accumulation des débris des matériaux déplacés par un effondrement du flanc de l'édifice volcanique.

Lapilli :

Mot italien qui désigne les tephras (matériel éjecté dans les airs par les explosions), dont le diamètre varie entre 2 millimètres et 50 millimètres.

Mantelliques :
Qualifie des substances (magma, lave, fluides…) provenant du manteau terrestre.

Moraine :
Ensemble de blocs de taille variable présents sur les parties frontales ou latérales des glaciers.

Nuées cypressoïdes :
Panaches de cendres très noires chargées d'eau, projetées en gerbes ressemblant à des cyprès. Elles sont présentes dans les éruptions sub-aquatiques.

Obsidienne :
Roche volcanique totalement vitreuse (sans structure cristalline), souvent noire, mais translucide à faible épaisseur. Elle provient du refroidissement particulier d'une lave acide (riche en silice). Souvent très coupante, elle a été utilisée pour fabriquer des outils.

Palagonite :
Roche formée lors d'une éruption sub-aquatique par l'accrétion de grains très fins du magma chaud fragmenté dans l'eau froide. La pâte vitreuse hydratée lors de la trempe donne à la palagonite une teinte caractéristique, jaune à orange foncé.

Rhyolite :
Roche volcanique riche en silice (minimum 69 %), en sodium et en potassium. Les magmas rhyolitiques, très visqueux, peuvent donner des coulées de lave étroites mais très épaisses. La rhyolite apparaît fréquemment sous forme de dôme d'extrusion. Produit typique du volcanisme des zones de subduction, elle accompagne souvent les activités explosives.

Sandar (pluriel ***sandur***) :
Mot islandais qui désigne les larges étendues plates formées par les dépôts de *hlaup* (coulées de boue).

Sérac :
Large tranche de glace, découpée entre deux crevasses, qui apparaît dans les zones d'accélération (pentes raides, voire verticales ou en surplomb) des glaciers. Les séracs, très instables, peuvent s'effondrer de manière imprévisible.

Silice :
Nom courant donné au dioxyde de silicium (SiO_2), présent en quantité variable dans toutes les roches volcaniques.

L'augmentation de sa concentration modifie la viscosité des laves – qu'elles soient fluides (basaltes) ou très visqueuses (rhyolites) – et détermine assez directement l'indice d'explosivité de l'activité volcanique.

Subduction :
Phénomène par lequel, dans une zone de convergence entre deux plaques lithosphériques, l'une de ces plaques disparaît sous l'autre en s'enfonçant dans le manteau. Le volcanisme associé aux zones de subduction est explosif.

Tephra :
Nom générique donné à l'ensemble du matériel lavique rejeté par explosion lors des phases éruptives : poussières, cendres, lapilli, bombes et blocs. Ces différents fragments ne se distinguent que par leur taille, leur composition pouvant être rigoureusement semblable.

Thermocouple :
Instrument de mesure de température, basé sur la variation d'un courant électrique apparaissant dans un bi-métal exposé à des températures variables.

Trapps :
Énormes dépôts de coulées de laves empilées les unes sur les autres, produites lors d'événements éruptifs gigantesques à l'arrivée d'une tête de point chaud en surface. Les trapps peuvent s'étendre sur des milliers de kilomètres carrés et avoir plusieurs milliers de mètres d'épaisseur ; leur volume peut donc atteindre plusieurs millions de kilomètres cubes.

Tremor :
Vibration harmonique continue du sol ou d'un édifice volcanique, générée par l'arrivée en surface du magma. L'apparition du tremor est généralement révélatrice de l'activité éruptive. Il se poursuit tout au long de l'éruption. On pense qu'il est dû à l'injection du magma liquide chargé de bulles de gaz dans les dykes d'alimentation du volcan.

Tsunami :
Nom donné à un raz-de-marée dont les vagues sont dues à une éruption ou à un séisme sous-marin.

INDEX

Une petite flamme
de méthane apparaît
sur une coulée de lave
lors d'une éruption
du Kilauea. Hawaii.

Nous remercions tout particulièrement Jean-Louis Cheminée et l'association Images & Volcans.

Un grand nombre de photographies réunies dans ce livre ont été réalisées pour des magazines
et nous tenons à remercier nos sponsors d'origine : Pascal Bessaoud et Yann Méot, du *Figaro Magazine*.
Jean-Luc Marty et Sylvie Rebbot, de *Géo*. Didier Rapaud et Guillaume Clavières, de *Paris Match*.
Frédérique Danglejean, de *VSD*. Christiane Breustedt, de *Geo Saison* (Allemagne).
Ruth Eichhorn, Peter-Matthias Gaede, de *Geo* (Allemagne). Mercedes Velasquez, de *Geo* (Espagne). Lello Piazza, de *Airone* (Italie).

Merci aussi à Heidi Johansson, Margot Klinsporn, Véronique Linares, Masako Sakata, Franca Speranza.

Merci aux équipes des observatoires volcaniques d'Alaska, d'Équateur, d'Hawaii,
de Hokkaido, d'Indonésie, d'Islande, du Kamchatka, de Naples, des Philippines, de la Réunion.

Toute notre reconnaissance aussi aux volcanologues et scientifiques Hervé Bertrand,
Douglas Charley, Lucia Civetta, Minard Hall, Terry Keith, Michel Lardy, Andy Lockhart, Jack Lockwood,
Isabelle Manighetti, Dan Miller, Patricia Mothes, Chris Newhall, Hiromu Okada, Clive Oppenheimer, Giovanni Orsi,
Gudmundur E. Sigvaldason, Thomas Staudacher, Don Swanson, Nicolas Villeneuve, Hugo Yepes.

Et, bien sûr, à tous ceux qui ont participé de près ou de loin aux montages et aux expéditions :
Claude Arié, Anne Arthus-Bertrand, Jean-Philippe Astruc, Jacques Barthelemy,
Jòn Bjorgvinsson, Philippe Bohn, Monique Brandily, François Cartault, Franck Charel,
Eric Christin, Pierre Cristiani, Arnaud de Wildemberg, Agnès Champonnois, Dany Cleyet Marel, Hélène de Bonis,
Franck Desplanques, Jennifer Fank, Alain Gérente, Sri Sultan Hamengkubuwono X, Nyoman Jiwa Hartana, Nathalie Hoizey,
Françoise Jacquot, Bertrand et Elizabeth Krafft, Abdoulkader Mohamed Kémé, Janot et Jeanine Lamberton,
Isabelle Lechenet, Françoise Le Roch, Thierry Machado, Pierre Alain Morand, Emmanuel Moreau, Isy Morgenstein,
Alain Mussard, Frédéric Neema, Antonio Nicoloso, Philippe Patay, Jacques Picard, Stéphane Peyron, Philippe Poissonnier,
Gloria Raad, Diane Sacco, Vincent Steiger, Rémy Tézier, Jean-Pierre von Der Becke.

Merci aux pilotes d'hélicoptère et d'avion pour les images aériennes : Jòn Björnsson, Yves Carmagnolles, Jean-Marie Lavaivre,
de Hélilagon, David Okita, de Volcano Heli Tours, Nick Setton, de East African Charter, Dan Spencer, de Helimission.

Merci aux agences et compagnies Icelandair (Magnus Asgeirsson),
Pêcheurs d'images (Michel et Françoise Buntz), F. L. P. Tokyo (Justin Carson), Hoa Qui (Michel Renaudeau
et toute sa formidable équipe), North Face (Amadio Rosaria), Comptoir des déserts (Hervé Saliou).

Et à ceux qui ont toujours suivi le photographe Philippe Bourseiller :
Bruno Baudry (Fuji Film). Les photos du livre ont été presque toutes réalisées sur films Fuji Velvia (50 ASA).
Quelques photos ont été réalisées avec le panoramique Fuji GX 617.

Gero Furchheim, Gaëlle Guoinguené, le Dr von Zydowitz (Leica). Philippe Bourseiller a travaillé principalement
avec des appareils Leica M6, Leica R6 2, Leica R8 et leurs objectifs du 19 mm au 280 mm qui se sont
révélés d'une qualité et d'une solidité à toute épreuve face à l'agressivité du milieu.

Denis Cuisy, le sympathique directeur du laboratoire Photo Rush Labo.

Nous souhaitons remercier tout spécialement Hervé de La Martinière, qui a cru sans hésiter à ce projet,
et toute son équipe, qui a travaillé avec passion à ce livre : Céline, Marianne, Marie-Hélène, Nathalie, Philippe, Sophie,
Valérie et, particulièrement, Benoît Nacci, directeur artistique, dont la gentillesse
et la sensibilité ont donné à cet ouvrage toute son âme.

Nous remercions aussi Richard Lippmann et son équipe de Quadrilaser,
Kapp-Lahure-Jombart pour l'impression et la Sirc pour la reliure.

Enfin, Philippe Bourseiller voudrait exprimer toute sa gratitude à un ami, Yann Arthus-Bertrand, pour son soutien,
sa fidélité et sa passion qu'il partage avec un élan et une générosité sans égal, ainsi qu'à Pascal Bessaoud, qui lui a permis
de partir pour la première fois à la découverte des volcans en compagnie de Jacques Durieux.

Pardon à ceux dont nous avons oublié de citer le nom et qui nous ont aidés dans ces expéditions.
Nous en sommes sincèrement désolés et nous les remercions très chaleureusement.

Crédits photographiques

Toutes les photographies de *Des volcans et des hommes* sont de
Philippe Bourseiller à l'exception des pages :

42, 45, 46, 122, 123, 124, 125, 127 : DR
209, 211 : © Hoa-Qui/Krafft

Schémas pages 370, 371, 372, 373 : © Alain Cazalis & Izumi Cazalis

Peinture murale représentant le volcan Cotopaxi dans une rue de la ville de Baños. Équateur.

Achevé d'imprimer en juillet 2001, sur les presses
de l'imprimerie Kapp-Lahure-Jombart à Évreux
Photogravure : Quadrilaser à Ormes
ISBN : 2-7324-2742-X
Dépôt légal : septembre 2001
Imprimé en France

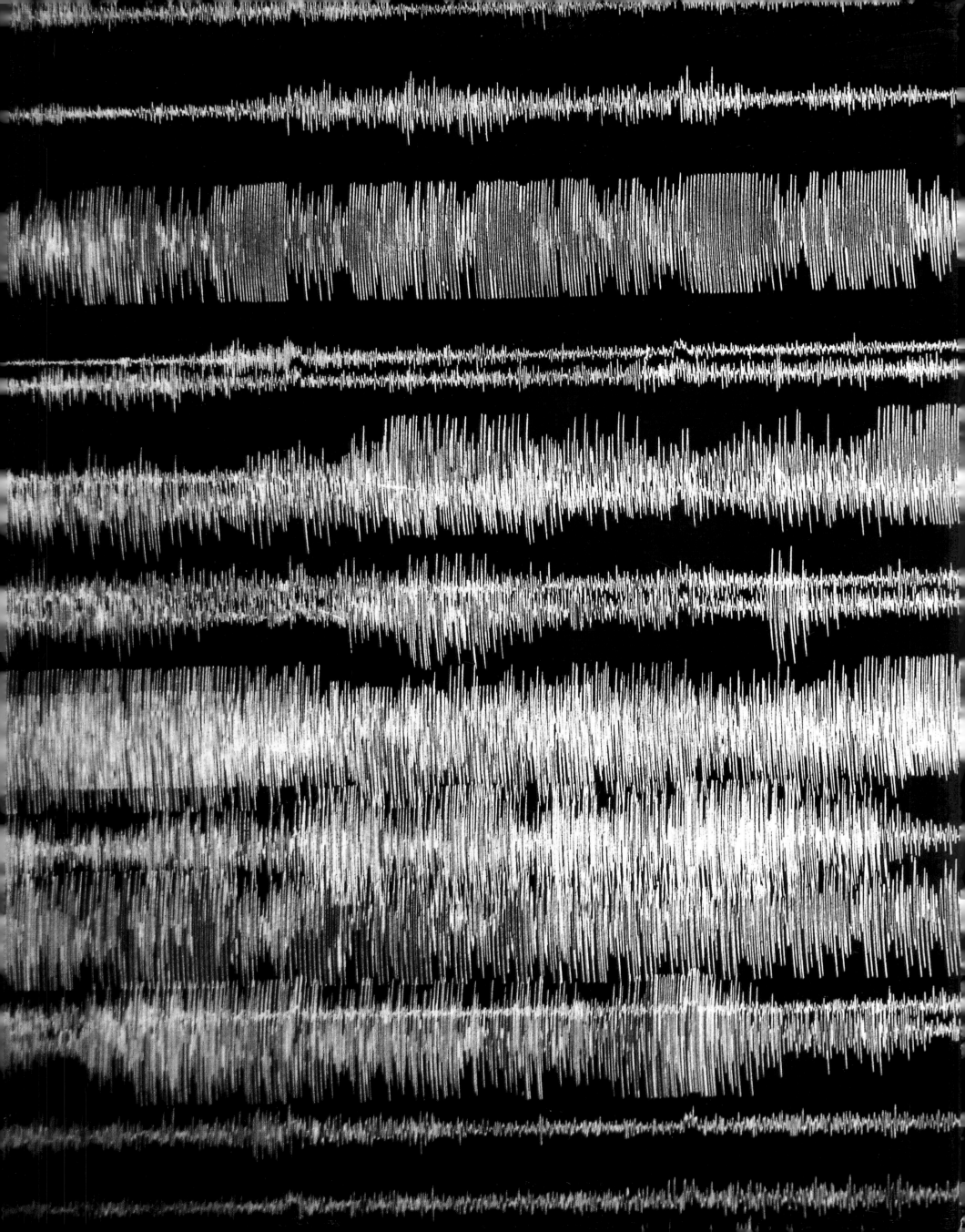